ТАТЬЯНА
Устинова

~ первая среди лучших ~

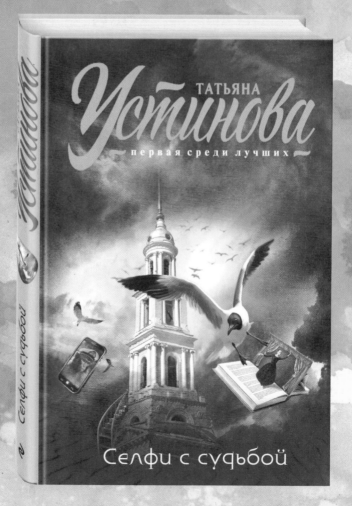

ТАТЬЯНА
Устинова
~ первая среди лучших ~

Селфи с судьбой

ТАТЬЯНА Устинова

Земное притяжение

Москва

2017

УДК 821.161.1-312.4
ББК 84(2Рос=Рус)6-44
У80

Оформление серии *С. Груздева*

Под редакцией *О. Рубис*

В оформлении серии использован шрифт «Клементина»
«© Студия Артемия Лебедева».

Устинова, Татьяна Витальевна.
У80   Земное притяжение : роман / Татьяна Устинова. —
Москва : Издательство «Э», 2017. — 320 с. — (Татьяна
Устинова. Первая среди лучших).

ISBN 978-5-699-99652-0

Их четверо. Летчик из Анадыря; знаменитый искусствовед; шаманка из алтайского села; модная московская
художница. У каждого из них своя жизнь, но возникает
внештатная ситуация, и эти четверо собираются вместе.
Точнее – их собирают для выполнения задания!.. В тамбовской библиотеке умер директор, а вслед за этим происхо-
дят странные события — библиотека разгромлена, словно
в ней пытались найти все сокровища мира, а за сотрудни-
ками явно кто-то следит. Что именно было спрятано среди
книг?.. И отчего так важно это найти?..

Кто эти четверо? Почему они умеют все — управлять
любыми видами транспорта, стрелять, делать хирургиче-
ские операции, разгадывать сложные шифры?.. Летчик, искусствовед, шаманка и художница ответят на все вопросы
и пройдут все испытания. У них за плечами — целая общая
жизнь, которая вмещает все: любовь, расставания, ссоры с
близкими, старые обиды и новые надежды. Они справятся
с заданием, распутают клубок, переживут потери и обретут
любовь — земного притяжения никто не отменял!..

УДК 821.161.1-312.4
ББК 84(2Рос=Рус)6-44

ISBN 978-5-699-99652-0

— Всё выше, и выше, и выше стремим мы полёт наших птиц, и в каждом пропеллере ды-ышит спокой-ствие наших границ!..

На «границах» связка ключей вывалилась из замка и брякнулась под крыльцо. Замок закачался на дужке.

— Что такое!.. — Светлана Ивановна, только что бодро гудевшая себе под нос «Марш авиаторов», подиви-лась на замок, перегнулась через перила и стала шарить глазами. Вон она, связка-то!.. Ишь ты, далеко ускакала!..

Светлана Ивановна спустилась с крыльца — доски поскрипывали, — подобрала ключи, нацелилась было на замок и тут только сообразила, что он открыт!.. Выходит, директор уже на месте, раньше неё прибыл, неслыханное дело!..

...Позвольте, как — на месте? Если замок в петли про-дет и на одной дужке болтается? Что ж это, директор дверь отпер, сам подался куда-то, а всё библиотечное хозяйство нараспашку оставил? На одну дужку только и прикрыл?

Светлана Ивановна заволновалась, заторопилась, крыльцо под ней заходило ходуном. Она отцепила замок, пристроила его на всегдашнее место — на гвоздик с пра-вой стороны, — распахнула дверь. Изнутри сразу потя-нуло запахом пыли и старых книг.

— Пётр Сергеевич, вы здесь?.. Или где?

Никто не отозвался.

Библиотекарша кое-как подпёрла обшитую старым дерматином дверь цветочным горшком с геранью. Дверь осенью подпирали старинным чугунным утюгом, должно быть, в полпуда весом, а вот весной — горшком с геранью.

Неладное началось сразу же. Под ноги Светлане Ивановне как будто текла бумажная река. Библиотекарша ахнула и прижала к груди гигантскую клеёнчатую сумку.

Река состояла из газет и журналов, и все они были измяты, словно истоптаны, ими был устлан весь пол в коридоре, так что даже ковровой дорожки не видно.

— Батюшки светы, — пробормотала Светлана Ивановна, и подбородок у неё задрожал, и дыхание сбилось.

В карманчике сумки она нашарила лекарство, выдавила крохотный красный шарик и кинула под язык.

Ступая по бумажной реке, она осторожно заглянула в «абонемент» и зажмурилась от ужаса — здесь всё было вверх дном, все книги вытащены, выворочены, как будто их били и насиловали. Стеллажи, без книг похожие на скелеты, сдвинуты с места, даже цветочные горшки опрокинуты!..

— Батюшки, — повторила Светлана Ивановна и подумала: хорошо бы сейчас упасть в обморок, но падать в обморок она не умела.

Тело человека, лежащего на полу позади стола с выдвинутыми и выпотрошенными ящиками, показалось ей не таким уж страшным.

Оно *должно было* там лежать, и оно *лежало*.

— Пётр Сергеевич, — позвала Светлана Ивановна и наклонилась над телом. — Петя!.. Что с тобой? Зачем ты здесь лёг?

Было совершенно очевидно, что директор библиотеки ничего и никогда не сможет ей ответить, что это даже и не директор, а то, что от него осталось, — пустая оболочка, не нужная больше и не слишком на директора и похожая!..

Светлана Ивановна сделала неловкое судорожное движение, и из её гигантской сумки на тело посыпались ручки, кошелёк, дурацкое зеркальце с картинкой на крышке, глазные капли, пузырёк тёмного стекла, полоска пластыря, скатанные в нейлоновый узелок запасные носки.

Она кинулась их собирать, а из сумки всё продолжало сыпаться, и когда она горячей потной ладонью случайно коснулась руки Петра Сергеевича, оказалось, что та холодна и тверда.

— Всё, — сказала Светлана Ивановна и ощупью села на стул. — Вот и всё.

...На «Скорой» приехал молодой, бесцеремонный фельдшер, который всё болтал по телефону и на вопросы только махал рукой — вы что, мол, не видите, я занят, — а как глянул на тело, так весь позеленел и выскочил в палисадник, а Петра Сергеевича на носилки погрузили щетинистые похмельные санитары и понесли неловко, неумело.

— Тихо там, уро́ните его! — закричала на санитаров Светлана Ивановна, а Галя всхлипнула.

— Да ему уж без разницы, мамаша, — отозвался один из похмельных.

Участковый Игорёчек, которого по молодости лет только так и звали, растерянно бродил по бумажному морю и бормотал себе под нос, что сейчас подъедет начальство, а пока не подъедет, трогать в библиотеке ничего нельзя. Под окнами переговаривались и курили сбежавшиеся соседи — библиотека имени Новикова-Прибоя располагалась в «частном секторе», кругом сплошь сады и в глубине садов — деревянные дома под железными крышами.

— И ведь как знал, как знал, — повторяла Светлана Ивановна. Крохотные красные шарики — лекарство больше не помогали, она тяжело, прерывисто дышала, и в груди как будто паровой молот стучал — бух, бух. —

Он ведь мне сколько раз говорил: если я раньше тебя помру, сделай милость, позвони в Москву, сообщи там... Он же сам-то московский!

— Да-а-а, — тянула Галя и всхлипывала.

— Что да, ну что да-то, ведь он молодой совсем мужик! — через силу говорила Светлана Ивановна. — В прошлом году юбилей справляли, пятьдесят лет, разве ж это возраст!.. Я над ним смеялась, бывало: ты, Петь, на моих похоронах простудишься!

— Так он не сам себя, Светланочка Ивановна, его ведь... убили, да? Ведь убили?..

Старая библиотекарша махнула на Галю рукой.

Во дворе зафырчала санитарная машина, зачем-то наддала сиреной, Светлана Ивановна схватилась за сердце.

— Галя, поищи там в сумке телефон-то. Надо звонить, раз покойный приказывал. Господи, это ж не произнести даже, Пётр Сергеевич наш — покойный! А ещё очки и записную книжечку. Поищи там, Галя...

Очки и записная книжка оказались в сумке, а телефон валялся на полу под столом.

Светлана Ивановна нацепила очки, долго, ничего перед собой не различая, листала книжечку — из неё выпадали какие-то бумажки, Галя их все поднимала и складывала себе на колено.

— Ну вот. Петиной рукой записано. Известить Раису Васильевна Горбухину. И телефон, московский, должно быть. Четыреста девяносто пять впереди — это же Москва?

Галя пожала плечами.

Светлана Ивановна так же долго набирала номер, а когда в трубке длинно загудело, изо всех сил выпрямилась и закаменела.

— Раиса Васильевна Горбухина? Это вам из Тамбова звонят. У нас беда случилась. Пётр Сергеевич велел в случае несчастья вам первым делом сообщить, вот я и сообщаю...

Генерал положил трубку, посидел неподвижно, а потом, не зная куда девать руки, пристроил их на затылок.

Известие было до крайности неожиданное и... неприятное. Произошло нечто, чего произойти никак не могло, по опыту он знал, что так не бывает.

— Не бывает, — громко сказал генерал и в кабинетной тишине не узнал собственного голоса, — так не бывает, но так есть.

Он совершенно точно знал, что нужно делать, но всю жизнь был уверен, что делать этого не придётся никогда. Генерал не боялся — он вообще в жизни почти ничего не боялся, — но для того, чтобы приняться за дело, следовало собраться с духом, а у него пока не получалось.

...Что там могло произойти? Что пошло не так?..

Глупо и непрофессионально было спрашивать себя — он не знал никаких подробностей, ничего не видел своими глазами и понимал, что не увидит, — но всё же спрашивал.

...В чём он мог ошибиться? Чего не учёл? Что рассчитал неправильно?..

Оттолкнувшись, он мягко покатился в кресле, упёрся руками в подоконник и посмотрел на улицу. Небо нависло над Москвой, навалилось снеговой чернобрюхой тучей, и от её тяжести трудно было дышать.

— Я не знал, что так получится, Петь, — сказал генерал и опять не узнал собственного голоса. — Да что я, не обо мне речь! Ты-то куда смотрел?! Что ты мог пропустить?!

Тут он понял, что немедленно должен выпить, мельком глянул на часы — оказалось, что времени всего-ничего, одиннадцать утра, — прошагал к буфету, набулькал в тяжёлый стакан виски, много, почти половину, и выпил в два длинных глотка.

Больше сделать ничего было нельзя.

Он вернулся к столу, снял трубку, помедлил и нажал кнопку.

— Собирайте группу, — приказал он. — Код оранжевый.

Там, похоже, не расслышали, потому что ему пришлось повторить:

— Оранжевый!

Ну, вот и всё. Теперь от него ничего не зависит.

Твёрдой рукой он закрыл дверцу буфета, сунул пустой стакан на столик — потом уберут, унесут, — походил по кабинету, уселся в кресло и принялся смотреть на Москву. Ветер ломился в окна, в разные стороны гнал по стёклам неровные дрожащие ручьи. Под дождём город казался съёжившимся, спрятавшимся под железные мокрые крыши.

— Всё выше, и выше, и выше, — пробормотал генерал себе под нос, — стремим мы полёт наших птиц...

С утра Хабаров всласть поругался в диспетчерской с самим Нечитайло, да так, что волоокая Томка, сидевшая и за секретаря, и за помощницу, и за подавальщицу, хотя числилась сотрудницей погранслужбы, выскочила из своей каморки на улицу в одном кителе.

— Шинель накинь! — закричал на неё дежурный офицер. — Холод собачий и ветер штормовой! Куда несёшься!?

— Туда. — Проламываясь через турникет, Томка показала подбородком на улицу. — Я тоже человек! Я ихнюю цветомузыку больше слушать не желаю!

Дежурный проводил её глазами.

На улице ветер ударил так, что девушка покачнулась, схватилась обеими руками за поручень. Длинные чёрные волосы, которыми гордился и любовался весь ГВФ и военные заодно, сами собой поднялись и встали дыбом. Китель, застёгнутый на одну пуговку, распахнулся, затрепыхался, надулся, его почти сорвало.

— От шальная баба!

Дежурный выбрался из-за стола, с усилием распахнул дверь и, почти падая на ветер, втащил Томку в стеклянные сени.

Она захлёбывалась и таращила дикие глаза.

— Ты первый день в Анадыре, что ли, я не пойму?! Сказано — ветер! Нет, понеслась! Мата больше слышать она не может! Стой тут, раз ты такая нежная, тут его не слыхать, мата!..

— Вот у меня где этот ваш мат! — Томка, тяжело дыша, попилила рукой по горлу. Другой она яростно заправляла за пояс вырванную ветром блузку. — В ушах вязнет, и день, и ночь одно и то же, как будто по-людски разговаривать нельзя!

— А сама-то чё? — осведомился дежурный, возвращаясь за стол. — Не материшься, голубица?

В кабинете Нечитайло уже доругивались, голоса звучали потише, поспокойнее, понятно было, что спорщики устали и ни до чего не договорились.

Хабаров напоследок послал Нечитайло с его горючкой и мелкой бюрократической душонкой подальше, вывалился в коридор, саданул дверью и закурил.

— У нас тут не курят, — сказал дежурный и захохотал, — постановление правительства и Государственной Думы.

Хабаров Думу и правительство тоже послал, но не так размашисто и цветисто, как Нечитайло. Докурил, загасил окурок о подошву и швырнул в угол.

— Если кому понадоблюсь, я в бильярдной! — рявкнул он. — Хоть шары погоняю, чем с такими... с вами... разговаривать!..

— А чего такое-то?

— А ничего, твою мать! Мне в Эгвекинот идти, а у него по горючке лимиты!..

— Куда идти, ветер тридцать метров в секунду и поперёк полосы!

— Да пропадите вы все пропадом! — опять во всю силищу заревел Хабаров. — У этого лимиты, у того ветер! Метеослужба прогноз дала — к вечеру уляжется! А там больных трое! И ребёнок!.. Он чего тебе, ждать должен, когда эта гнида мне горючку подпишет?!

— Лёша, — тихонько сказала нарисовавшаяся возле стола Тома, — хочешь, я тебе чайку заварю? У меня плиточный есть, тундровый, ты же любишь...

Мужики на неё оглянулись. Она уже была вся прибранная, аккуратная, глаза держала долу, пальчики крутили железную пуговку на кителе — диво дивное!..

— Да не надо мне ничего! Мне работать надо, вы это понимаете?!

— Лёш, сало есть, настоящее, домашнее. Бабушка прислала. У них в Калаче дом свой, и куры, и кабанчик... Бутербродов могу наделать.

— Мне сделай! — вскинулся дежурный, и лицо у него стало умильным. — Я знаешь как сало люблю?!

Хабаров махнул на них рукой и широким шагом двинул по коридору.

Дверь в кабинет Нечитайло приоткрылась, из неё вылетел реглан и приземлился на стулья, стоявшие вдоль коридорной стены. Тома подбежала, подхватила реглан и бросилась за Хабаровым.

— Бутербродик сделаю, да, Лёш? И чайку? Послаще, ты ж любишь сладко чтоб!..

Хабаров принял у неё реглан, продел руки в рукава и вдруг усмехнулся:

— Калач — это чего такое?

— Так город такой, Лёша!.. — затараторила Тома. — Калач-на-Дону, я сама с Волгограда, а бабуля с дедулей у нас в Калаче живут, и дом у них там, и сад, и чего только нет...

— Надо же, — себе под нос сказал лётчик Хабаров, — не знал я такого города!

Тома проводила его глазами. Они были ласковые, правдивые, говорящие так откровенно, что дежурный крякнул и отвернулся.

Она дошла до двери в кабинет, оглянулась, но никакого Хабарова уже не было. Она обласкала взглядом его невидимый след, вздохнула и вошла. Оттуда сразу же донеслось недовольное бухтенье Нечитайло, впрочем, вскоре стихшее.

Дежурный покрутил головой и ещё раз крякнул огорчённо — все, вот как есть до одной бабы сохнут по летунам, что в них такого?! Разве что регланы, но в управлении все в регланах, не только летуны! За что же им-то бабья любовь достаётся?!

Ветер улёгся так же внезапно, как и налетел, словно и не было его — как всегда, в Анадыре. Хабаров, изнемогший от стуканья бильярдных шаров, смачных анекдотов — ни одного нового, все наизусть давно выучены, — махорочного дыма и плиточного чая, похожего на микстуру, ушёл на полосу.

«Аннушка» на привычном месте показалась ему неожиданно весёлой, а Хабаров думал увидеть её грустненькой — ведь на них обоих с утра пораньше наорал потный Нечитайло!.. Солнце играло на плоскостях, а когда Хабаров вышел из плотной тени диспетчерской, отразилось от стекол кабины и брызнуло в глаза так, что пришлось махом нацепить на нос тёмные очки.

Движок зачехлён, растяжки укреплены, чтоб ветрами самолётик не сдуло в Анадырский лиман, и эти растяжки как будто подтверждали — никуда вы сегодня не полетите, так и будете на приколе торчать!..

Внизу что-то мелькнуло, руку в перчатке как подбросило — Хабаров знал, что это означает. Это означает, что беспородный аэродромный пёс Марат прибежал поздороваться.

— Здорово-здорово, — сказал Хабаров и почесал Марата за ухом.

Марат неистово крутил хвостом, словно пропеллером, и снова и снова подбрасывал руку Хабарова — соскучился.

— Всё выше, и выше, и выше, — напевал Хабаров и в такт гладил пса по голове, — стремим мы полёт наших птиц, и в каждом пропеллере дышит спокойствие наших границ!..

От ангара подошёл техник в синей тёплой куртке и ватных штанах. Поговорили о Нечитайло и проклятых лимитах, о прогнозе на завтра, о том, что в Доме офицеров вечером новое кино, а после танцы. Это самое новое кино Хабаров видел на Большой земле прошлым летом, но не стал огорчать техника.

— Чего ты маешься, Алексей Ильич? Штатно на Эгвекинот в пятницу пойдёшь, авось и погода, и керосин будут...

— Авось, — согласился Хабаров.

Странное чувство, будто что-то должно вот-вот произойти и ему не придётся в пятницу «штатно» идти на Эгвекинот, вдруг совершенно определённо сформировалось в голове, и Хабаров даже по сторонам оглянулся, проверяя.

Вокруг всё было привычное, давно изученное, ничего нового.

— А я в пятницу с утра движок погоняю, — продолжал техник, — застоялась машинка наша!..

Аэродромный пёс Марат притащил из ангара древний футбольный мяч со спущенной камерой и вмятиной на боку, положил Хабарову под ноги. Тот прицелился как следует, поддал, мяч закрутился, полетел. Марат пританцовывал от нетерпения, а потом бросился ловить.

Лётчик и техник проводили его глазами, а потом техник рассказал анекдот — не просто с бородой, а прямо с сивой бородищей! — и тут уж Хабаров сказал, что знает этот анекдот ещё со времён Качинского лётного училища, и уже тогда он был старый, как мир.

Техник, буркнув: «Ну и пожалуйста», — ушёл, а Хабаров ещё несколько раз кинул Марату мяч.

...Что-то должно случиться. Сегодня. Прямо сейчас.

— Марат, давай, тащи мяч! Ну?! Где ты его бросил?

Ухо уловило отдалённый рокот, нараставший стремительно, из-за сопки вынырнул самолётик — он шёл на малой высоте, заходил от дальнего привода, как будто собирался садиться.

Хабаров спущенным мячом загораживался от солнца, пытался рассмотреть опознавательные знаки.

Рокот двигателей накрыл его, Марат залаял — неслышно из-за грохота, — и на бетон метрах в ста от Хабарова упал какой-то предмет.

Самолёт сделал круг над аэродромом, стал набирать высоту и пошёл в сторону сопок.

От ангара бежали техники.

Хабаров некоторое время смотрел вслед самолёту, а потом тоже побежал и подобрал предмет. Это был небольшой брезентовый свёрток, упакованный по всем правилам.

— Мужики, кто засёк, чей борт? Откуда он вывалился-то?! Не, вы видали?! Его ж не было, а с утра по штормовому ни одного борта не выпустили! С той стороны он пришёл! Да из-за сопки шёл, я его на подлёте срисовал!

Техники говорили все разом, и Марат время от времени взлаивал.

— Лёша, чего он сбросил-то? Ты видел?

Хабаров сунул пакет в карман и там, в кармане, придерживал его рукой.

— Видел, — сказал он себе под нос.

...Вот тебе и штатный рейс на Эгвекинот в пятницу!

— Я на вышку, — заявил Хабаров и махнул рукой в сторону КДП. — Бывайте, мужики!..

— Да ладно тебе, Лёха, чего там, в пакете?! Золотой запас? Куда ты понёсся-то?!

Стремительно удалявшийся Хабаров оглянулся и махнул рукой. Пёс Марат подумал и кинулся за ним.

— Какая-то удивительная для апреля погода, правда? — спросила дама, сидевшая так, чтобы видеть море.

Она сидела уже давно, не читая и не разговаривая по телефону, только смотрела и время от времени маленькими глотками отпивала кофе.

Макс покосился на неё. Он не любил, когда посторонние с ним заговаривали.

Дама целиком и полностью соответствовала месту, где они находились. В старом отеле на самом берегу моря Макс обедал каждый четверг. В ресторане было слишком людно, и еду ему приносили сюда, в просторный тихий, мраморно-бронзовый лобби-бар, всеми окнами выходивший на море. Он всегда садился лицом к высокому окну, и официант непременно отдёргивал белую тонкую штору.

В лобби-баре, да и во всём отеле чувствовался сдержанный шик, не новомодный, напоказ, а как полагается — старинная мебель, картины, правильно истоптанные мраморные плиты на полу, камин, в который для запаха подкладывали кипарисовое полено. Хрустальные люстры, от времени чуть серые в глубине, как осевший к весне сугроб, едва теплились, сочились приятным спокойным светом.

Как правило, здесь было мало людей, и они никогда не заговаривали друг с другом!..

— Впрочем, — продолжала дама, — погоду в Прибалтике предсказать невозможно. Особенно весной.

Макс подумал, не промолчать ли и на этот раз, но всё же ответил:

— Согласен с вами.

И вновь зашуршал газетой. Он принципиально узнавал новости исключительно из газет — не из интернета или телевизора. С каждым годом достать газеты становилось всё труднее, но для Макса доставали.

— Вы здесь отдыхаете? — продолжала дама. — В Калининграде?

— Я здесь живу, — признался Макс.

Дама взглянула на него.

— Не похоже.

— И тем не менее.

...Лет ей может быть сколько угодно — тридцать восемь или пятьдесят пять. Одета стильно и без всякого вызова. Бриллианты в ушах и на пальце, как раз подходящие для обеденного времени — не слишком крупные и не слишком мелкие. Маленькая сумочка наперекор моде, — в моде как раз огромные — совсем не новая, Джейн Биркин гордилась бы, что сумочка с её именем носится годами.

Прекрасно, решил Макс и уставился в газету.

Там некий журналист, постоянно ссылаясь на свой блог, рассуждал о скором крахе, конце времён, финишной прямой цивилизации. Макса всегда развлекали такие рассуждения.

— Принесите мне еще кофе и, пожалуй, лимончелло, — сказала дама подошедшему официанту.

— Мне тоже кофе, газированный воды, лёд и лимон, — распорядился Макс и столкнулся с ней взглядом.

...Ей что-то от меня нужно. Просто так она не отстанет.

— Вы же Макс Шейнерман, — подтверждая его мысли, констатировала дама. — Правильно?

— Абсолютно. Мы знакомы?..

Она улыбнулась. Зубы, как ни странно, у неё были свои, не пластмассовые.

— Всякий, кто так или иначе интересуется искусством, знает, как выглядит Макс Шейнерман.

— Спасибо.

Она едва заметно повела плечами:

— Это не комплимент, а чистая правда. Меня зовут Елизавета Хвостова. Я коллекционирую Льва Бакста.

Макс улыбнулся:

— Исключительно Бакста?

— Среди прочих, — быстро ответила Елизавета Хвостова. — Вы самый авторитетный специалист по художникам из «Мира искусства», и сам Бог мне вас послал.

Макс покосился на газету с рассуждениями о крахе цивилизации, вздохнул, отложил её и сделал слушающее лицо.

— Мне показали чудный портрет, — начала дама, — совершенно роскошный и в превосходном состоянии! Специалисты утверждают, что это Бакст, девятьсот второй год.

— Чей портрет?

— Графини Келлер.

Макс удивился:

— Портрет графини Келлер очень хорошо известен, это действительно Лев Самойлович Бакст и действительно тысяча девятьсот второй год, хранится он в Зарайске, в музее «Зарайский Кремль». Ну, если не похищен, конечно, но мне об этом ничего не известно.

— Вы правы, — сказала дама, — но мне удалось узнать, что было написано два портрета. Два! Один действительно в музее, а вот второй остался в частной коллекции и сейчас продаётся.

— Два портрета графини Келлер?! — Макс был поражён. — И один из них в частной коллекции?

— Да, да.

Принесли кофе, и они молчали, покуда официант неслышно расставлял на столах чашки и стаканы. Море — зелёное, лохматое, ледяное — бухало в гранит набережной. Там, где на него падало солнце, оно было почти изумрудным, а в тени — малахитовым, в черноту. По набережной прогуливались пары, катились на велосипедах дети, фотографировались девицы с развевающимися волосами.

— Помогите мне с этим портретом, господин Шейнерман, — попросила Елизавета Хвостова, когда официант отошёл. — Разумеется, все экспертизы будут проведены самым тщательным образом, но мне необходимо ваше мнение.

— Могу высказать своё предварительное мнение. История совершенно невероятная.

Дама в упор посмотрела на него.

Щёголь, франт. Костюм сшит на заказ, к креслу прислонена трость — вот как!.. Красавец — тёмные волосы, яркие глаза, резко очерченные скулы, выразительный нос. Никакой славянской неопределённости и размытости черт. Всё искусно вылеплено, как будто тоже сделано на заказ!.. Заказывая себе лицо, вряд ли можно получить лучше, чем это. Неожиданно молод, на фотографиях выглядит старше. Держится снисходительно, но насторожен, впрочем, так и должно быть.

Макс дал ей себя изучить. Он был заинтригован.

— Частная коллекция, о которой вы говорите, находится в Москве?

Елизавета качнула головой:

— Нет, в Париже.

— Удивительное дело, — пробормотал Макс.

— Если вы согласитесь дать заключение, все расходы я, разумеется, возьму на себя — перелёт, отель, пребывание. У вас сейчас есть время?

Он засмеялся и уточнил:

— Мы уже договариваемся?

— Послушайте, вы эксперт с мировым именем!.. Я никогда не заполучила бы вас, если бы мы сегодня не столкнулись в этом... милом местечке. Я здесь пробуду ещё два дня, у меня короткий отпуск, и я стараюсь всегда бывать весной в русской Прибалтике. Потом улечу в Москву, а оттуда в Париж.

— Всё это замечательно, — сказал Макс, — но я на самом деле работаю только по рекомендации. Кого из искусствоведов вы знаете? Может быть, кураторов?

— Разумеется, многих! — воскликнула Елизавета нетерпеливо. — Если хотите, я составлю список и пришлю вам на почту.

— Если имеется в виду электронная, то у меня её нет. Я не пользуюсь подобными средствами связи.

— Почему?..

Он пожал плечами:

— Не люблю. С вашего разрешения... — Макс поднялся, нащупывая в кармане портсигар. — Я вернусь через пять минут.

На набережной было ветрено и солнечно так, что пришлось зажмуриться. Море било как будто в ноги — бабах, ба-бах! — а потом шуршало по камням, отступая. Ветер закинул за плечо галстук, растрепал волосы. Макс взялся обеими руками за перила и посмотрел в воду.

...Невероятная история! Два портрета графини Келлер, один из них в Париже!.. Фамилия Хвостова ничего ему не говорила, а всех более или менее значимых коллекционеров Макс знал в лицо, по номерам телефонов и по именам жён! Впрочем, нынче каждую минуту, как из воздуха, возникают новые коллекционеры и знатоки, которых завтра не будет, и их наспех собранные коллекции станут так же наспех распродаваться.

...Новый Бакст — это интересно.

Решив, что курить не станет, он не спеша поднялся по широким ступеням — швейцар распахнул перед ним дверь, — уселся на своё место и сказал Елизавете, что подумает над её предложением, но рекомендации всё же необходимы.

— Как вы осторожны! — воскликнула Елизавета, не слишком им довольная.

— Опыт, — развёл руками Макс. — Я тратил бы уйму времени впустую, если бы работал без рекомендаций.

Подошел официант и почтительно положил перед ним визитную карточку.

— Просили передать.

Макс посмотрел на карточку. Подумал немного и перевернул её. На обратной стороне были написаны две буквы и цифра. Макс спрятал карточку в нагрудный карман.

...Какой сегодня странный день.

Он допил воду, спросил счёт и велел принести пальто.

— Итак? — спросила Елизавета Хвостова.

— Итак, до завтра, — любезно откликнулся Макс. — Я заеду сюда специально в это же время, вы укажете мне людей из мира искусства, с которыми вы знакомы, и я с ними свяжусь. Вот и всё. Это будет наш первый шаг.

Она кивнула и опять стала смотреть на море.

Очень хороша!.. И загадочна. Жаль, что из совместного изучения неизвестной работы Бакста ничего не выйдет, и мы больше никогда не увидимся.

Макс облачился в пальто, сунул под мышку трость, кивнул официанту и неторопливо пошёл по набережной.

— Всё выше, и выше, и выше, — напевал он себе под нос, — стремим мы полёт наших птиц...

В очаге горел огонь, дым вился вокруг столба и уходил вверх под почерневшую крышу в специальное отверстие, которое никогда не закрывалось. На лавках в левой женской половине сидели перепуганные женщины и дети в тёплых куртках и брюках, хотя топилось с утра, и в аиле было тепло.

Самая молодая, с жёлтым от загара лицом и узкими чёрными глазами, качала на руках младенца. Младенец заходился от крика, выгибал спину, как будто стремился вырваться из тесного кулька, в который был запелёнут.

От страха молодая женщина говорила только по-алтайски, и Джахан не всё понимала.

— Два дня криком кричит, — переводила про себя Джахан. — Не ест. Вчера воды попил с сахаром, а сегодня не пил. Огнём горит. Лесной дух вселил в него болезнь. Я к матери его повезла в деревню через перевал. А на перевале баловался кто-то. Из поджиги стрельнул, близко. Лошадь смирная, а тут испугалась, шарахнулась. А у меня ребёнок за спиной привязан. Я её удерживать, а тут опять стрельнули. И не помолилась я на перевале, ленточку не повязала! Не попросила разрешения дальше идти. А на другой день он заболел.

Джахан взяла у неё из рук потного, извивающегося ребёнка, положила на деревянные доски стола и стала разворачивать. Ребёнок кричал и выгибал спину.

— Соседи сказали, ты лучшая лекарка. На тебя вся надежда. Поговори с духами, попроси, чтобы простили моего сына, не виноват он, я виновата, я возле бурхана не остановилась!.. Соседи сказали, ты единственная, кто ещё умеет с духами разговаривать.

Женщины на лавках загомонили и закивали, подтверждая: Джахан — последняя надежда.

Ребёнок был завёрнут в несколько одеял, изнемогал от жара, и первым делом его следовало напоить.

— Только не говори, что в больницу надо, — продолжала мать, и слёзы вдруг полились у неё из глаз. — Как туда попасть, в больницу? Самая распутица, и муж на лодке на промысел ушёл. Свекровь сказала, живым из больницы сын не вернётся. Не разрешает она в больницу. Поговори с духами, лекарка. Мы в долгу не останемся, только умоли их!.. Чтоб болезнь сына отпустила.

Ребёнок, освобождённый от одеял и изнемогший от крика, немного притих и теперь лишь обессиленно плакал, скулил, как щенок.

Джахан сняла со стены бубен — женщины в одну секунду как по команде затихли, и дети смолкли, стало слышно, как потрескивает, рассыпаясь, уголь в очаге, как булькает вода в алюминиевом чайнике.

Джахан закрыла глаза, тихонько потрясла бубном. Бубен зашелестел ей в ответ, и стало ещё тише. Младенец всхлипнул и опять заскулил:

— У-у-у, у-у-у...

Джахан равномерно трясла бубном, постепенно и очень медленно приближаясь к столу, на котором лежал младенец, по-особенному ставя ноги, как будто танцуя. Бубен бил всё громче. Джахан стала подпевать бубну, звук шёл даже не из горла, а как будто из глубины тела, низкий, утробный.

Приблизившись окончательно, Джахан стала бить в туго натянутую кожу бубна прямо над головой ребёнка. Время от времени она обводила бубном вокруг, и создавалось впечатление, что в полутьме аила за ним тянется огненный след.

Танец и пение оборвались неожиданно. Джахан замерла, и бубен у неё в руках замер.

— Уходите все, — по-алтайски сказала Джахан, не поворачиваясь. — И не возвращайтесь, пока не позову.

Дети кинулись к выходу, за ними женщины, дверь испуганно заскрипела, потом брякнул замок.

Джахан оглянулась. Никого.

Она аккуратно положила бубен, сказала ребёнку:

— Ты мой хороший, сейчас, сейчас...

И вытащила из огромного кованого сундука медицинский чемоданчик. Разложила чемоданчик на столе, выхватила стетоскоп и градусник.

Распеленав малыша окончательно и обнаружив на нём вполне современный памперс, Джахан хмыкнула себе под нос:

— В больницу, значит, нельзя, а памперс, значит, можно?..

Послушав лёгкие и сердце — везде было чисто, — она поставила малышу градусник, высыпала в бутылочку порошок, развела водой, закрутила соску и дала младенцу попить. Ребёнок жадно выпил воду с порошком, покраснел от натуги, собрался с силами и опять заорал. Джахан дала ему ещё воды.

— Прекрасно он пьёт, что вы мне говорите — не пил, не пил!.. — бормотала она себе под нос.

Она ощупала животик, проверила лимфатические узлы, разорвала стерильный пакет, плоской палочкой прижала язык и заглянула в горло.

— Вот ты какой молодец, — приговаривала Джахан, — вот ты какой большой хороший мальчик, тётя тебя в больницу не повезёт, тёте и без больницы всё ясно.

Младенец был упитанный, тяжёленький, весь в складочках и перетяжках, и пахло от него хорошо — детским тельцем и немного овчиной.

Джахан ловко и быстро обтёрла его губкой, предварительно налив в глиняную миску тёплой воды с уксусом, потом достала шприц и сделала укол.

Малыш, которому стало легче, больше не кричал и не скулил. Он израсходовал весь свой запас сил и почти засыпал, только время от времени распахивал тёмные узкие глаза, но сон одолевал его.

Джахан одела его в комбинезон и шерстяные одёжки, погладила по животу — он спал — и стала ликвидировать следы своей медицинской деятельности. Обёртки, пакеты и шприц она сунула в карман висевшего на стене тулупа — не забыть потом выбросить. Стетоскоп и градусник аккуратно вернула в чемоданчик, а чемоданчик в сундук. Для конспирации сверху на сундук она навалила тяжёлый тюрхан — одеяло из овечьей шерсти. Огляделась по сторонам — всё в порядке, — взяла бубен и тихонько им тряхнула.

Младенец длинно вздохнул и раскинул ручки.

Джахан ещё немного потрясла бубном.

— Всё выше, — напевала она себе под нос и отбивала такт, — и выше, и выше стремим мы полёт наших птиц, и в каждом пропеллере дышит спокойствие наших границ.

Допев куплет, она пристроила бубен на стену, послала ему воздушный поцелуй, сделала серьёзное и утомлённое лицо и распахнула дверь на улицу.

— Мой сын... не умер? — спросила мать.

Остальные женщины, толпившиеся у колодца, бросились к ним и замерли.

— Твой сын спит, — сказала Джахан по-русски. — Войди и забери его.

— Ты умолила духа перевала?

— Дух перевала не был на тебя обижен, — успокоила её Джахан. — Он видел, что мальчишки с патронами напугали твою лошадь. Наоборот, он проводил тебя и приглашает приходить ещё.

...Зря я это сказала. Духи никогда и никуда не приглашают людей, я же знаю.

Впрочем, никто не обратил на это внимания.

— Почему тогда мой сын горел и плакал? И не ел?

— У него зубы режутся, — объяснила Джахан. — У тебя первый ребёнок?

— Зубы? — переспросила молодая женщина, оглянулась на подруг, и все они разом заулыбались и закивали. — Свекровь сказала, что зубы не могут резаться так рано!

— Твой сын богатырь, — объявила Джахан. — И у него режутся зубы. Купи здесь, в посёлке в аптеке, специальное кольцо и давай ему пожевать, когда он станет капризничать. У него чешутся дёсны, а почесать их он не может.

— Свекровь сказала, что зубы должны появиться к лету...

— Возможно, у неё самой зубы должны появиться к лету! — перебила Джахан. — А у твоего сына они режутся сейчас, причём сразу два!..

Женщины засмеялись.

— Спасибо тебе, лекарка, — поклонилась мать. — Мы не останемся в долгу. Я привезу молодой баранины, сыру и четыре самые тонкие овечьи шкуры.

Джахан кивнула, соглашаясь.

Мать запеленала спящего малыша в тугой куль, ловким неуловимым движением увязала его себе за спину, и они все пошли к коновязи, где топтались кони.

Они подсаживали детей и одна за другой ловко взбирались на лошадей.

Джахан прикинула — до их села километров пятнадцать через горы, а по тракту далеко, все сорок. Значит, пойдут через горы.

Она вздохнула и помахала вслед процессии рукой.

...Можно выпить чаю и съесть бутерброд. Свежий серый хлеб и копчёная колбаса!.. За копчёной колбасой Джахан специально ездила на поезде в Барнаул, а хлеб пекли в деревне, очень вкусный.

В маленьком расписном чайничке она заварила английского чаю, поставила на поднос пиалу, тарелку с бутербродами и вышла на улицу. В аиле было темновато, а на улице ещё светло, хорошо, хоть и холодно.

Лавочка у неё в саду была вкопана так, чтобы видеть горы — совсем далёкую, голубую, тающую в небесах Белуху и ближние поросшие лесом, с гранитными лысинами, тёмными провалами и языками снега.

Она устроилась на лавочке, потёрла замёрзшие руки, налила в пиалу чаю и с наслаждение глотнула. Хорошо!..

...До районной больницы в распутицу не добраться, только на вертолёте, а где его взять, вертолёт?.. Жители Горного Алтая привыкли обходиться своими силами — чудодейственными травами, настойками и молитвами. Медицина сильнее молитв, но здесь нет никакой медицины! Джахан поначалу этого не понимала, а потом поняла.

Чай в пиале быстро остывал — под вечер стало холодно. Сейчас солнце уйдёт за гору, вывалятся звёзды, и ещё подморозит. Джахан подлила горяченького, взяла бутерброд и откусила. Какая тишина и какой суровый покой! Здесь почти нет людей, машин, дорог, зато есть планета Земля в том самом виде, в котором когда-то её создал Бог. Или духи, Джахан ещё хорошенько не разобралась.

Солнце совсем приготовилось нырнуть за гору, но ещё освещало островерхие скалы, и вечный снег постепенно синел и всё меньше становился похожим на рафинад, когда на далёком склоне Джахан заметила какое-то движение. Она насторожилась и перестала жевать и прихлёбывать.

Она выходила посмотреть на этот склон каждый день — утром и вечером. Там не должно быть никаких движений!..

Она посидела, вглядываясь в сплошную массу тайги.

Долго ничего не происходило, а потом оттуда, из глубин, вспыхнул свет, мигнул и погас. Теперь она точно знала, что ей ничего не померещилось. Она сцепила руки и ещё подождала. Если всё правильно, сигнал повторится в третий раз.

Свет вновь вспыхнул.

— Понятно, — сама себе сказала Джахан.

Она неторопливо допила чай, доела бутерброды и отправилась в дом.

Собравшиеся нетерпеливо покашливали, переговаривались, перегибались друг к другу за спинами сидящих, в зале стоял ровный неумолчный гул. Лекция задерживалась уже на полчаса.

Впрочем, предполагалась даже не лекция, а некий дружеский обмен мнениями, небольшой праздник для души, погрязшей в ежедневной рутине, коротенькое, на несколько часов, освобождение от всего обыденного и низменного. В общем, разговор об искусстве среди своих.

В небольшой галерее на Волхонке по соседству со знаменитым и великим музеем были выставлены работы Даши Жу, так прогремевшей на последней лондонской выставке. Работ было немного — всего один зал, — и это казалось странным при современном подходе. Творцы творили много, часто, обильно, и, если художник становился модным, работы его не задерживались — их быстро раскупали любители современного искусства.

Молодая художница или была ленива и творила мало, или большинство её работ уже разошлось по личным коллекциям, такое тоже возможно.

До лекции предполагалось знакомство с работами, и собравшиеся ознакомились с ними довольно быстро — ввиду их немногочисленности.

Инсталляция «Гром аплодисментов» — четыре пары гипсовых рук, как будто аплодирующих в разных стадиях: вот ладони только занесены, вот сходятся ближе, вот, наконец, прижаты друг к другу, и снова расходятся. На огромном заднике — тёмный зрительный зал и далёкая сцена. Кресла зала заняты отрубленными головами с оскаленными ртами и вываленными языками. На сцене — понурая синяя лошадь.

— Это же совершенно новый взгляд на современный театр! — говорили возле «Грома аплодисментов». — Театр — единственное, что осталось, последний глоток воздуха, но это искусство для мёртвых умников! Головы неспроста. И языки немы, они уже ничего не смогут сказать. Они задохнулись от смрада сегодняшней жизни.

— А лошадь?

— Лошадь, по всей видимости, символизирует народ. Бессловесный народ, который ходит под ярмом!

— На сцене? — сомневался спрашивающий. — Народ?

— Вся сегодняшняя жизнь — перформанс, неправда! Мы все так или иначе находимся на сцене. Нет, эта Даша Жу — находка.

— А почему такой странный псевдоним?

— У неё фамилия Жукова, она не хочет никаких ассоциаций с женой миллионера, чтобы никто не подумал, что ей покровительствуют.

— А ей не покровительствуют? Совсем новое имя, и вот уже выставка на Волхонке!..

В зале переливался свет — красный с синими всполохами, и оператор в десятый раз проверял камеру, направленную на кресло с высокой резной спинкой в центре небольшого помоста. По креслу ходили красные блики. К подножию был брошен букет белых лилий.

Главное действующее лицо появилось совершенно неожиданно, как будто произошел акт материализации. Только что на помосте никого не было, и вдруг собравшиеся обнаружили прямо перед собой тоненькое, узкое, длинное, сверкающее и переливающееся существо.

— Я начну, — утвердительно сказало существо низким голосом.

В креслах удивленно смолкли, и из зала с картинами и инсталляциями потянулся народ, привлечённый неожиданным звуком.

— Этика в современном мире, — продолжало существо, покачиваясь в перекрестье лучей, — стала эпицентром философской рефлексии. Теоретические исследования Джудит Батлер, Джорджо Агамбена, Саймона Критчли и других мыслителей говорят именно об этом. Значимый философ Ален Бадью ратует за онтологический статус этики. Происходит процесс высвобождения субъекта из структур дисциплинарного общества, за пределы предустановленных иерархий и нормативных порядков. Сет Сигелауб утверждал, что «демистификация музея» и его эмансипация от институциональной инфраструктуры рождает новые формы отношений «творец и мир».

От говорящей невозможно было оторвать глаз. Она искрилась вся — от длинных ровных белых волос до носков туфель, выглядывающих из-под краешка длинного платья, и низкий ровный, почти без интонаций, голос удивительно не подходил общему сверканию.

Лекция продолжалась минут сорок — в зале опять начали перешёптываться и покашливать, поглядывать на часы и на экранчики телефонов, копаться в сумках.

Художница перестала говорить так же внезапно, как и начала. Она просто замолчала, сделала шаг, наступила на белые лилии и сошла с помоста. Ей неуверенно зааплодировали. Вспыхнул свет.

Даша Жу провела рукой по белым волосам и неторопливо оглядела собравшихся. К ней подходили знакомые, хвалили лекцию, хвалили работы. В некотором отдалении маялся бородатый мальчик, по всей видимости, один из журналистов, не решавшийся к ней приблизиться, с диктофоном наготове.

— Прекрасно, — говорил пожилой иссохший юноша в розовом тюрбане, круглых зелёных очках и клетчатых лосинах. — Всё правильно! И лекция, и выставка. Я даже не ожидал. Ты молодец, подруга.

— Я молодец, — подтвердила Даша медленно, почти по слогам.

— И этот готический свет на тебе, на цветах! Очень хорошо продумано. И блёстки! Ты же их никогда не носила!

— Это для сцены.

— Понятно, понятно. Журналисты все в восторге, я там среди них потоптался немного. Жди завтра взрыва в Сети.

Даша кивнула.

В толпе появились чёрно-белые официанты с шампанским и крохотными тарталетками на кружевных салфеточках.

— Ещё и выпивка! Ты совсем молодец, Дашка!..

Она только улыбнулась.

Разговаривали о чём угодно, только не о Дашиных картинах и лекции. Говорили про выставку Серебряковой, про то, что в Музей личных коллекций привезли узбекских художников двадцатых годов, стоит сходить, это большая редкость, и странно для Пушкинского, логичней выставлять в музее Востока, про какую-то громкую премьеру, сопровождавшуюся, как водится, скандалом, а потому имевшую шумный успех. Когда Даша подходила, ей говорили, что она талант и умница, и продолжали о своём. Никто не расходился.

На каблуках, в облегающем, как чешуя, платье, с волосами, залитыми особым сверкающим лаком так, что невозможно было ни повернуть, ни наклонить голову, Даша устала до такой степени, что не могла как следует вдохнуть — всё время не хватало воздуха.

Она взяла у официанта с подноса бокал и поманила пальцем бородатого мальчика, который так и не решался подойти. Пока она смотрела, как он приближается, весь потный от волнения, кто-то, проходя мимо, опустил в её бокал красную розу.

Даша потрогала прохладные лепестки и усмехнулась.

— О чём вы хотите со мной поговорить?

Мальчик содрогнулся, принялся тыкать в диктофон и пробормотал, не поднимая глаз:

— Я бы хотел о... о радикальных художественных языках и практиках. Ведь то, что сегодня было... оно давно устарело, это формат позавчерашнего дня. Основные дискуссионные площадки давно уже в интернете. Или вы считаете, что дискурсивные выставки хоть и неэффективны, но всё ещё необходимы?

Даша вытащила розу из бокала.

— Это слишком серьёзный разговор для нашего вечера, — доверительно сообщила она мальчику. — Позвоните мне завтра часа в три, и мы обо всём договоримся.

— Конечно, конечно. — Мальчик кивнул и снова стал тыкать в диктофон. Вдруг взглянул на неё и выпалил: — Вы необыкновенная!..

Даша слегка кончиками пальцев коснулась его рукава — в поддержку того, что она необыкновенная, — и стала пробираться к выходу. Когда её нестерпимо сверкающее платье скрылось за скучными плечами и спинами, мальчик вдруг сообразил, что она не оставила телефона и завтра в три часа звонить ему некуда.

Он кинулся следом, но её нигде не было. Он искал долго и отчаянно, и не нашёл.

Закрыв за собой дверь в зал, Даша первым делом стянула шпильки, застонала от облегчения и быстрым шагом пошла по тёмному коридору к комнате, где оставила пальто и ключи от машины. Розу и туфли она несла в руке.

За окном промелькнула чья-то голова, на мгновение загородила свет. Светлана Ивановна поверх очков посмотрела на улицу. В эту секунду на библиотечном крыльце загрохотало и как будто что-то покатилось.

— Итить твою налево!..

Светлана Ивановна в волнении сдёрнула очки. После смерти директора она стала пугливой, соседки говорили, что у неё «нервоз».

— Прошу прошения, — громко сказал в дверях здоровенный молодой мужик. — Я у вас там цветочек уронил. Но уже поправил!..

Светлана Ивановна поднялась из-за своего стола в «абонементе» и спросила:

— Вы к нам? — И ещё зачем-то добавила растерянно: — У нас тут библиотека.

Затем, должно быть, что посетитель решительно был не похож на библиотечных завсегдатаев. Он оказался высок, широк в плечах, коротко стрижен. Кожаная куртка сидела на нём, словно он в ней родился.

— К вам, к вам, — сказал высокий. — Вы Светлана Ивановна? Сейчас вместо покойного Петра Сергеевича?

— Д-да, а что такое?

— Во-от, а я, стало быть, Хабаров Алексей Ильич, из Министерства культуры.

— Из Министерства... культуры? — тягостно поразилась библиотекарша и взялась за сердце. Из читального зала подошла Галя и встала в дверях.

Высокий приблизился к «абонементу». Чёрная кожаная сумка болталась у него на боку, ремень через всю грудь, как пулемётная лента. Покопавшись во внутреннем кармане, он извлёк оттуда удостоверение и сунул Светлане Ивановне.

— Прислали разобраться с вашими потерями! — объявил он как-то даже весело. — У вас ведь тут потери произошли?

Светлана Ивановна, приставив очки к носу, посмотрела на удостоверение.

— Из хозяйственного управления, — пояснил мужик доверительно и крепко уселся на стул. — У нас как узнали, что на вас налёт был, так начальник и решил, что нужно на месте разобраться. Что с фондами, что с единицами хранения. То-сё, пятое-двадцатое.

— Почему же нас-то не предупредили? — вымолвила Светлана Ивановна и оглянулась на Галю. — Мы бы подготовились!..

— Да не нужно готовиться, — уверил мужик добродушно. — Вы мне покажете каталоги, карточки, проведём ревизию убытков, подпишем актик, да и все дела. Министерство потери компенсирует.

— Какое к нам внимание в Москве...

— А сейчас всем библиотекам внимание, — заверил Хабаров. — Говорят, библиотечное дело народу самое необходимое, а толком никто работу не ведёт!

— Как это, никто работу не ведёт? — вскинулась Светлана Ивановна. — Что значит — не ведёт?! Да у нас в библиотеке что ни суббота, то мероприятие культурное! И писатели у нас выступают, и всякие интересные люди, конкурс стихов недавно провели, «Поэты Черноземья» называется!..

— Да я не об этом, — энергично возразил Хабаров. — Я как раз о том, что с финансированием того, денег мало отпускают! А вам фонды восстанавливать надо! Вот я о чём!..

— Так вы не ревизор?

— Да какой я ревизор! — Он расстегнул свою сумку и вынул бумагу с синей печатью в файловой папке. — Тут всё написано.

Светлана Ивановна уселась и принялась читать, а гость в это время оглядывался по сторонам заинтересованно.

— Здесь он помер-то, да? Директор ваш?

Светлана Ивановна горестно подтвердила — да, здесь.

— В этом самом месте?

— Вот тут он лежал, когда я вошла. — И она показала, как лежал Пётр Сергеевич. — И уже холодный совсем!..

— Вы только не волнуйтесь, — издалека сказала Галя.

— Господи, как вспомню!.. Главное, замок открыт был, на одной дужке болтался. Но мне и в голову не могло!.. Я вошла, а ту-ут! — И она развела в разные стороны руками. Щёки у неё покраснели и набрякли. — Тут живого места нет, всё перевернуто, перекинуто, стеллажи сдвинуты! Мы уж потом, как милиция разрешила, целый день по местам всё расставляли, да и сейчас до конца не разобрались.

Хабаров сочувственно кивал.

— А много единиц похищено?

Библиотекарша вздохнула и посмотрела на него поверх очков.

— Да мы еще... не поняли, — выговорила она неохотно. — Так вроде... Всё на месте. Перепорчено много — журналов, газет, все подшивки распотрошили сволочи эти!..

— А их что, много было?

— Да весь архив за последние десять лет тут был, в абонементе!

— Да не архив! Сволочей много было?

Галя оглянулась на читальный зал и подошла к столу.

— Не знаем мы, — сказала она. — Светланочка Ивановна, выпейте таблеточку, а?.. Я сейчас водички, а вы пока таблеточку найдите. Или я вам найду!

— Разве нам кто чего скажет? — говорила Светлана Ивановна, задыхаясь, пока Галя разыскивала «таблеточку». — Кто мы такие? Пустое место, библиотекари! Кто тут шуровал, как Петрушу убили, ничего мы не знаем! Сколько их было, налётчиков, что им у нас понадобилось — всё тёмный лес. Вот у вас там, в министерстве, небось кругом охранники понаставлены, так просто не войдёшь, культура на замке, а у нас что?.. У нас и замков-то не было никаких, только что на входной двери, и сигнализацию поставить так и не собрались!

Галя принесла чайник и кружку, Светлана Ивановна попила немного, отдышалась.

— Жалко Петю, — сказала она с сердцем. — Хороший мужик был, понимающий.

Хабаров смотрел на неё внимательно.

Он был уверен, что первый визит в тамбовскую библиотеку имени Новикова-Прибоя объяснит ему хоть что-то, но очень быстро стало понятно: никаких объяснений с ходу он не найдёт.

...Начнём работать.

— Девушки, — сказал он, и обе на него уставились. Он через голову стянул ремень сумки-патронташа, — вы мне местечко отведите поближе к каталогам, я и приступлю. У меня на всё про всё дня, ну, три!.. И не обращайте на меня внимания, только покажите, что где стоит.

— Не обращайте, — пробормотала Светлана Ивановна. — Как же!.. Из министерства, а мы — внимания не обращайте!.. Галь, много у тебя там народу-то?

— Как всегда. Маша романы любовные читает, и дядя Дима пришёл газеты посмотреть. Дорого стало выписывать.

— Хотите в читальный зал? Там тихо и места много.

— Мне бы лучше в кабинет Петра Сергеевича. Или здесь. Разворовали абонемент, а не читальный зал, правильно?

Вскоре всё устроилось. Хабаров притащил свободный стол, весь занозистый и испещрённый надписями «Гоголь дурак», «Пушкин — солнце русской поэзии», а также сердцами, пронзёнными кривыми чернильными стрелами. Стол он установил возле окна за стеллажами, сходил в кабинет Петра Сергеевича и приволок оттуда каталожные ящики.

Библиотекари помогали ему устраиваться.

Хабаров уселся за стол, придвинул к себе ящики и стал вынимать карточки.

— А что электронный каталог?

— Есть, есть, как не быть. Только он не полный. Года три назад принялись составлять, у нас тем летом студенты из библиотечного техникума на практике были. А потом практика у них кончилась, а у нас всё руки не доходят.

— И компьютеров не хватает, — тихонько сказала Галя. — Который год обещают читальный зал полностью оснастить! Вы бы там, в министерстве, поговорили.

— А мы с вами докладную записку составим, — откликнулся Хабаров бодро. — Я доставлю, куда следует.

Они ему мешали.

Вскоре Светлану Ивановну отвлекли — явились две тётки за новыми детективами, а Галя ещё некоторое время маячила поблизости.

Оторваться от Хабарова она не могла, хоть и сердилась, и заставляла себя вернуться на рабочее место. Мужчина, как из телевизора. В библиотеке она таких и не видела никогда!.. Особенно хорошо он улыбался — кривоватой залихватской улыбкой, белые зубы сверкали, светлели ореховые глаза, и весь он становился своим, будто давно знакомым, неопасным. Так бы и смотрела целый день, как он карточки раскладывает. Или через голову стаскивает ремень сумки, а потом приглаживает волосы большой красивой рукой!..

Она и не ушла бы, но Светлана Ивановна, проводив читательниц, начала покашливать за стеллажами, а потом позвала Галю, и когда та подошла — как во сне, — велела заняться делом.

— Он же из Москвы! — говорила Светлана Ивановна грозным шёпотом. — А ты возле него торчишь, делать тебе нечего! Напишет, что у нас штаты раздуты, сократят всех!

Оставшись в одиночестве, Хабаров продолжал копаться в карточках.

Фотографии с места происшествия он видел — тело лежало возле стола на спине, никаких следов борьбы или насилия. Впрочем, от чего умер директор библиотеки, должен сказать эксперт, сейчас гадать не имеет смысла. От этого окна — Хабаров оглянулся — ничего не видно, кроме книжных стеллажей. Сигнализации никакой нет.

...Нет, тайник не может быть здесь. Нужно искать где-то ещё. Библиотека крохотная — домик в саду, — внимательно осмотреть помещения не составит труда.

Замок, висевший на ржавом гвозде справа от входной двери, Хабаров осмотрел первым делом, ковыряясь на крыльце с перевёрнутой геранью. Замок был ни взломан, ни сорван. Или у пришельцев — пришельца! — был ключ, или открыл замок сам директор.

...О пришельце или пришельцах тоже покамест ничего не известно. Вполне возможно, что нападение на библиотеку — декорация, представление.

В то, что Петра Сергеевича мог убить случайный человек или даже несколько случайных людей, Хабаров не особенно верил.

Время от времени он вставал из-за стола, выдвигал книги, как бы сличая названия с каталогом, прикидывал, откуда именно и что именно видно. С разных ракурсов он изучил сутулую спину Светланы Ивановны, её зелёную шаль с кистями, громадную сумку, прислонённую к тумбочке, старенький компьютер, открытый на одной и той же странице, запасные туфли со стёртыми каблуками и плетёную мусорную корзину на полу.

...Происшествие в библиотеке — случайность, хулиганство или целенаправленная охота? Кто охотник, и откуда он пришёл? Почему директор библиотеки никого не предупредил, если понял, что за ним охотятся? Или он не понял?...

Хабаров выбрался из-за стола — Галя моментально возникла в дверях читального зала и встала как вкопанная, и Светлана Ивановна оглянулась. Возле её стола болтались прыщавый мальчишка в кривых очках и худая бледная девочка с жидким хвостом на затылке.

— Вы мне Сапковского ещё на той неделе обещали, — гундосил мальчишка и поддёргивал очки. — А «Экспансию» вернули? Или опять нету?..

— Я покурить, — шепнул Хабаров библиотекарше.

На крыльце он зажмурился — день был яркий, холодный и ветреный, какие бывают только в апреле, словно в ожидании праздника, — прикурил, из-за сложенных ковшиком ладоней наблюдая за садом и дорогой.

Никого.

Не спеша Хабаров сошел со ступеней, постоял немного и двинулся вокруг библиотеки.

Возле каждого окна он останавливался и оглядывался по сторонам — как бы любуясь яблоневым садом.

За штакетником прошли женщины с сумками, громко разговаривая о выпускном вечере у какой-то Веронички и о том, что при нынешних ценах колбасы скоро не на что будет купить, не то что выпускное платье, а родительский комитет на подарки и стол собирает по полторы тыщи рублей, совсем обалдели!..

Хабаров проводил их глазами и пошёл дальше.

Под водосточной трубой стояла ржавая бочка, наполненная коричневой водой, дверцы в подпол были распахнуты и подпёрты половинками кирпича, а над подполом ещё одно окошко.

Он уловил движение и почуял опасность раньше, чем всё случилось. Всё же он был очень хорошо подготовлен!..

Хабаров прыгнул, покатился — нараставший рокот мотоцикла на мгновение смолк, — и он оказался в чёрной пасти подпола. Раздался короткий свист и несколько сухих щелчков. Опоры под ногами не было, Хабаров висел на руках.

Фью-ить, фью-ить, просвистело отчётливо. Алексей считал секунды — раз, два, три... Долго стрелять, прицеливаться невозможно — улица, белый день, и цель, то есть он, Хабаров, пропала из зоны видимости.

Вновь взревел мотоцикл.

Хабаров подтянулся, раскачался, выбрался из подпола, прикрываясь отсыревшей деревянной дверцей — щит из неё был никуда не годный.

Из бочки в двух местах с журчанием уходила вода — пуля пробила её насквозь.

Стрекотание мотоцикла стремительно отдалялось.

Хабаров отряхнул испачканные колени, вытер ладони о деревянную стену дома, оглянулся — женщины продолжали громко разговаривать, но уже где-то вдалеке, слов было не разобрать.

Всё началось и закончилось за несколько секунд. Хабаров голову мог дать на отсечение, что никто ничего не видел и не слышал.

Вода лилась на дорожку и на стену дома.

Хабаров поднатужился, немного подвинул бочку так, чтобы ему не попадало на джинсы, присел и поковырял пальцем стену.

В воздухе коэффициент сопротивления СХ примерно 0,1, ну, может быть, 0,2. В воде — приблизительно! — в тысячу раз больше. Вязкость и кавитацию можно не учитывать. Потеря скорости огромная. Пуля наверняка застряла так, что её легко можно вытащить.

В нагрудном кармане у него была ручка, любимая, много раз испытанная. Хабаров раскрутил её, вынул металлический стерженёк и с его помощью аккуратно извлёк пулю. Осмотрел со всех сторон. Вспомнилась ему история, как лет двадцать назад, когда его только учили работать, он каждую пулю осматривал вот так, внимательно и серьёзно, а тогдашний его инструктор всё острил, что именных пуль, да ещё с портретами стрелявших на свете не бывает, чего её осматривать, пуля как пуля!..

Двадцать лет прошло, и вот она — пуля как пуля.

...Итак, никаких случайных людей в этом деле нет. Местные хулиганы и безобразники ни при чём. Хорошо хоть это прояснилось.

Плохо, что противник близко. Так близко, что не просто осведомлён о присутствии его, Хабарова, на месте преступления, но имеет возможность откуда-то за ним наблюдать.

Плохо, что могут пострадать гражданские — мальчишка, который всё ждёт Сапковского, девочка с тощим хвостом или одышливая Светлана Ивановна, кто угодно!..

Противника от библиотеки и от гражданских нужно уводить, а это значит, времени у него мало, почти совсем нет.

Хабаров затолкал пулю в карман, пристроил на место ручку и продолжил обход библиотеки.

Женщина сидела напротив очень прямо и вместе с тем свободно. На стуле возле фанерной двери стоял её чемодан — громадный, как гиппопотам, — а сверху лежало пальто.

— Я понял, понял, — говорил главврач в телефонную трубку, поглядывая на женщину. — В следующем квартале, ясно, да. Ничего хорошего, мы в этом ждали!.. Который раз заявку подаём, а вы всё нас завтраками кормите! Конечно, у нас тут не четвёртое управление, но вы поймите, люди ведь не только в Москве живут! И болеют! И всем лечиться надо, и оборудование нужно, а мы как в Средние века, всё на глаз диагнозы ставим!

Женщина смотрела в окно.

Нельзя сказать, что она была красива, но главврач почему-то никак не мог оторвать от неё глаз. Очень худая, смуглая, с резкими чертами восточного лица. И одета странно — главврач ещё раз стрельнул глазами, воровато. Белая рубаха с широкими рукавами, узкие чёрные брюки, остроносые лакированные ботинки и жилетка, расшитая бисером и золотыми и зелёными нитками. На голове на волосах, таких густых, что они казались париком, крохотная плоская бархатная шапочка.

За всё время, что главный врач выяснял отношения с облздравом, она не пошевелилась и не перевела взгляд.

Он положил трубку, потёр вспотевшие ладони и сказал почему-то с просительной — как будто в продолжение разговора — интонацией:

— И что делать? Новый аппарат УЗИ нам ещё в прошлом году был положен, и всё квоты, всё лимиты! А у меня же люди! Я сто раз говорил, и на совещании у губернатора даже, а дело ни с места. Волокита!..

Женщина посмотрела на него. У неё были тёмные глаза, то ли сильно подведённые, то ли так казалось от черноты ресниц.

— Добивайтесь своего, — сказала она. — Настаивайте. Под лежачий камень вода не течёт. Это русская пословица.

Она говорила правильно, без малейшего акцента, и голос был грудной, низкий, заслушаешься.

— Джахан Азатовна, — начал главврач. — Мне всё понятно, только я не до конца уверен, что могу вам обеспечить условия...

— Называйте меня Джахан, — перебила женщина. — Условий никаких не нужно. Просто проводите меня в морг. Я осмотрю тело. Сделаю заключение.

— Заключение, заключение, — повторил главврач. В кармане халата у него зазвонил мобильный телефон, он вытащил его, посмотрел и досадливо нажал кнопку. Аппарат смолк. — Да ведь есть заключение!.. Я полиции предоставил всё как полагается в... таких случаях. Вы бы у них копию запросили.

Джахан откинула крышку портфеля, который был аккуратно прислонён к ножке её стула, достала бумаги, сколотые диковинной фигурной скрепкой, и через стол протянула главврачу.

— Вот копия. Я её изучила. Дальше запрос из МВД о повторном заключении. Затем копия обращения на нашу кафедру. Затем моё предписание. Читайте.

Главврач вздохнул раз и ещё раз.

Джахан Азатовна Бахтаева, доктор медицинских наук, направлялась в районную больницу номер такой-то города Тамбова для дачи повторного заключения о смерти такого-то. Подписано большой шишкой из МВД и ещё одной из института судебной медицины. Главврач изучил витиеватую шишкину подпись. Сам он подписывался кое-как, накорябал фамилию, и готово дело!..

— А зачем это нужно-то? — маясь, спросил главврач. — Не знаете? Мы... напортачили, что ли? Смерть там... не криминальная, сто процентов! Сердце остановилось.

Джахан наконец-то сообразила, чего он боится. Он боится, что она выдаст какое-нибудь заковыристое заключение, а вовсе «не смерть в результате сердечной недостаточности», и ему попадёт. Видимо, вскрытие делалось наспех человеком, не слишком компетентным, и главврач об этом знает.

Ну, развеять его страхи легко.

Она пожала прямыми узкими плечами.

— Чистая формальность. Этот ваш директор библиотеки когда-то дружил с нашим заведующим кафедрой. Когда тот узнал о его смерти, попросил меня уточнить причину. Они ровесники. Вы знаете, как мужчины в пятьдесят лет мнительны.

Главврачу до пятидесяти ещё нужно было дожить, но что-то такое он слышал про опасный возраст, что ли.

— Именно в этом возрасте повышается угроза сердечно-сосудистых заболеваний.

Главврач приободрился.

— Моя задача — подтвердить ваше заключение. А не опровергнуть, — произнесла Джах.

Главврач улыбнулся:

— Может, чайку? Или кофе? У нас, правда, растворимый только.

Джахан не хотела ни чаю, ни растворимого кофе. Ей нужно было приступить в работе и закончить её как можно быстрее. Но главврач нервничал, всё потирал потные ладони, всё стрелял в неё глазами, и она сказала — кофе.

Он радостно выбрался из-за стола, набулькал в чайник воды из канистры и полез в шкаф за чашками. От её пальто, оказавшегося у него под носом, пахло странными и тревожными духами.

— Я сделаю заключение, — отхлебнув сладкой коричневой жидкости, — сказала Джахан, — и родственники заберут тело в Москву.

— Да это уж как полиция разрешит, не разрешит, шут их знает.

— Уверена, что разрешит. Смерть не криминальная.

— Вот бы хорошо. Вы не поверите, каждый день проблемы! Ну просто каждый день! Такая работа собачья! Я думал, когда до главврача дослужусь, будут мне почёт и уважение, а всё наоборот! Месяц назад в детском саду восемнадцатом была какая-то вспышка диареи. Ничего особенного, без температуры, но ведь прецедент! И мамаши к нам в приёмное повалили, и главный санитарный врач названивает — прикрой меня, а как я его прикрою, если все обращения фиксируются?!

— Проблема, — констатировала Джахан.

— Ну, вот именно! Нужно было в науку идти, а не в практическую медицину! Вы ведь наукой занимаетесь... Джахан?

— По-разному. Не только наукой.

Она поставила почти полную кружку на стол и поднялась. Время уходит, время!..

— Проводите меня. — Она как будто приказала, и главврач поспешно вскочил. — Мне бы хотелось начать сегодня.

Он взялся было за её гиппопотамский чемодан, но она не дала, так и несла его сама, как будто чемодан ничего не весит, а весил он — будь здоров, главврач знал это точно.

В морге, в крохотной выстуженной комнатке слева от холодильника, оставшись одна, она первым делом установила на лабораторном столе чемодан.

Тело, прикрытое чем-то вроде клеёнки, лежало на столе у неё за спиной.

Она щёлкнула замками, открыла чемодан. Он как будто развалился на две части. Из одной части она достала спецкостюм и небольшой защитный щиток для лица — мало ли с чем придётся столкнуться, — какой-то прямоугольный ящичек, коробку с инструментами и бунзеновскую горелку для их стерилизации. Из другой части реактивы, стёкла, несколько плоских чашек для образцов и разнообразные химические препараты.

Облачившись в костюм и не надевая перчаток, она несколькими движениями превратила прямоугольный ящичек в мощную лампу на длинной суставчатой ноге, установила её над телом так, как ей было удобно, натянула перчатки, сбросила на пол клеёнку и сказала в диктофон:

— Я захожу.

И разрезала грубо зашитый шов.

Девушка заложила за уши белые волосы — не просто прямые, а даже какие-то плоские, мечту любой современной красавицы, хоть что-то понимающей в моде, — и посмотрела на администратора гостиницы «Тамбов-Палас» сочувственно, как на слабоумного:

— А вы что? Сами писать не умеете?..

Тут она скосила глаза на его бейдж — золотые буквы на чёрном фоне, как положено в «паласах» — и добавила:

— Никита, вы учились в школе?

Администратор немного дрогнул.

Покуда она, эта беловолосая, оглядывалась по сторонам посреди раззолоченного холла, покуда тыкала в телефон и фотографировала себя на фоне зелёных, под малахит, колонн и букета искусственных цветов, он изо всех сил старался отделаться от шумной компании выезжающих, чтобы новая гостья досталась ему, а не Алине, работавшей рядом. Водитель, который привёз беловолосую с вокзала, — она заказала трансфер заранее, — вкатил её чемоданы, три штуки, один другого больше, и все «Луи Вюиттон» без дураков, и подмигнул Никите — давай, мол, выпроваживай этих, смотри, кого я тебе доставил!

Алина, ходившая в «Тамбов-Паласе» в первых красавицах, при виде новой гостьи дрогнула лицом, повела губами и с жаром продолжила объяснять пожилой супружеской чете, как найти картинную галерею. Таким образом гостья досталась Никите, лучше бы не доставалась!

Паспорт она искала минут десять — то в крохотной дорожной сумочке, то в рюкзаке, то в наружном кармане верхнего чемодана. Наконец нашла и вместо того, чтоб отдать, принялась беседовать по телефону, помахивая паспортом, зажатым в руке, у Никиты перед носом.

— Зачем ты сама ему позвонила? Мы же договаривались, что ты первая ни за что не станешь! Нет, нужно было мне сначала сказать! Ах нет, я в Тамбове. Боже, ну как зачем, я же тебе рассказывала, мне нужно на этюды! Ну конечно, дыра дырой, но что я-то могу поделать, провинция сейчас в моде! Сельсоветы, крестьянский быт, мебель Нечерноземья! Откуда я знаю, как пойдёт. Ну, недолго, конечно, у меня на будущей неделе с Майлзом встреча, и вообще я же только в Москве могу находиться, ну, ещё в Лондоне, но тоже так себе.

Она говорила, то отвернувшись от него и разглядывая позолоту, картины и люстры, то повернувшись и разглядывая его самого — одинаково безразлично.

Наконец девушка договорила и положила паспорт на стойку, Никита сразу его подхватил и открыл.

— А зачем у вас часы? — спросила она. Он поднял глаза.

Звали её Дарья Александровна Жукова, рождена и зарегистрирована в Москве, мужа и детей не имеет.

— У вас за спиной часы, — продолжала девушка. — Они показывают время в Нью-Йорке, Лондоне и Токио. Зачем они нужны?

— У нас останавливаются бизнесмены, — начал Никита, — и часы установлены специально для их удобства.

Девушка засмеялась:

— Тамбовским бизнесменам время в Токио необходимо как воздух, — согласилась она. — Сфотографируйте меня, пожалуйста! Умеете? Там нужно на кружочек такой нажать, видите? Только чтоб был виден тамбовский шик!

И сунула ему телефон.

Никита, злясь всё сильнее, — где ему фотографировать, он же валенок деревенский, и часы ему ни к чему, он по солнцу встаёт, чтоб корову в стадо выгнать, — сфотографировал «тамбовский шик» с девушкой посередине.

Потом он попросил её заполнить анкету, а она спросила, умеет ли он сам писать. Алина за соседней конторкой прислушивалась, посматривала и изо всех сил сочувствовала Никите, так, чтобы он видел её сочувствие.

— Нет, если вы не умеете, — продолжала Даша Жукова, — тогда другой разговор, конечно, я и сама могу заполнить. Но тогда зачем вы тут стоите? — Она опять помедлила и добавила: — Никита? Для красоты?

— У нас такой порядок, — насупившись, заявил администратор. — Гости заполняют и подписывают анкеты собственноручно.

— Так давайте же изменим этот глупый порядок! — вскричала девушка, улыбнулась и понизила голос: — Никита.

Пришлось ему анкету самому заполнять, не скандалить же с ней! Что она способна поскандалить, было написано у неё на лбу, гладком, без единой морщинки, прямо под белоснежными волосами.

У неё был заказан не просто люкс, а президентский, таких номеров в «Тамбов-Паласе» было всего два, и они никогда не сдавались, Никита с ужасом думал, что будет, когда она обнаружит, что в джакузи вода не циркулирует, в спальне горит только одна лампочка, а сейф не запирается. Он даже на часы посмотрел, чтоб понять, когда заканчивается его смена, но так и не понял, потому что девушка не отводила от него весёлых глаз.

В номер она подниматься не стала, велела отправить багаж с коридорным, сказала, что хочет ужинать и пойдёт в ресторан.

— Заказать вам столик? — Никита предупредительно снял телефонную трубку.

Девушка принялась набирать сообщение и на него даже не взглянула:

— Ну, если там аншлаг, в ресторане... то закажите!.. Там аншлаг?

— У нас много гостей, — пробормотал Никита. — А в ресторане живая музыка...

— Столица переезжает в Нью-Васюки? Спорим, вы не знаете, откуда цитата!

Никита действительно не знал и сильно покраснел. Вообще ему хотелось, чтобы она от него отстала. Он чувствовал себя униженным.

Коридорный вернулся из президентского люкса и за её спиной закатывал глаза и строил рожи.

— Я хочу пить, — объявила Даша Жукова, — скажите этому вашему ресторану, чтоб мне принесли газированной воды. Очень холодной.

— У нас даже немецкие туристы живут, — неизвестно зачем сказал Никита. — Они по России на байках путешествуют. От нас поедут на юг.

— Ммм?.. — протянула Даша, не отрываясь от телефона. — Воды не забудьте попросить.

Она прошла к лобби-бару, по-особенному, будто танцуя, ставя длинные ноги в очень узких чёрных джинсах, повалилась в кресло, а необыкновенные ноги пристроила на полированный ореховый столик.

— И соревнования самбистов... — ей вслед пробормотал Никита. — Со всего СНГ болельщики приехали...

— Да что ты ей объясняешь! — не поднимая глаз, прошипела рядом Алина. — Она вон на тебя даже не смотрит!

Даше принесли воды, и она её вернула — слишком большая бутылка и тёплая, а ей нужна маленькая и холодная. Принесли следующую, и она опять вернула — вода должна быть итальянская.

— Дура, — неслышно буркнул Никита, и Алина рядом улыбнулась.

Явились давешние пожилые супруги — галерею они не нашли, потом потянулись командированные: такси до боулинг-клуба, такси до стриптиз-клуба, билеты на завтрашний утренний поезд, а потом пожаловал сам Паша-Суета с телохранителем. Должно быть, на свидание с Вероникой. Странно, что её до сих пор не видно.

Как только Паша разместился за столиком — спиной к стене, лицом ко входу, всё как всегда, — и телохранитель приткнулся неподалёку, сразу же прибежали официанты, извещённые Алиной, принесли вискарика, закуски и чай в стакане с подстаканником. Паша-Суета уважал чай только из стаканов.

Даша Жукова на явление Паши не обратила никакого внимания. Она строчила сообщения, время от времени фотографировала себя, перебрасывая волосы на одну сторону, маленькими глотками отпивала воду — в конце концов, ей принесли подходящую.

Паша-Суета рассматривал её из своего угла.

— Что-то будет, — прошелестела рядом Алина. — А ты сегодня его подругу видел? Веронику? Она в наш спа-центр не приезжала?

— Я не видел, — тихо ответил Никита.

В отель ввалились разухабистые дядьки-болельщики, приехавшие на самбо, все по очереди оглядели Дашу с головы до скрещённых на столе щиколоток, загомонили, заржали и двинули в ресторан, оглядываясь и скалясь, как волки.

Никита подумал — лучше бы столичная штучка заказала ужин в свой президентский люкс. Нет, у них вполне респектабельное место, драки случаются всего пару раз в году, но всё же такой девушке вечером в ресторане в компании болельщиков и Паши-Суеты делать нечего...

Даша допила, громко, на весь холл, приказала, чтобы счёт за воду записали на номер, и поплыла к ресторану, по-особенному ставя длинные ноги в очень узких чёрных джинсах.

Паша-Суета махом опрокинул виски, что-то пробурчал телохранителю и отправился следом.

Над меню Даша думала недолго. За это время она оценила обстановку, пересчитала гостей, прикинула, кто где сидит, наметила пути к отступлению, если придётся отступать.

Отступать ей не придётся, но их так учили. Пути должны быть намечены заранее.

По её расчётам, выходило, что первым подойдёт разухабистый молодчик в ботинках на рифлёной подошве, обвислых джинсах и толстовке с пятном от кетчупа на животе.

Ему на помощь — не поднимая головы от меню, она всё оценила ещё раз — прибудет вон тот, в коричневом пиджаке. А уже потом вмешается местный авторитет, который в лобби запивал восемнадцатилетний «Макаллан» чаем из железнодорожного стакана и рассматривал её шмыгающими, суетливыми глазками.

— Выбрали, что будете кушать? — прошелестела над ней девочка-официантка. Улыбка у неё была перепуганная.

Даша отложила меню, вздохнула и громко, на весь ресторан, который ловил каждое её слово и движение, сказала:

— Что-нибудь из местных сезонных специалитетов. Посоветуйте мне! Может, тартар из мраморной тамбовской говядины? А на горячее копчёного угря! У вас в речке водятся угри?.. Ну, и семифредо из редьки. Я не знаю, сейчас сезон редьки?

Девушка как будто отступила немного.

— Ничего этого нет, — ответила она и улыбнулась заискивающе. — Выберите что-нибудь из меню, пожалуйста...

— Ну нет, и что? — сказала Даша капризно. — А повар есть? Пусть приготовит!

— Повар... он готовит только из меню...

— Ах, из меню! Господи, куда я попала?! — И она быстро перечислила, сильно понизив голос: — Сто граммов водки, самой дорогой, томатный сок, лёд, салат столичный, грибной суп и окорок тамбовский запечённый.

Официантка, торопясь, записывала и кивала.

Водка и сок явились сразу же, а следом и салат столичный. По Дашиным расчётам, до супа всё будет мирно. Мирно, но неспокойно.

Она выпила стопку водки, запила томатным соком — вкусный, не иначе местный специалитет — и принялась ковыряться в салате.

Есть ей хотелось с самого утра.

За стол к авторитету прошествовала фигуристая силиконовая блондинка на таких каблуках, что смотреть было страшно. От высоты блондинку слегка покачивало. А может, силикон перевешивал.

«Живая музыка» на крохотной эстраде с непременным зеркальным шаром старалась изо всех сил. Дородный мужчина в кожаном пиджаке и расстёгнутой на груди рубахе выводил про старого шарманщика, женщина, перетянутая блестящим платьем, как докторская колбаса натуральной обвязкой, ему подпевала.

Даша ела.

Грибной суп, горячий, наваристый, был съеден до половины, когда мужчина на эстраде грянул «Я пригласить хочу на танец вас, и только вас, и не случайно этот танец вальс».

Как ни странно, первым подошёл не тот, с пятном на пузе, а его сосед, рыхлый, бледный, на толстом пальце печатка.

— Потанцуем, кисуль? — нежно спросил он, наклоняясь на Дашей и её супом.

— Не-а, — безмятежно сказала она. — Танцуй один, зая!..

Кавалер ничего не понял.

— Да ладно тебе выделываться, кисуль! Потанцуй, жалко, что ли? Ты отдыхаешь, и мы с ребятами отдыхаем! Давай, не ломайся!..

Даша положила ложку, откинулась на спинку стула и посмотрела на него очень близко.

...Спровоцировать или отпустить с миром? У него небось жена, дети. Работа какая-никакая. Он с ребятами отдыхает!.. Да и потом она уже настроилась на того, с пятном.

— Я не хочу танцевать, — сказала Даша мирно. — И не буду. Я есть хочу, а не танцевать. Улавливаешь суть?

Кавалер моргнул.

— Всё, давай, давай, иди к ребятам. Выпейте лучше за моё здоровье и за мир во всём мире.

Он помедлил, и что-то его остановило. Непонятно что. Секунду назад он был полон решимости и сладких предвкушений, а тут вдруг как будто отрезвел.

Он кивнул, вернулся на место, и за его столом произошло бурное короткое совещание. Авторитет, отстраняя рукой блондинку, которая наседала на него силиконовым бюстом, беспокойными глазами всё щупал и щупал Дашу.

Певец завёл про «Эти глаза напротив», и на этот раз подошел тот самый, с пятном, намеченный ею с самого начала. Он был покрепче, поуверенней, от него просто так не отвяжешься.

— Чего бузишь? Круче всех, что ли? Ты поласковей, девуля. Давай потанцуем, выпьем, поговорим, как люди! — И потной ладонью крепко взял Дашу за руку.

— Отвали, — велела она.

— Тихо, тихо. — Он сжал тонкие куриные косточки её запястья. — Придержи язык. Ты клиента на ночь подыскиваешь? Вставай, пошли, я твой первый клиент!

— Отвали, — повторила Даша.

Он моментально, как по команде, взбеленился.

— Вставай, сука, — прошипел он и потянул её сильно. — Пошли! Чё ты целку из себя строишь! В столице будешь строить, а тут не надо, тут все свои!.. Нормально тебе говорю — вставай, двигай в номер, я плачу!

Даша вздохнула. Левой рукой она нащупала ложку, которой только что ела суп, и ткнула ему в глаз — несильно. Он моментально ослеп, зашатался и заревел, закрывая лицо.

— Сука!.. ... дь!

За его столом повскакивали, и тот, в коричневом пиджаке, ринулся на помощь. Телохранитель авторитета привстал и зашарил под мышкой. Даше стало смешно.

Подбежавший пиджак схватил Дашу за волосы, дёрнул. Она ударила — коротко и опять несильно, членовредительство в её планы не входило. Ударила она в самое больное место.

Пиджак схватил себя за это самое место, выпучил глаза, завыл и повалился на бок. Изо рта у него потекла слюна.

Первый, залитый слезами, полез было с кулаками, и это стало его ошибкой. Он ничего не видел, просто махал руками от боли и унижения. Даша взяла его двумя пальцами за основание шеи. Он всхрапнул, перестал дышать и столбом обрушился на пиджак, который подтягивал к подбородку ноги и выл.

Музыка остановилась, и сделалась тишина.

В дверях кухни толпились официанты и повара. Перетянутая, как докторская колбаса, певица закрывала обеими руками накрашенный рот. У входа застыли два парня в негнущихся костюмах, по всей видимости, охранники и давешний администратор, которого она довела до белого каления. Все посетители перестали есть и замерли в причудливых позах.

Картина.

Даша уселась на место.

— Ты это самое, — негромко сказал телохранителю местный авторитет, — вишь, это самое... намусорено? Давай убери.

Телохранитель подскочил и стал тянуть с пола лежащих. Гостиничные охранники тоже подошли и стали их поднимать.

— Дайте мне чистую ложку, — громко, на весь ресторан, сказала Даша капризным тоном. — Что такое!.. Ни семифредо, ни редьки, ни ложек!..

— А вы кем же ему приходитесь, покойному-то? У него сроду не было никого, одинокий он! А как помер, так, стало быть, родственники объявились не запылились!

Тётка была въедливая, ехидная, держалась немного свысока, и Макс Шейнерман её понимал. Приехал какой-то ферт в костюме, зашёл на участок Петра Сергеевича, как к себе домой, и уже в дверь лезет!..

— Да вы не волнуйтесь. — Он сбежал с крыльца, на ходу доставая из небольшого кожаного рюкзака приготовленные бумаги. — Я племянник, сын его сестры, Анны Сергеевны.

— Какая-то ещё сестра... — пробормотала соседка недовольно, приняла бумаги и стала рассматривать. — Сроду у него никакой сестры не было!..

— Мама давно умерла, — проинформировал Макс.

Соседка перевела на него взгляд, и лицо у неё потеплело.

— Так теперь, раз дядя тоже помер, ты сиротой остался?..

Макс ничего не сказал.

Удивительная особенность русского человека — жалеть сирот и пьяниц.

Она опять поглядела в бумаги, моментально соскучилась, вникать ей не хотелось. Раз говорит — племянник, значит, племянник.

— Когда дядю хоронить-то собираешься? Который день пошёл, а покойник всё мается, всё не в земле.

— Как только полиция разрешит.

Соседка махнула рукой:

— Полиция! Чего там они ищут, всё равно не найдут никого! У нас в восемьдесят пятом на Дзержинского мужика зарезали, так до сей поры не посадили никого, а тогда при советской власти ещё порядок был!.. Ну чего? Ключи-то есть у тебя, племянник?

Макс показал связку.

— Проводить, или сам разберёшься?

Он сказал, что, разумеется, лучше проводить, и вновь поднялся на крыльцо. Соседка шла за ним.

— А ты чего, за границей, что ль, обретаешься? Уж больно не по-нашему одет-обут!

И она бесцеремонно придержала его рукой и огляде́ла с головы до ног. Племянник Петра Сергеевича был в костюме в талию, рубашка в тонкую полоску — синюю и красную. Сверху чепуховое пальтецо с капюшоном, зато подкладка шёлковая, богатая. На ногах почему-то кеды, а на плече рюкзак. Иностранец, как есть!..

— У меня работа такая, — непонятно ответил племянник.

— Как хоть звать-то тебя?

В бумагах, которые он ей совал, его имя повторялось раз двадцать, но она и до имени не дочитала!..

— Максим.

— Ну вот, Максюша, стало быть, тут дядя и жил. Один весь дом занимал, никто к нему не захаживал, да он и не звал особенно. Всё работу работал, над книжками сидел. Ещё в саду возился, яблони прививал. У него мечта была — антоновку возродить, чтоб как раньше, нынешняя-то вся повыродилась. Он по этому вопросу полный профессор был.

Дом стоял в глубине сада так, что с дороги и с соседских участков его почти не было видно. Это логично и правильно — по всей видимости, дом когда-то подбирался именно с таким расчётом, чтобы не слишком много было посторонних глаз.

— Ночевать-то останешься?

— Нет, я в гостиницу.

— Ты гляди, — удивилась соседка, — остался бы у дяди-то, помянули бы его по-людски. А он в гостиницу!

Она зажгла свет в коридоре, один о другой стянула резиновые сапоги и пошла по чистым домотканым дорожкам.

Макс дёрнулся было остановить её — просто так расхаживать по дому Петра Сергеевича, да ещё в отсутствие хозяина, было попросту опасно, — и не стал. Чему быть, того не миновать.

— Тут кухня, там зала. Эту комнату Сергеич под свою лаблаторию приспособил, — она выговорила очень чётко «лаблатория». — Спал тоже тут, на диване. Гляди, черенки всякие, справочники, какие-то всё пробы он брал, кислая почва, не кислая! Мы, бывало, посмеивались над ним.

Рукой в перчатке Макс взял верхнюю книгу из стопки на краю стола. Книга называлась «Особенности почвоведения чернозёмной зоны СССР».

Компьютера не было.

— Ну чего, оставайся, смотри, чего тебе тут надо, а я пойду. Дом продавать будешь?

Макс сказал, что скорее всего продаст.

— Ты гляди, хорошим людям продавай, не абы кому! Тут у нас вокруг все соседи работящие, трезвые. А продашь горлопанам каким-нибудь, тунеядцам, пропала наша улица!.. Слышишь, племянник?!

Макс сказал, что продаст непременно хорошим.

— Ну, если чего, к забору подойдёшь да крикнешь тётю Зою, это я, стало быть. С крыльца не зови, не дозовёшься.

Оставшись один, он первым делом погасил везде свет и осмотрелся. Дом как дом, ничего особенного. Вокруг таких десятки, это называется «частный сектор».

Макс знал, что в доме Пётр Сергеевич ничего не хранил, но это не означает, что здесь нет секреток и ловушек.

Он вытащил фонарь, оставил рюкзак у двери и прислушался. Заходить — вот так, с ходу, без подготовки, — он не решился.

За окнами вечерело, и в доме царил синий сумрак, какой бывает в деревенских домах только весной. Прислушиваясь, Макс стянул с плеч дафлкот, свернул его, аккуратно пристроил сверху на рюкзак и огляделся.

Коридорчик был пуст, только вешалка с пальто, дождевиком и кепкой на крючке. Справа подальше дверь, соседка сказала, что там кухня. Ещё две двери слева, за одной из них «лаблатория». В торце «зала».

Не двигаясь с места, Макс огляделся ещё раз. Под вешалкой стояли болотные сапоги, грубые ботинки на толстой подошве, а в углу почему-то... гимнастическая гиря.

Должно быть, Пётр Сергеевич упражнялся с гирей прямо тут, при входе.

Макс зажёг фонарь, взял его в зубы, присел и осмотрел гирю. Она была переделана из старинного пушечного ядра. Сверху приделана ручка на шурупах и выпилен желоб, чтоб ручку можно было убрать.

...Пётр Сергеевич, да вы шутник!..

Не выпуская фонаря, Макс надавил на ручку. Она хрустнула и легла в желоб, получился чугунный шар. Макс взял его обеими руками — он был холодный и тяжёлый, — и с усилием катнул по коридору, прямо по домотканой дорожке.

Шар неторопливо покатился.

Примерно в середине коридора что-то щёлкнуло, треснуло, крашеные доски пола провалились, и шар ухнул в тёмное подполье, потянув за собой дорожку.

Выждав время, Макс подошёл, присел и заглянул.

Ничего особенного. Просто открылись дверцы подпола, и все дела.

Откинув дорожку, Макс посветил вниз. Подпол был не слишком глубок, в человеческий рост, может быть, чуть поглубже. Он попробовал потянуть на себя дверцу, она не поддалась, видимо, пружина жёстко фиксировала её, когда подпол открывался вот так, неожиданно. Никакой лестницы не было.

Ловушка оказалась прямо посреди коридора, они с соседкой не дошли до неё, должно быть, пары шагов.

Макс спрыгнул вниз, осмотрел нехитрую систему приводов и пружин, открывающую подпол. Её приводила в рабочее состояние рейка, которую можно было потянуть снаружи. Если рейка утоплена, при небольшом давлении сверху дверцы открываются. Если вытянута, можно ходить.

Встав на чугунное ядро, Макс выбрался из подпола, нащупал рейку и потянул. Зафиксированные дверцы сразу ослабли. Он с усилием захлопнул их и вытащил рейку. Поправил дорожку.

...В конце концов соседка непременно наведается ещё раз, не дождавшись, когда племянник станет поминать покойного дядю. Так она по крайней мере ноги не переломает.

С порога «лаблатории» Макс долго и внимательно осматривал стены, потолок и пол.

Крашеный пол без всяких подвохов. В потолке ни люков, ни лазов. Со стенами хуже — они были заклеены старыми выцветшими обоями, а что под ними — непонятно.

Осторожно и медленно ступая, Макс подошёл к столу. Один раз они уже подходили, и ничего не произошло, но нужно быть внимательным всегда. Его так учили.

На столе, огромном, старинном, должно быть очень неудобном, лежали книги, бумаги, стояли колбочки, до половины насыпанные землёй. Справа на выцветшей жёлтой афише лежали ровно срезанные короткие веточки — видимо, той самой антоновки, которую садовод и библиотекарь Пётр Сергеевич намеревался возродить и вернуть народу. Там же, справа, валялись какие-то кроссворды — стопкой, — ручки, карандаши, среди них затесалась отвёртка.

Лампа с левой стороны, тоже старая, с проржавевшим ободом и молочным треснутым абажуром, стояла криво — каменная её подставка одним углом наехала на какую-то книжку, и лампа перекосилась.

Макс подумал, наклонился и посветил под абажур. Изнутри к спицам за четыре угла был подвешен на нитках тонкий носовой платок, в который было что-то насыпано. Если лампу вернуть в вертикальное положение, нитка оборвётся, содержимое платка непременно разлетится во все стороны. Макс сунулся ещё поближе и осторожно перчаткой тронул платок. Тот сразу закачался, над ним взвилось облако порошка. Порошок был синий и очень мелкий, мельче пыли.

Перчатку, подставку и стол вокруг лампы запорошило тонкой синей гадостью, стряхнуть которую не было никакой возможности.

Макс потёр друг о друга перчаточные пальцы.

...Н-да.

Он бесшумно вернулся в коридор, достал из рюкзака шарик, чуть поменьше пинг-понгового. Возле лампы он встряхнул шарик — тот превратился в безразмерный пакет, — подвёл его под нитки, дёрнул и мгновенно затянул завязки. Пакет изнутри весь окрасился синим.

Макс положил пакет к стене и продолжил осмотр.

Часа через два он пересмотрел все книги, прочёл все записи, изучил все кроссворды. Можно перемещаться дальше.

За окнами давно стемнело, и работать стало неудобно, но Макс должен был закончить.

Следующей на очереди была кухня. Не торопясь, Макс обвёл фонарём стены, потолок, пол, чёрный провал окна.

Кухонька оказалась тесной, крошечной, зато здесь имелись целых две плиты — дровяная с чугунными конфорками, и обычная газовая. На дровяной стояли две сковороды, а на газовой — чайник со свистком.

...Ретроград и консерватор был этот самый Пётр Сергеевич!.. Ни компьютера, ни телевизора, ни даже электрического чайника.

Макс принялся методично осматривать кухню и тут чуть было не дал маху.

На холодильнике стоял павлин, дымковская игрушка. С того места, где находился Макс, было не видно, что стоит павлин как-то боком и держится на холодильнике едва-едва. Он слегка задел холодильник, павлин покачнулся и начал падать, но Макс Шейнерман всё же оказался проворнее павлина и подхватил его над самым полом.

Павлин — тяжёлый, словно отлитый из свинца, — шлёпнулся ему в руки, Макс потерял равновесие, упал, перекатился, стараясь не уронить и не перевернуть игрушку.

Сидя на полу с павлином в руках, Макс поискал глазами фонарь. Тот завалился под плиту.

Макс аккуратно, не выпуская павлина, достал фонарь и посветил.

Дырка в глиняном днище была плотно закупорена. Открывать её Макс не стал. Он внимательно изучил глину вокруг крышки, колупнул, понюхал и аккуратно поставил павлина на подоконник.

Труба дровяной печи входила в дымоход как-то криво, и Макс, забравшись на плиту, осторожно снял её. В дымоходе оказалась жестяная коробка из-под чая, а в ней какие-то деньги, перетянутые резинкой.

Макс не выдержал и засмеялся.

Коробку он поместил рядом с павлином.

Он обшарил кухню сантиметр за сантиметром. Вся посуда была перемыта и убрана в буфет. Там же, в нижнем отделении, стояли трёхлитровые банки с сахарным песком, гречкой, пшеном и консервы — тушёнка, бычки в томате, перловка с салом.

Макс передёрнул плечами. Хотелось есть, но при виде перловки с салом — расхотелось.

Вытащив банки, он внимательно изучил газету, которая была постелена на дно буфета. Так же скрупулёзно он осмотрел обе плиты и холодильник.

На холодильнике сверху тоже лежали какие-то газеты, жёлтые от времени и кухонных паров, и ещё один сборник кроссвордов и головоломок.

Макс перелистал его, задержался на одной из страниц, вновь перелистал и сунул в карман пиджака.

Больше в доме покойного Петра Сергеевича ему было делать нечего.

Перед президентским люксом Хабаров помедлил немного, не потому что хотел оглядеться по сторонам, а со страху. Никого не было в коридоре, и он это знал. В холле возле лифта встретились ему два чувака при спортивных сумках — один с подбитым глазом. В левом крыле возилась горничная со своей тележкой, до люкса она доберётся ещё нескоро, а больше никого.

Хабаров постучал.

Дверь ему открыла Джахан. Он не видел её, казалось, целую вечность.

— Привет, — сказала она. — Ты будешь чай?

— Здравствуй, — ответил Хабаров. — Здравствуй, Джахан!

Должно быть, голос у него был странный, потому что она сразу ушла, даже не взглянув ему в лицо.

Хабаров с силой выдохнул, зашёл в номер, прикрыл за собой дверь и постоял немного.

Здесь, как и во всём отеле «Тамбов-Палас», было богато, позолочено и мраморно. Канделябры с висюльками, ковры с диковинными розами и райскими птицами. И такие же райские птицы на обоях и шторах.

Впрочем, райские птицы Хабарова решительно не интересовали, он их и не заметил. Он готовился к встрече, уговаривал себя не волноваться и всё-таки волновался.

Он пошёл на звук — в глубине люкса надрывался телевизор. Не иначе Дашка смотрит какую-нибудь утреннюю ерунду про моду или путешествия.

Они все были там, все вместе в одной комнате.

Хабаров остановился на пороге и зажмурился на секунду. Как будто не было всех этих долгих месяцев, сложившихся в два неполных года.

— Только без восклицаний, пожалуйста, — попросила Джахан, которая всё понимала и всё замечала — всегда.

— Ну что ты, — пробормотал Хабаров. — Минутная слабость.

На стойке зелёной пластмассы, имитирующей малахит, она заваривала чай в крохотном расписном чайничке. От чайничка поднимался пар.

Даша лежала в кресле поперёк — длинные белые волосы свешивались с одной стороны, а длинные джинсовые ноги болтались с другой.

— Лёха! — закричала она и стала выбираться из кресла. — Это ты?!

Макс Шейнерман оглянулся от окна, и они встретились с Хабаровым глазами.

Даша кинулась ему на шею, повисла, заболтала ногами. Он немного покружил её и отпустил. Потом пожал Максу руку.

— Чаю? — спросила Джахан.

Хабаров знал — момент встречи нельзя затягивать! Нельзя ничего — ни вспоминать, ни восклицать, ни плакать. Нельзя считать потери. Нельзя хвастаться приобретениями.

Он всё это понимал, но сердце у него дрожало, и холодно было в спине, и он не знал, куда девать глаза.

— Садись сюда! — Даша потянула его к креслу. — Ты садись, а мы будем на тебя любоваться!

— Любоваться, — подал голос Макс, — лучше на тебя, дорогая. Ты не изменился, Алексей Ильич. Ну... почти.

— Тебе, конечно, кофе, Макс? — почти перебила Джахан.

— Конечно.

— Я в прошлом году был на твоей первой выставке, — сообщил Хабаров Даше. Она захохотала. — Даша Жу, московская знаменитость!

— Ещё какая, — согласилась Даша, подбежала к Максу, взяла его под руку и сделала особенное лицо.

— Художник, — начала она голосом, тоже особенным, — видится в первую очередь манипулятором — произведений и идей. Он может оказаться тактиком, который за счёт просчитывания рыночной и медийной конъюнктуры осуществляет поддержание своей личной власти, собственного символического и реального капитала.

— Даша Жу — твоя идея? — наслаждаясь, спросил Хабаров у Макса.

— Отчасти.

— Ну, разумеется, он всё придумал. Мне бы и в голову не пришло! Главное, какой успех, Лёша! Какой успех!.. От смеха сдохнуть можно!..

Джахан принесла поднос с пиалами и чайником. Хабаров старался на неё не смотреть.

Она разлила чай, высоко поднимая и вновь опуская над пиалами носик чайника, и ни одна капля не пролилась, ничего не брызнуло на стол! Отдельно она подала Максу чашку кофе, забралась в кресло и поджала под себя ноги.

Всё. Момент встречи, он же вечер воспоминаний, окончен. Магазин «Ностальгия» закрыт на висячий замок.

Алексей Хабаров взял пиалу, глотнул чаю и зажмурился — так он был горяч и памятен ему.

Они ждали, и он знал, что должен заговорить первым.

Он глотнул ещё раз.

В телевизоре ведущий наставлял какую-то нечёсаную и неумытую тётку:

— Вы, милочка, своими нарядами доведёте до беды не только детей и мужа, но и меня. Вы просто-напросто вульгарны! Это же совершенно противоречит элементарным требованиям вкуса!..

— Итить твою налево, — пробормотал Хабаров. — Где пульт?

Даша подала ему пульт от телевизора, и он убавил звук.

— Пётр Сергеевич Цветаев, — начал он, — сотрудник особого отдела главного разведуправления четыре дня назад был убит. Джо, как он был убит?

— Отравлен, — отозвалась Джахан. — Разреши, я возьму свои записи?

— Конечно, — кивнул Хабаров.

Джахан перелистала замызганный кожаный ежедневник.

— Здесь расшифровка записи с диктофона, — объяснила она. — Саму запись сохранять я посчитала нецелесообразным.

— Ежедневник взломать трудно, — пропищала Даша, кривляясь. — Можно даже сказать, невозможно!.. Не то что компьютер!

— Отравлен он был накануне. По моим оценкам, за сутки до смерти. Я взяла пробы на разные яды. Сегодня смогу сказать точнее.

— Отложенное действие? — уточнил Хабаров.

— Такие яды редкость. Купить в аптеке или синтезировать в домашних условиях их невозможно.

Джахан говорила, как всегда — короткими и очень правильными предложениями, Хабаров наслаждался. Он и вопросы задавал только для того, чтобы она говорила.

— На теле нет повреждений. Нет следов борьбы. Предполагаю, что в определённый момент он просто упал и умер. Все внешние признаки указывают на сердечный приступ. Что и было зафиксировано местными эскулапами.

— Где ты нашла след от инъекции?

Тут она улыбнулась. Скуластое смуглое лицо стало совсем молодым и прекрасным. Этим самым следом от инъекции она прямо-таки гордилась. Никто не нашёл бы, голову можно дать на отсечение, а она нашла!..

— В стопе, — сказала она, и Хабаров посмотрел на неё с изумлением, Макс тоже. — Укол был сделан в стопу. Ему что-то подложили в ботинок.

— Кошма-ар, — протянула Даша.

— Я осмотрю его одежду и обувь. Но уверена, что ничего не найду. Скорее всего ботинки на трупе поменяли.

Хабаров немного подумал.

— Макс?

Тот покачал головой:

— Я после Даши.

— А я что? — Она вскинула длинные руки и сладко потянулась. — Я всё сделала! Вчера страшно здесь нашумела, гости Тамбова моё появление запомнят надолго.

— Тип с подбитым глазом...

— Моих рук дело, — закончила Даша с удовольствием. — На местного авторитета и хозяина города Павла Лемешева я произвела неизгладимое впечатление. Сегодня продолжу производить.

— Только аккуратно, — предупредил Хабаров. — На него покушение готовится со дня на день.

Даша удивилась

— Кому он нужен? Или в Тамбове в разгаре криминальные войны?

— Особенно никто не воюет, но он гостей с Кавказа поприжал, а у тех полное взаимопонимание с ростовскими. Они давно мечтают Пашу отсюда подвинуть.

— А вмешаться? — безмятежно спросила Даша. — Можно? Он тогда мне должен будет по гроб жизни.

— Смотри сама.

— Лёшенька, спасибо тебе, ты самый-самый лучший пуся-начальник!..

— Даш, у нас на всё про всё дня два, от силы три. Ты особенно не увлекайся местным колоритом. Единственное, что нам нужно, узнать, кто у него на земле недавно появился и тут шурует. Не может быть, чтоб никто из его шестёрок ничего не видел и не слышал. Убийство Цветаева готовилось давно и тщательно, к нему кто-то ходил, вон даже в ботинки ампулу умудрились затолкать!

— Я всё, всё понимаю! Я всё, всё узнаю! Не беспокойся, пусечка-дусечка!..

Джахан подлила Хабарову чаю. Он проводил взглядом её руки. Она по-прежнему на него не смотрела.

— В городе много гостей — слёт самбистов или большие соревнования, — продолжала Даша. — Но они заехали только что, два дня назад. Ещё какие-то немецкие туристы куда-то едут на байках, так мне сказал зайчик. Сама я их не видела.

— Какой зайчик? — не понял Хабаров.

...Прошло почти два года, и он... отвык. Не забыл, забыть нельзя, а именно отвык — от них, от их манеры выражаться, от странностей и шуток. Он привыкнет очень быстро, а потом мучительно и долго станет отвыкать.

— Ну, администратор, маленький милый зайчик! Я из него всю душу вынула вчера. Он сказал про немцев на байках.

— Информацию нужно... — завёл было Хабаров.

Даша перебила:

— Проверить! Конечно, я всё проверю, на всех погляжу, всё доложу!

— В доме Цветаева, — начал Макс, — полно ловушек. Я открыл три. Они детские, конечно, но без подготовки сразу обнаружить их сложно. Джо, там есть ещё кофе?

Джахан моментально поднялась.

— Сиди, я сам налью.

— Нет, нужно варить. Остывший кофе не пьют. Его выливают.

И они улыбнулись друг другу нежно, почти любовно — она никогда так не улыбалась Хабарову.

— Ты знал его?

Хабаров, отвлёкшийся на Джахан, не понял, о ком речь.

— Ты лично знал этого Петра Сергеевича?

— А... нет, не знал.

— Он большой шутник, — продолжал Макс. — Во-первых, все ловушки начинаются на букву «п» — под-пол, порошок, павлин.

— У него дома павлин?! — весело удивилась Даша.

— По коридору просто так не пройти, провалишься в подпол. В кабинете в лампу насыпан порошок, каким метят деньги для взяточников — просто мелкодисперс-ный краситель. Я перчатки испортил. На холодильнике дымковский кувшин — как раз этот самый павлин, — он падает при малейшем качании. В нём, по всей видимо-сти, краска, я не стал проверять.

Хабаров внимательно слушал.

— Насколько я понял, все эти ловушки предназна-чены исключительно для того, чтобы проникновение в дом не осталось незамеченным. Любой, угодивший в ловушку, непременно бы наследил.

— Он был готов к неожиданным гостям, — сказала Даша. — Что тут такого? Мы все... готовы. Правда же?

— В дымоходе спрятаны деньги. Очень топорно. — Макс улыбнулся. — Ну, это специально для каких-ни-будь залётных воришек.

— Ты забрал? — осведомилась Даша нетерпеливо.

— Дом полон книг, бумаг, газет. Никакой электро-ники нет, даже телевизора.

— Нет, я не поняла, почему ты деньги не взял?! Ты же их нашёл! Значит, они наши!

— Я пересмотрел всё. Он любил примитивные крос-сворды и головоломки. В кабинете их целая стопка, все разгаданные.

— Макс, не тяни, — попросил Хабаров.

— Один из сборников головоломок был обнаружен не в кабинете, а на холодильнике. Сверху на нём стоял пав-лин. — Макс достал из рюкзака растрёпанную книжен-цию дрянной жёлтой бумаги с круглым отпечатком, по всей видимости от павлина, и перелистал. — Здесь тоже кроссворды и головоломки, но разгаданы они не все.

Я убеждён, что именно здесь Цветаев оставил нам сообщение.

Группа смотрела на него, все молчали. Макс Шейнерман любил эффектные выступления, Даша от него научилась.

— Я сделал такой вывод, когда обнаружил вот это.

Он кинул брошюрку на стол, перевернул хлипкую страницу.

— Это кроссворд, он весь разгадан. Здесь читаем: «Добытчик и прибыльщик», уроженец Сольвычегодска, покоритель Даурских земель». И ответ по вертикали: Хабаров.

— Ерофей Павлович, — нисколько не удивился Хабаров Алексей Ильич. — Пётр Сергеевич знал, что в случае нештатной ситуации к делу подключат нашу группу. Уговор был именно такой.

— Следовательно, в этой книге есть нечто адресованное нам. Расшифровкой планирую заняться сегодня.

— Возможно, это займёт время, — подала голос Джахан. — Наверняка шифр нетривиальный.

— Или очень простой, — возразил Макс. — Этот ваш Пётр Сергеевич был оригинал.

— Наш, — поправил Хабаров, Макс промолчал. Джахан подала ему кофе и вновь с ногами забралась в кресло.

— Поверхностный осмотр библиотеки ничего не дал, — сказал Хабаров. — Я там ещё покопаюсь. Но по всей видимости, меня вели, и достаточно профессионально, я ничего не заметил. Вряд ли из Москвы, скорее всего, приняли уже здесь, в Тамбове.

— С чего ты взял?...

Хабаров достал из кармана пулю и аккуратно положил на стол рядом с расписной пиалой.

— Выстрелов было два. Стрелял человек на мотоцикле.

Даша двумя пальцами взяла пулю, изучила со всех сторон и передала Максу.

— Пуля как пуля, — сказала она, и Хабаров усмехнулся.

— Получается, они всё ещё здесь. — Макс вернул пулю на стол. — Что это может значить? Не нашли то, что искали? Продолжают искать?

— В библиотеке полно гражданских, — подала голос Джахан.

— Я знаю.

— Наш противник может туда вернуться. Особенно если ты продолжишь там работать.

— Что ты предлагаешь?

Они все помолчали, обдумывая информацию.

— Характеристика пули, — проговорила Даша задумчиво. — И ещё мотоцикл. Немцы на байках путешествуют на юг России, живут в этой гостинице. Я поняла и ускорюсь, Лёш.

— Вот именно.

Хабаров допил чай и посидел немного, проверяя себя. Кажется, всё?.. Больше говорить не о чем?..

Как ему хотелось... ещё побыть с ними!.. Посмотреть на Джахан. Послушать Дашкины рассказы. Сыграть с Максом в шахматы — когда-то они играли в шахматы!

Он поднялся и забрал со стола пулю.

— Штатно встречаемся вечером, — сказал сухо. — На экстренный случай связь как обычно.

Вышел и неслышно прикрыл за собой дверь. Оставшиеся помолчали.

— Я не поняла, он изменился? — спросила Даша наконец. — Или не изменился?

— Если за ним следили из Москвы, дело плохо, — сказал Макс Шейнерман. — Мы не успеем.

— Не болтай, — отрезала Джахан. — У нас есть дело, мы должны его сделать.

— Ну конечно, — пробормотал Макс. — Ты же святее папы Римского, как это я забыл!..

Он подобрал с пола свой рюкзак, закинул за плечо и на прощание улыбнулся Даше.

Она прищурилась на солнце, посмотрела по сторонам — улица была неспешная, купеческая, тамбовская и очень ей нравилась, — нацепила на нос тёмные очки и полезла в рюкзак.

— Всё выше, и выше, и выше, — напевала она себе под нос, — стремим мы полёт наших птиц...

— Вам помочь? — спросили откуда-то сбоку, и на неё легла тень.

Даша задрала голову и посмотрела. Рядом стоял гостиничный администратор Никита, маленький милый зайчик, и вид у него был сконфуженный.

— Здра-асти, — протянула Даша. — Сколько сейчас времени в Токио?

Зайчик немного дрогнул.

— Почему вы слоняетесь по улице без дела? Разве вы не должны гореть на работе? — продолжала Даша.

— Сегодня не моя смена, — буркнул Никита.

Дёрнул его чёрт подойти! Знал же, что добром не кончится, и всё-таки полез!..

Даша вытащила из рюкзака непонятный металлический рельс и сунула Никите в руки — довольно тяжёлый. За рельсом последовала узкая платформа на колёсиках, странная штука!.. Красавица застегнула опустевший рюкзак и пристроила его на плечо.

— Держите!.. Крепче держите!

Сухой щелчок, рывок, рельса приложена к платформе, открыты резиновые уши, и — оп-ля! — получился самокат.

Даша в разные стороны повела головой так, чтобы разметавшиеся платиновые волосы уж точно весь день не давали бы покоя маленькому славному зайчику, вскочила на самокат и покатила.

Никита — будь оно всё проклято! — припустился следом за ней.

Даша отталкивалась ножкой и слегка повиливала передним колесом. Волосы развевались.

— Прикольная штука, — говорила Даша на ходу. — Кул! Мы все вскоре бросим наши «Мерседесы» и станем передвигаться только на великах и самокатах!

— Все — это кто? — пропыхтел рядом Никита. Он старался не отставать.

— Москвичи! Ты что, не в теме? У нас теперь сплошные велосипедные дорожки и ограничения движения! Мне нравится! Да всем нравится, кто в центре живёт! Замкадыши бузят, и всякие тёти Маши из Бирюлёва, которые на «Логанах» паршивых в центр прутся, а нам по приколу!..

Даша соскочила с самоката и деловито подёргала резиновые ручки-уши.

— Немного заедают, — объяснила она, оглядела взмокшего Никиту и спросила: — А ты на велике или на байке?

Никита, счастливый обладатель новенькой «Лады-Приоры», купленной в кредит, не нашёлся что ответить.

— Не, ну байк тоже клёво, но где на нём ездить? По «трёшке» или по МКАДу себе дороже! И по трассе тоже не в кайф, то дождь, то пылища! Хотя у нас в компании есть чел, тру байкер, без дураков. Он по Европе катается! Полицейским прикурить даёт!

— У нас в отеле тоже байкеры живут, — сообщил доверчивый маленький зайчик, обрадовавшись, что может столичный разговор поддержать, — из Германии на Чёрное море едут. Вот у них агрегаты!..

— Да наверняка старьё какое-нибудь!.. Они теперь в Европе все бедные, кризис же.

Никита подумал, что не отказался бы от такой бедности, как у этих немцев, путешествующих на байках к Чёрному морю!.. От их мотоциклов, курток, ботинок и комнат в лучшем отеле города! Он даже слегка обиделся за них.

— Ничего они не бедные, — сказал он и насупился. — Неделю с лишним живут и съезжать не собираются!.. Механик при них на «минивэне»! Байки на мойку гонял, на сервис!..

— Ты так говоришь, как будто их сто, этих байков! — фыркнула Даша. — Или десять!

— Два, но я тебе говорю — крутые!

— Может, дадут покататься? Или сами покатают?

Тебе-то точно дадут, подумал Никита, и покатают, и ещё с собой на море пригласят, а мне-то ничего не светит!..

«Минивэн», подумала Даша, живут больше недели. Интересно.

— А чего они так долго тут торчат, в вашем Тамбове? Где Тамбов, а где море?

— Может, им нравится.

Даша обидно засмеялась, опять повела волосами и распорядилась:

— Ты меня с ними познакомишь. Йес? Или ты работаешь сутки через восемь?

— Завтра я работаю, — пробурчал Никита и поклялся себе, что ни с кем столичную штучку-сучку знакомить не станет и вообще больше в её сторону не взглянет никогда.

Даша вскочила на самокат, сделала вокруг Никиты круг, сказала:

— Покедос! — помахала ручкой и покатила. На брусчатке самокат слегка потряхивало, тряска отдавала в локоть.

...После ранения этот локоть в лубках она ненавидела. Лубки означали, что она больше не сможет работать — никогда. Почему-то совсем скверно становилось часов в двенадцать дня. Она неотступно думала, что сослуживцы «в поле» на работе, а она здесь, в больнице —

из-за какого-то проклятого локтя!.. От ненависти она выла, зубами грызла и рвала гипс, и однажды военврач, застав Дашу, заорал, что комиссует её за психопатство.

Всё обошлось, она осталась на службе, но локоть, который в любой момент может подвести, и его нужно уговаривать, чтоб не подвёл, время от времени напоминал ей о собственном слабодушии — как сейчас, — и она покатила ещё быстрее, чтобы в который раз доказать себе, что ей наплевать и она может не обращать на такие мелочи, как боль, никакого внимания.

Павел Лемешев по кличке Паша-Суета жил в особняке на улице Максима Горького — вроде бы исторический центр славного Тамбова, а вроде бы уже и загород. Точный адрес Даша, разумеется, знала, но ей хотелось себя проверить. Она была уверена, что дом местного авторитета узнает и без всякого адреса.

Напевая себе под нос про стальные руки-крылья и пламенный мотор, Даша катила по улице. Редкие прохожие провожали её глазами и даже восклицаниями вроде «Ты гляди, гляди!» — не все в Тамбове были в курсе столичных увлечений, и взрослая барышня на детской штуковине вызывала насмешливое недоумение. Даша понимала, что привлекает внимание, для этого всё и задумывалось.

Дома на улице Максима Горького были в основном одно- и двухэтажные, некоторые ухоженные, чистенькие, подновлённые, другие совсем запущенные, покосившиеся, как будто трухлявые. Время от времени попадались особняки в новорусском вкусе — ворота с орлами на столбах, дом непременно красного кирпича с колоннами и арками, перед домом стоянка на несколько машиномест, всё культурно. Даша особняки проезжала — не то, не то.

Наконец по правую руку начался подходящий забор — бесконечный, как Великая китайская стена, с квадратными выступами, похожими на сторожевые башни, на каждой башне камера. Ворота чугунные, литые, изнутри заделанные листовым железом, рядом калиточка с начищенной кнопкой домофона.

...Андрей Боголюбский, сынок князя Юрия Долгорукова, ушедший из Киева на Суздальские земли, умер бы от зависти, увидав такой великолепный забор — никаким докучливым татарам с ходу не взять!

Даша соскочила с самоката и стала поправлять ручки — опять заело, что ты будешь делать!..

Камеры простреливают через одну — эту сторону улицы и противоположную. Сразу за забором теремок красного кирпича, скорее всего домик охраны. Над забором торчит слуховое окно теремка, в нём — Даша ещё разок быстро взглянула, — как пить дать какая-то оптика. В глубине участка виднелась едва зазеленевшая липа, высоченная, роскошная, и на ней ещё камера. Хорошо хоть наблюдателя с биноклем не посадили!.. Впрочем, наверняка и наблюдатели есть.

Даша вскочила на самокат и проехала до конца забора, он был очень длинный и, по всей видимости, огораживал участок со всех сторон, на соседний домик выходила такая же укреплённая стена с башнями и бойницами. На перекрёстке она развернулась и покатила обратно. Возле самых ворот остановилась, извлекла из рюкзака фотоаппарат, прицелилась на забор и стала фотографировать.

...Раз, считала она про себя, два, три.

Она дошла до двадцати четырёх, когда наконец калиточка распахнулась и показалась бритая чугунная башка. Не очень-то они расторопны!..

— Девушка! — выговорила башка. — Вы зачем фотографируете? Не надо тут снимать!

— Почему? — удивилась Даша. — Может, я именно тут и хочу фотографировать!

Башка озадачилась, а потом тяжеловесно рассердилась.

— Сказано, нельзя, значит, нельзя! Давайте в другом месте фотографируйте!

— А я в этом хочу, — отозвалась Даша.

— Ты чего, слов, что ль, не понимаешь?! — окончательно рассвирепела башка. — Давай отсюда! Ну?! Или щас мыльницу твою разобью!

— А я полицию вызову!

— Да ты чё, дура, что ли?! Давай чеши отсюдова!..

...Двадцать восемь, считала Даша, начавшая заново, когда высунулась башка, двадцать девять, тридцать. Ну?! Скоро вы там проснётесь? Или хозяина дома нет?..

Охранник выбрался на тротуар, калитку за собой оставил открытой — вот какой профессиональный человек! — подскочил и рванул на себя фотоаппарат. Даша не отпустила, повалилась на него, — тот едва устоял на ногах, — и заголосила что есть мочи:

— Помоги-ите! Гра-абят! Убиваю-ут!

— Что ты орёшь, сука! Заткнись! Заткнись, кому сказал!

— Спаси-ите!!!

— Дай сюда мыльницу! Рот закрой! Закрой рот!..

— Лёха, чё ты устроил?!

Чугунная башка моментально отпустила фотоаппарат, Даша сразу же бухнулась на асфальт и стала кататься и выть.

— Он меня убил, — выла она, — совсем убил!

— Лёха, че такое?!

Видимо, второй был начальником башки, потому что та с ходу начала лепетать и оправдываться:

— Да она с мыльницей своей сюда полезла... я сказал, что нельзя, а она орать... да я её пальцем не тронул... гадом буду — не тронул...

Второй в растерянности наклонился над Дашей — калитка всё это время оставалась открытой, — и тут в кармане у него запищала и захрипела рация.

Слава богу, подумала Даша, которой надоело кататься и выть, сообразили.

— Ты это, — выплюнула рация сквозь помехи, — в дом её давай. Давай, давай!..

— Не понял, повторите!..

— Чё, блин, ты не понял! Давай девку сюда!..

— Вставай, — велел начальник и потянул Дашу за руку. — Пойдём.

— Куда?! — перепугалась та. — Никуда я с вами не пойду!..

После чего спокойненько дала себя скрутить и отконвоировать за забор. Чугунная башка следом тащила самокат.

«Чижа, — продекламировала Даша про себя, — захлопнула злодейка-западня!..»

Перед ними простирался плац — без единого деревца или кустика, — ровный и гладкий, хорошо простреливаемый и с отличным обзором. На плацу может поместиться, прикинула Даша, полсотни бойцов или пятнадцать машин, никак не меньше. Справа вдалеке росла липа, которую она заметила с улицы. Слева маячила сторожевая охранная башня.

...Как, должно быть, неуютно живётся всем этим авторитетам!..

Бронированная дверь в особняк красного кирпича была открыта, на высоком крыльце толпились парни — клоны чугунной башки. Правда, у некоторых на голове были волосы разной длины и цвета, видимо, затем, чтобы как-то отличать клонов друг от друга. Даша хлюпала носом и растирала по лицу слёзы.

— Давай шевелись!..

— Да иду я, иду...

Среди парней, раздвинув их плечами, появился Паша-Суета. Глаза у него бегали, щупали Дашино лицо, белые волосы, грудь, ноги — и в обратном порядке.

Когда её подвели поближе, он вдруг раскинул руки, притопнул, как в плясовой, и сказал громко:

— Ба-а, какие люди в Голливуде!.. Что кислая такая, красавица?..

— А чего он дерётся! — начала Даша и локтем ткнула в сторону чугунной башки номер один. — Фотоаппарат отобрал, а меня чуть не убил!

— Да ничего я её не бил! Я ей русским языком говорю: хорош сымать! А она сымает и сымает!..

Паша сбежал с крыльца и обшарил Дашину физиономию вблизи — как будто руками трогал, ей-богу!..

— А чего это столичным гостям на нашей тихой улице понадобилось? — протянул он. — Что тут у нас за красоты-раскрасоты?..

— Забор мне ваш понравился, — буркнула Даша и на всякий случай ещё раз вытерла слезы. — Мы никак не можем на даче забор поставить. Я думала, сфотографирую, папе отправлю...

— Забо-ор, — как будто удивился Паша. — Да ещё паапе! Вон оно что!.. Ну, проходи, погости у меня, красавица. Забор, он забор и есть, а вот за забором у меня не всякий бывает!

Клоны зашумели и подвинулись, не то угрожающе, не то уважительно. Паша повёл плечом, и они моментально стихли.

— Где мой самокат? — жалобно спросила Даша. — Отдайте!

Паша хмыкнул:

— Да вот он, нам-то без надобности! Мы всё больше по старинке, на машинках катаемся. Проходи, не жмись!..

Даша поднялась на крыльцо.

...Всего семеро, включая чугунную башку и Пашу. Есть ещё люди, или все столпились здесь, чтобы поглазеть на неё?..

Калитка всё ещё распахнута настежь — вот дебилы!..

— Я не хочу никуда проходить, — захныкала она. — Мне в гостиницу надо! Что вы ко мне привязались? Я ничего плохого вам не сделала!..

— Да если бы сделала, красавица, — развеселился Паша, — разве б я тебя встречал, как самого дорогого гостя?!

Даша опасливо покосилась на него, так чтобы он понял, как она напугана, судорожно вздохнула, ссутулила плечи и сделала ещё шаг.

Она уловила движение и почуяла опасность раньше, чем всё случилось. Она была очень хорошо подготовлена!..

По улице, за знаменитым забором, который так понравился Даше и, возможно, понравился бы Дашиному папе тоже, лавиной покатился шум и рокот, как будто на большой скорости приближалось сразу много машин, завизжали тормоза, захлопали двери. Оттолкнув чугунную башку, так что тот не удержался, замахал руками и как куль перевалился через перила, Даша ринулась к своему самокату.

В проёме калитки показались люди в масках и веером, не целясь, открыли огонь.

— ...Твою мать! — завопил кто-то рядом.

Фьюить, фьюить, фьюить, просвистело у Даши над головой.

Вокруг неё толкались многочисленные ноги, ещё кто-то упал и силился подняться, и по тому, как он дышал, с хрипом и бульканьем, Даша поняла, что не поднимется уже никогда.

— Огонь! Огонь! — кричали у неё над головой. — Мать, мать, мать!..

Самокат сухо щёлкнул, разваливаясь на части, Даша молниеносно извлекла из него винтовку, огляделась, прикинула расстояние и залегла.

...Первым нужно снять главаря. Без командира нападавшие быстро остановятся. Кто у нас тут главарь?..

И с крыльца, и со стороны калитки безостановочно и беспорядочно палили. Тянуло порохом и ружейной смазкой, над плацем висел сизый дым.

Даша поудобней пристроила локоть и нащупала ногами опору. Её прикрывает железный ящик для цветов. Прикрытие так себе, но на пару выстрелов сойдёт.

Она определила цель, выждала и выстрелила. Винтовка щёлкнула почти без звука. Человек у ворот упал навзничь, и тот, кто был рядом, опустил пистолет и нагнулся посмотреть, что с ним.

Даша определила следующего, прицелилась и снова выстрелила. Ещё один сел, привалившись к забору и выронив автомат.

Теперь надо ждать. Или они разбегутся, или сниму вон того, в бронежилете.

Пальба вдруг затихла, как будто сама по себе.

— Уходим, уходим!.. Мать твою!..

Нападавшие гурьбой, как стадо, кинулись к калитке, там как будто произошла давка, с крыльца ещё кто-то пальнул в белый свет, как в копеечку, взревели моторы, машины понеслись, и всё смолкло.

...Сволочи, подумала Даша, ах, какие сволочи!.. Бросили раненых, помчались шкуры спасать, гады, крысы!.. Главный закон войны — на поле боя своих не бросают.

Она поставила винтовку на предохранитель и обернулась.

Тот самый, чугунная башка, таращился из-под крыльца и был совершенно белым, пот тёк у него по лицу, капал с носа. Его начальник лежал, уткнувшись головой в угол. Паша-Суета сидел, привалившись к косяку распахнутой двери. Он коротко и быстро дышал и улыбался странной улыбкой. Остальные шевелились, поднимались, мотали головами. Никто ничего не говорил.

Прежде всего Даша сложила и спрятала винтовку. Железо щёлкнуло о железо. Она прислонила получившийся самокат к цветочному ящику и нагнулась над Пашей.

Тот всё улыбался. Изо рта у него пошла кровь.

— Снайпер?

Даша кивнула.

— Уходить надо, снайпер, — со свистом выговорил Паша-Суета. — Сейчас менты приедут, добьют.

Даша кивнула. С её точки зрения, он был ранен тяжело, но не смертельно. Впрочем, она не специалист.

— Паша! — вдруг сказал кто-то из клонов. — Это чё такое было, Паша?!

Тот не отвечал, только дышал всё быстрее. Даша делала вид, что рассматривает его рану.

— Ключи от гаража и от машины, — на ухо Паше сказала она.

— Вон, в кармане.

Даша нащупала ключи на гигантском электронном брелоке.

— Твою мать, мать твою, это Агафон!.. Пашка, это Агафон, так его и растак!.. Его люди, точно!.. Он с Асланом скабанился, сука, блин!.. Паша, мочить их надо, прямо щас мочить!..

Даша вытащила у авторитета из пальцев автоматический пистолет и неслышно скомандовала:

— Давай!

Паша стал подниматься.

— Всем стоять, — негромко сказала Даша. — Оружие опустить. Одно движение, и я его пристрелю.

Клоны по очереди заоглядывались и замерли. Пистолет упирался в Пашины рёбра, и не было никаких сомнений, что блондинка пристрелит его, как обещала.

— Тихо, тихо, — продолжала Даша. — Никто никуда не спешит. Самокат бери. Кати!..

Паша под пистолетом, сунутым в рёбра, нащупал резиновые уши самоката. Даша поддерживала его, чтобы не упал. Рука у неё была мокрой и липкой от Пашиной крови.

— Чего такое-то? — жалобно спросила из-под крыльца чугунная башка. — Мужики, это чего она делает?..

Никто не ответил.

Даша довела раненого до калитки и нажала кнопку на брелоке. Пока ворота поднимались, она спиной, не опуская пистолета, потихоньку продвигалась к открывающейся темноте гаража. Как только ворота поднимутся, действовать придётся быстро. Клоны, как под гипнозом, медленно двигались за ними всей стаей.

— Мужики, она Пашку пристрелит!.. Вали её, мужики!.. — пискнул кто-то, и Даша, волоча раненого и самокат, нырнула в ворота.

...Раз, считала она про себя, два, три... Головой вперёд она впихнула Пашу в джип, швырнула туда же самокат и завела мотор.

Клоны начали стрелять.

...Одиннадцать, считала Даша, нащупывая кнопку люка, двенадцать, тринадцать. Стекло в крыше машины поехало и стало неторопливо подниматься. Палили со всех сторон.

Даша вылетела из гаража, затормозила и, отпихнув Пашину ногу, которая ей мешала, поднялась, пристроила локти поудобней, прицелилась и выстрелила в темноту гаража. Оттуда сразу рвануло, полыхнуло огнём, из узких окон-бойниц повылетали стёкла.

Даша размахнулась, швырнула в огонь пистолет, плюхнулась на сиденье, повернула и понеслась по тихой улице Максима Горького. В зеркалах она видела повaливший из-за Великой китайской стены чёрный дым.

С этой стороны преследовать их никто не будет. Они сейчас заняты. Тушат гараж.

Доехав до пятиэтажек, Даша свернула во двор, приткнула джип к помойным ящикам между «Газелью» и видавшей лучшие дни «Нивой», закрыла люк и заглушила мотор. Потом посмотрела на себя в зеркало и поправила волосы.

— Мы рождены, — пропела она бодро, — чтоб сказку сделать былью, преодолеть пространство и простор...

За её спиной по улице пролетели полицейские машины, одна, следом другая и третья. Где-то близко надрывно завыла сирена. Потом промчалась «Скорая».

Даша ещё полюбовалась на себя в зеркало, и только тут поглядела на спасённого авторитета. Он лежал на пассажирском сиденье очень неудобно, боком, быстро, отрывисто дышал, подтягивал к груди ноги, видно, больно ему было, почти невтерпёж. Сверху на нём лежал драгоценный Дашин самокат.

Она потянулась и в два приёма переставила самокат себе за спину.

— Сейчас ментов пропустим, — сообщила Даша авторитету, — и поедем потихоньку.

— Куда, блин? — просвистел Паша. — Куда мы поедем, снайпер? В больничку нельзя, завалят меня в больничке на раз-два...

— А мы туда и не поедем, не трусь, — подбодрила его Даша.

— Пулю вынуть надо...

— Пулю мы вытащили, — пообещала Даша. — А мозгов тебе не вставим! Пули мы вынимать умеем, а мозги вставлять пока нет!..

По улице прогромыхала пожарная машина. Даша в зеркале проводила её глазами.

Паша вдруг хрипло, с натугой засмеялся и вытер кровь с подбородка.

— Ты как про бочку с бензином узнала?

Даша покосилась на него и завела мотор.

— Да я не знала, — сказала она безмятежно. — Просто увидела. Я хорошо вижу в темноте. И потом!.. В твоём форте обязательно должен быть запас пресной воды, патронов и горючки! Это ясно даже дебилу.

Вырулив со двора, она неспешно покатила по улице. Телефон, старинный и громоздкий, как полевая рация, был в рюкзаке и, не отрываясь от дороги, Даша долго шарила по рюкзачным карманам. Нашарив, она по памяти набрала номер, повернула и поехала по другой улице.

— У меня пострадавший, — сказала она, когда ответили. — Мы будем минут через... десять.

Через девять минут и тридцать секунд она затормозила возле зелёного забора, кое-где покосившегося от старости. На сонной апрельской улице не было ни души, только брехнула с той стороны толстая рыжая собака, лежавшая на боку под воротами.

Даша просунула руку сквозь занозистый штакетник калитки, нащупала шпингалет, вошла на заросший участок, открыла ворота и заехала.

Маленький домик проглядывал сквозь только зазеленевшие кусты сирени и жасмина и казался необитаемым. Однако он был обитаем, Даша точно знала.

Макс Шейнерман возник рядом с ней, как будто акт материализации совершился. Только что никого не было на крыльце и дорожке, но когда Даша выскочила из машины, он уже открывал пассажирскую дверь.

Она хорошо знала это его умение — возникать из воздуха — и всякий раз удивлялась.

— О! — сказала она. — Ты уже здесь?

Он отступил немного, пропуская Джахан. Та тоже обладала даром материализации, но Максом Даша восхищалась, а Джахан её раздражала.

Паша-Суета вывалился из машины, Макс подхватил его. Не прикасаясь, Джахан осмотрела его одежду, залитую кровью, а потом взглянула в лицо. Паша больше не улыбался.

— Спецэффекты, — процедила Джахан в сторону Даши. — Ты не можешь без них обойтись.

— Нет, интересно! Я что, должна была его бросить?! Я даже спросить ни о чём не успела!

— Ты создаёшь проблемы, — отчеканила Джахан. — Отнимаешь у нас время. Макс, давай вместе занесём его.

— Можно подумать, без меня у вас не было никаких проблем!..

— На счёт три, — велел Макс. — Раз, два!..

Вдвоём ловко и привычно они перехватили Пашу под руки и поволокли, почти понесли по дорожке.

— Ну и пожалуйста, — оскорблённым голосом сказала Даша им вслед. — Я им «языка» добыла, а они претензии выкатывают!..

Впрочем, на обиды и оскорбления у неё не было времени. Она вывела машину с участка, закрыла ворота и поехала, высматривая стоянку побольше. Две не подошли — они насквозь простреливались камерами, — а третья подходила по всем статьям. Торговый центр «Эдем», залепленный разномастными рекламными щитами, предлагал посетителям «Мебель Черноземья», «Женское бельё из Белоруссии «Тамбовская красавица», «Скидки на маникюр при заказе педикюра», «Элитные напитки от 150 рублей», секс-шоп «Ё-моё» и прочие радости жизни.

Даша заехала на стоянку, не попав в зону обзора ни одной камеры, достала с заднего сиденья самокат, выволокла его, закинула за плечо рюкзак и захлопнула дверь. Отпечатки пальцев её не волновали — она всё время была в перчатках, вроде бы спортивных, но не совсем, да и ни в какой базе данных её отпечатков быть не может!..

Напевая себе под нос, она вскочила на самокат, оттолкнулась и покатила — так, чтобы камеры не видели её.

Пересекая мост, она запулила ключи от машины в какой-то ручей и направилась к гостинице «Тамбов-Палас» — ей давно пора было обедать.

На библиотечном крыльце Хабаров зацепился ногой за горшок с геранью, с грохотом повалил его, посокрушался, подвигал туда-сюда, — так, чтоб уж никаких сомнений не оставалось, что пришёл именно он.

Внутренняя, до половины застеклённая дверь приоткрылась, и выглянула Светлана Ивановна. Очки она держала в руке.

— Опять? — воскликнула она, глядя не на Хабарова, а на герань. — Приму я её отсюда, что ж вы роняете то и дело?

— Неловок, — объяснил Алексей Ильич смущённо. — Ноги как-то сами зацепились...

— Ну, проходите, проходите.

В библиотеке по утреннему времени было отчего-то шумно, как в школьном классе.

— А у нас и есть открытый урок, — объяснила библиотекарша, когда он спросил. — У Гали, в читальном зале! Вы давеча замечание сделали, что работа не ведётся! Как же не ведётся! У нас то и дело мероприятия! Вот сегодня ребята с нашим писателем встречаются, Юрием Григорьевичем Мурашовым-Белкиным! Два седьмых класса из двенадцатой школы и из сто сорок восьмой!

Плохо дело, подумал Хабаров, совсем плохо. Полна библиотека детей, да ещё и писатель с ними!..

— И представители гороно, — добавила Светлана Ивановна, видимо, гордясь представителями. — Открытый урок на тему «Знатные люди нашего края».

— Вы бы воздержались пока от открытых уроков, — сказал Хабаров, и она уставилась на него. — Нет, правда! Человек вот прямо на этом месте недавно погиб, да и фонды до конца мы не ревизовали!.. Не ко времени совсем.

— Как?! — поразилась Светлана Ивановна и нацепила очки. — Господи ты боже мой, я и не подумала!..

— Давно урок идёт?

— Да уж минут... — Она зашарила за манжетой на левой руке, ничего там не нашла и оглянулась на настенные часы. — В девять начали, стало быть... сколько?

— А что, Светланочка Ивановна, — Хабаров потёр руки и хитро улыбнулся, — схожу-ка я за тортиком, а?..

Всё равно мы пока за дело приняться не можем! А так чайку с тортиком попьём, когда вы ребят проводите.

Светлана Ивановна махнула рукой — делайте что хотите!

...Как это она не догадалась урок отменить? Проверяльщик московский догадался, а она нет!.. И ведь верно, не время сейчас для открытых уроков, ох, не время!..

Хабаров скорым шагом человека, которому недосуг, пошёл по ухабистому узкому тротуару. Одноэтажные домики весело выглядывали из-за штакетников, молодая и тоже весёлая трава лезла из чёрной земли, и кусты стояли на солнышке, не шевелясь, словно окутанные прозрачной дымкой — Хабаров мог поклясться, что слышал, как лопаются почки. Должно быть, в мае, попозже, когда распустится сирень и зацветут яблони, здесь будет совсем по-дачному — тихо, тепло, зелено, лишь изредка пролетят мальчишки на велосипедах и прогрохочет бочка с молоком.

Алексей Хабаров был немного сентиментален и знал это за собой.

В булочной, выбирая среди квадратных, круглых, розовых, шоколадных, песочных, слоёных, глазурованных, фруктовых, бисквитных тортов, он провёл довольно много времени.

— Вот этот возьмите, — обстреляв его глазами, посоветовала продавщица в малиновом фартуке и такой же наколке на иссиня-чёрных волосах. Глаза у неё были подведены так густо, что хлопья сажи лежали на щеках. — Вы для кого берёте? Для своей девушки?

— Для девушек, — поправил Хабаров, по-свойски улыбаясь. — У меня их несколько.

Разочарование продавщицы было таким явным, что он добавил доверительно:

— На работу беру!

Продавщица воспряла духом. Нет, она, конечно, знает, что все мужики кобелюки и сволочи, у неё самой такой же, но этот!.. Она похлопала на него ресницами, осыпав ещё немного крупных чёрных хлопьев на щёки. В школе проходили: у всякого, мол, правила есть исключения!.. Этот как раз исключение, сразу видно — порядочный. А улыбается как, на щеке ямочка, м-м-м, так бы и укусила! И фигуристый, ни пуза, ни отвисшей задницы. И глаза весёлые. Или... невесёлые?

— Правда, возьмите йогуртовый! Свежий, утром только привезли. И низкокалорийный! Вашим девушкам понравится!

Хабаров еще раз окинул взглядом тортовое разнообразие и ткнул в самый кремовый, самый розовый, самый завитушистый.

— Вот тот возьму, как он называется?

— «Сказка», — сказала продавщица, доставая из-за стекла коробку. — В нём крема много, бисквита. Съела кусок, и сразу плюс два кило!..

— Вот чего я никогда не понимал, — сообщил Хабаров, — так это низкокалорийных тортов! Тут уж или торт, или худеть! Торт едят не для того, чтобы похудеть, а?.. Для того, чтобы похудеть, едят кабачки. Или я не прав?

— Вы, мужчины, всегда правы, — засмеялась продавщица. — Вам не объяснишь! А если и торта хочется, и худеть хочется, как быть?

Хабаров не знал ответа на этот вопрос.

С коробкой в руках он пошёл не прямо к библиотеке имени Новикова-Прибоя, а стороной, обходя небольшую соборную площадь с колокольней. Возле ограды толпились нищие и убогие, их было довольно много, как всегда в среднерусских городах. Во дворе под белой стеной стояла машина — как пить дать здешнего батюшки, — и два мотоцикла, заваленные на подножки. Мотоциклы увешаны цацками, бирюльками, хвостами, разрисованы рожами — в основном волки и драконы, всё как положено.

Хабаров остановился возле заскорузлого дедка с жёлтой бородищей и стал копаться в карманах, выживая мелочь. Большая собака, лежавшая рядом, подняла замученную морду и с надеждой посмотрела на Хабарова.

— Как звать? — Мелочь всё никак не находилась.

— Дядь Сашей звать, дядь Сашей, — забормотал старик и стал в такт кланяться. — Дядь Саша, дядь Саша...

— А его как? — Алексей кивнул на собаку.

— Да никак, кому он нужен, звать его!.. Прибился, не прогнать его! За-ради Христа со мной просит, так и пусть просит, а то ведь гоню, не уходит, да и не мешает никому, лежит себе и лежит, не лает, не кусает, а прогоню, куда он пойдёт, я и то гоню-гоню, не идёт...

Хабаров ссыпал в стариковскую ладонь мелочь, которой оказалось довольно много. Тотчас со стороны собора подкатил бойкий желтоглазый инвалид на коляске и стал требовательно совать Хабарову сдёрнутую с головы кепку, и неопрятная краснолицая баба подбежала и заголосила:

— Подай на хлебушек, мил человек, а я за тебя помолюся, попрошу Господа, Господь меня послушает, а ты подай, подай!..

От бабы несло перегаром.

Хабаров ничего не дал, да и мелочи больше не было. Попрошайки утянулись за ограду, нисколько не огорчённые, видно, они и без него зарабатывали прилично.

— Дядь Саш, что за богомольцы на мотоциклетках приезжают? — Алексей погладил собаку по голове. Она вся напряглась и замерла.

— Да кто их разберёт, сейчас в церкву народ валом валит, просит душа-то, плачет без Господа, истомилась, видать, у народа душа без веры...

— Часто они приезжают?

— Так я за ними смотреть не поставлен, милый! — развеселился старик. — Когда приезжают, когда нет, кто разберёт, много их тут всяких.

— И вчера были?

— Вчерась не были. Вчерась какие-то на джипах заехали, много! И батюшка долго не выходил, может, вразумлял их, я сам не видал, не слыхал.

Хабаров ещё немного поизучал мотоциклы с рожами.

...Вчера в это самое время в него стреляли как раз с мотоциклов. Нужно дать задание Дашке проверить эти два — кому принадлежат, когда куплены, как давно в Тамбове катаются.

На библиотечном крыльце он уронил горшок с геранью, громко посокрушался и открыл стеклянную дверь. На этот раз в «абонементе» было тихо, Светлана Ивановна на месте отсутствовала.

— Девушки, — позвал Хабаров, — вы где?..

И прислушался.

На зов выскочила, разумеется, Галя.

— Что вы так долго, мы прямо заждались! — И покраснела, как маков цвет. — Нет, вы не подумайте, просто Юрий Григорьевич познакомиться хотел, и Настя приехала, а она до десятого не собиралась...

Тут Галя окончательно выбилась из сил, покраснела пуще прежнего, круто повернулась и исчезла.

Алексей Ильич вздохнул. Дамский угодник из него был никудышный, хотя женщинам он нравился и знал, что нравится, и умел, когда нужно, этим пользоваться.

Библиотекари сидели в закутке, отделённом перегородкой. Перегородка была оклеена картинками из календаря за 2006 год.

— Алексей Ильич, проходите, проходите! Мы только чай собираемся пить!

— А я вот тортик принёс, как обещал!

— Товарищ из Москвы, — представила его Светлана Ивановна и значительно посмотрела на остальных. — Министерство культуры прислало после наших... событий. Юрий Григорьевич, наш знаменитый земляк, писатель.

— Мурашов-Белкин. — Приподнявшись со стула, писатель потряс Хабарову руку. — Как там наше министерство? Администрируете потихоньку? Руководите культуркой?

— Я по хозяйственной части, — простодушно сказал Хабаров. — Фонды, каталоги, то-сё, пятое-двадцатое...

Незнакомая молодая женщина, расставлявшая на канцелярском столе чашки, тоже пожала ему руку, гораздо энергичней, чем писатель.

— Настенька детским абонементом заведует, — объяснила Светлана Ивановна. — В отпуске сейчас. Узнала про наши дела и вот... вернулась. Тут не то что в Москве, Алексей Ильич. У нас и горе общее, и радость общая, вместе жизнь живём, по старинке.

Хабаров, развязывая торт, мельком улыбнулся Настеньке.

Писатель выудил из портфеля плоскую бутылку с тёмной жидкостью и водрузил среди чашек.

— Помянуть Петра Сергеевича, — пояснил он, когда Светлана Ивановна закудахтала. — По русскому обычаю. А как же?..

— Вот вы там в Москве, — снова заговорил Мурашов-Белкин, когда помянули и закусили ломаной шоколадкой, — как считаете? Вы считаете, что библиотеки народу не нужны! Вы все с планшетами и девайсами и... как их? С гадами этими?

— Гаджетами, — подсказала Галя. Она отрезала здоровенный кусок торта, самый красивый, с зелёными розами, и поставила перед Хабаровым.

— Во-во-во! А книги вам ни к чему!.. До чего дошло, библиотекарей убивать стали, как в Средневековье книгочеев! Опасаются, выходит, библиотекарей-то?

— Кто опасается? — поинтересовался Хабаров, чайной ложкой подцепил розу и отправил в рот. Крем был холодный и сладкий, приятный.

— Как кто? Тот, кто народ оболванивает! Это же заговор против народа — библиотеки закрыть, книги пожечь, детей в школе физкультурным упражнениям учить, а больше ничему!

— Да что вы ужасы всякие городите, Юрий Григорьевич! — махнула рукой Светлана Ивановна.

— Правду я говорю, — отрезал писатель и сверкнул глазами на Хабарова. — Вот помяните моё слово! Убийство Петра Сергеевича — первая ласточка! Заговор, заговор! Теперь с образованными и начитанными так и будут расправляться, чтоб уж совсем никого не осталось.

— Тут я вам ничего сказать не могу. — Хабаров подул на чай и шумно отхлебнул. — Некомпетентен. Это вам в полицию нужно. Моё мнение такое — забежали сюда в библиотеку какие-то случайные хулиганы, испугали человека сильно, он и... того... помер от неожиданности. Сердце не выдержало или, может, жила какая лопнула!..

— А я вам говорю, что это неспроста! Здоровый мужик, молодой, ни с того ни с сего помер!.. Убили его.

— Зачем?

— Что зачем?

— Зачем убили?

— Как?! — удивился Мурашов-Белкин. — Чтоб библиотеку закрыть и расформировать. В рамках оболванивания.

— Да не собирается министерство библиотеку закрывать!

— Ну, это вы так говорите!

И они посмотрели друг на друга.

...Почему писатель не верит в самое простое и правдоподобное объяснение — случайные хулиганы, случайная смерть?.. Что-то подозревает? Что именно он может подозревать?

— А я как узнала, — вступила Настенька, — так сразу помчалась билет менять. А там тариф дешёвый, и говорят, что просто так не поменяют, только с доплатой! Я вон даже Светлане Ивановне звонила, плакала.

Та покивала, подтверждая, — так и есть, и звонила, и плакала.

— Торт вкусный, — сказала Галя и вздохнула. — Такой вкусный торт! Вы на площади брали?

— Обыкновенный торт, — возразил писатель строптиво. — Вы мне всё же растолкуйте, как представитель министерства, кому наш Пётр Сергеевич так уж сильно мешал? Собрал человек вокруг библиотеки культурных людей, детишки стали сюда ходить, взрослые потянулись, и тут такое!.. Очаг просвещения сформировался, разгорелся даже, а теперь всё погибло!

— Что вы каркаете, Юрий Григорьевич?..

— Я не каркаю, а говорю, что думаю!

Хабаров подлил себе чаю. Этот — мутный, как будто со взвесью, пахнувший веником, — отличался от чая, который всегда заваривала Джахан, как украинский самогон от шотландского виски.

...Он очнулся после наркоза и сразу её увидел. Каким-то образом и в наркозе он знал, что она рядом, и знал, что увидит её, как только проснётся. Он проснулся и повернул голову. Джахан пила чай из маленькой пиалы. «Хочешь чаю?» — спросила она и улыбнулась. Одна трубка была вставлена Хабарову в горло, другая в нос, и ещё много трубок и трубочек торчало из него, но она спросила, хочет ли он чаю!

Непостижимая женщина.

Под канцелярским столом Галина юбка то и дело задевала хабаровские колени. Что ты будешь делать!..

Алексей Ильич ещё глотнул заваренного веника и спросил, не помнит ли кто, какая погода была накануне происшествия.

— При чём тут погода? — рассердился писатель.

— Следы, — глубокомысленно изрёк Хабаров. — Если, к примеру, лило, убийца или хулиган наверняка наследил. Он же по воздуху не мог прилететь, а на дорожке, к примеру, лужи! Полиция ничего про следы не спрашивала?

Светлана Ивановна нацепила очки и посмотрела на Галю сначала через них, а потом поверх.

— Следы? — переспросила она. — Галь, они следы искали?

— Ох, не помню я, Светланочка Ивановна...

— А погода... Какая ж погода-то была?

— Я уезжала, тепло было, — сообщила Настя, — но по прогнозу похолодания ждали.

— Подожди, ты когда уезжала?

— Как раз накануне, за день. Я на работу в одном плаще пришла, первый раз после зимы надела.

— А Пётр Сергеевич на работе переобулся? Вот Светлана Ивановна, знаю, переобувается! У вас под столом туфли стоят.

— Конечно, — пробормотала библиотекарша, смутившись. — Мы тут с утра до вечера сидим, а топят хорошо, исправно. В сапожищах резиновых долго не высидишь... Все переобувались, и Петя тоже.

— То погода, то сапоги, — фыркнул писатель. — Вы мне лучше про заговор против культуры растолкуйте!

— Про заговор не осведомлён, — повторил Хабаров. — Это нечто нематериальное! А вот следы вполне могли остаться.

— Ну, это дело полиции.

— Оно конечно, — согласился Хабаров, — но ведь покамест так и не установлено, кто Петра Сергеевича... того... на тот свет отправил. Вот я и подумал про следы.

Торт «Сказка» был почти съеден, когда Алексей Ильич, повздыхав, сказал, что пора приниматься за работу. Светлана Ивановна спохватилась — второй раз сегодня приезжий утирает ей нос, и с открытым уроком, и сейчас!.. И что они сидят, в самом-то деле, как будто им заняться нечем?!

Писатель топтался, уходить ему не хотелось, а хотелось ещё поговорить, и жидкости в плоской бутылке изрядно оставалось, что они там отпили-то!.. Галя предлагала Хабарову помощь, он будет из картотеки названия читать, а она с полок доставать, так дело быстрее пойдёт, но Светлана Ивановна не разрешила.

— Ступай на рабочее место, — сказала она тихо, но твёрдо.

— Да ведь нет никого сейчас, Светланочка Ивановна!

— Алексею Ильичу вон Настя поможет. У неё в абонементе до двух точно никого не будет!..

Галя помолчала, круто повернулась и убежала в читальный зал — наверняка плакать от обиды. Хабаров вздохнул и попросил открыть кабинет директора.

— Да он всю жизнь открытый, — удивилась Светлана Ивановна. — Заходите, смотрите, чего вам там надо!

Кабинет был крохотный, окно выходило на ствол корявой яблони, заслонявшей свет. Хабаров щёлкнул выключателем и огляделся.

Письменный стол, занимавший весь проём, к нему торцом приставлен ещё один, поменьше. На стене слева и справа два портрета — Пушкина и Толстого. В шкафу одинаковые тома подряд — энциклопедия Брокгауза и Эфрона, современное издание. Допотопный сейф с исцарапанной дверцей, на сейфе растение «щучий хвост» и розовая пластмассовая леечка.

Хабаров подумал и прикрыл дверь.

...В кабинете ничего секретного быть не должно, но — кто его знает?.. Может, удастся обнаружить нечто, что наведёт на дальнейшие поиски. Эх, Пётр Сергеевич, что именно ты пропустил, где ошибся, почему не предупредил?..

За дверью на крючке висел серый плащ. Алексей Ильич обшарил карманы. В левом обнаружился столбик канцелярского клея, а больше ничего. Хабаров клей забрал.

Никаких сменных башмаков под столом не было, и в шкафу тоже. Светлана Ивановна утверждает, что они все переобуваются на работе, потому что «топят исправно», так куда же делась сменная пара?.. Это важно, учитывая, _где именно_ Джахан нашла след от инъекции.

Хабаров уселся за стол и быстро просмотрел содержимое ящиков. Ничего особенного, всё, как положено для директора тамбовской библиотеки — методический план на этот год, смета на ремонт отопления, доклад для библиотечной конференции в Судаке, письмо от директора школы с просьбой организовать мероприятие для младших классов. В самом низу обнаружился небольшой картотечный ящик, Хабаров вытащил его и поставил на стол.

...Странное дело. Зачем директору отдельный картотечный ящик?..

Алексей Ильич перебрал карточки. Фамилии абонентов, наименования выданных книг. Подпись Петра Сергеевича Цветаева.

Хабаров, двадцать лет прослуживший на _особой службе_, точно знал, что самый лучший способ получить ответ — это задать вопрос. Не догадываться, не громоздить теорий, не выдумывать, а просто спросить. И задать такой вопрос нужно вовремя и так, чтобы никто не догадался, зачем на самом деле он задан!..

Алексей Ильич ещё немного посидел, разглядывая шкафы и стены, а потом поднялся, прихватил ящик и вышел в «абонемент».

— Светлана Ивановна, — громко позвал он, — в кабинете ещё какие-то карточки, это что? Неучтёнка?..

— Господи, какая ещё неучтёнка!.. Где карточки?

— Да вот.

Он водрузил ящик на стол, за которым вчера просидел полдня. Подошла Настя, и Галя, ясное дело, возникла в дверях читального зала. Светлана Ивановна нацепила очки и сунулась в ящик.

— Да это Петрушина картотека!.. А я думаю, что за карточки!.. У него в кабинете своя была! — заговорили они разом.

— Пётр Сергеевич, — объяснила Настя, — некоторых читателей сам обслуживал. У него метода такая была!.. Он говорил — репрезентативная выборка.

— Это что значит? — не понял туповатый проверяльщик из Москвы.

— Ну, он же директор! Ему интересно было, что народ больше читает, исторические романы, классику, или, может, военные детективы! Вот он и завёл отдельную картотеку, для себя.

— Из разных, так сказать, возрастных групп, — подхватила Светлана Ивановна, — и социальных слоёв. У него тут и молодые, и пожилые, и давние читатели, и новые, кто только записался!.. Студенты, преподаватели, пенсионеры всякие.

— А-а-а, — разочарованно протянул проверяльщик. — И он сам им книжки выдавал?

— Ну, когда как! Если был на месте и не занят, то сам и выдавал, и в карточку вносил. А если не мог, я выдавала.

— Так давайте объединим всё вместе, — предложил Хабаров. — А то часть карточек в зале, часть в кабинете, непорядок это.

Светлана Ивановна вздохнула. Как это всё ужасно — чужие люди копаются в Петрушиных карточках, вопросы задают, чувствуют себя в полном праве, хозяевами чувствуют! И никогда, никогда уже не будет так славно и спокойно, как было в библиотеке имени Новикова-Прибоя ещё неделю назад. Тогда, неделю назад, Светлану Ивановну тоже тяготили всякие заботы, на что-то она сердилась, за что-то директору выговаривала — и такое было! — но ей и в голову не могло прийти, что вот-вот всё изменится непоправимо и навсегда. Останется она одна-одинёшенька со всеми заботами, нагрянет проверяльщик, от которого вон Галя совсем разум потеряла, а чего от него ждать — непонятно, вернее понятно, что хорошего ждать нечего, мало ли что он напроверяет!..

Хабаров объявил Насте, что начнут они как раз с директорского каталога, всё же он поменьше, сколько там карточек, от силы пятьдесят.

Он читал названия книг, Настя искала их на полках и показывала Хабарову. Ориентировалась она превосходно.

— Давно работаете? — поинтересовался Алексей Ильич, отмечая в растрёпанном многостраничном списке очередную книгу.

— Да всю жизнь, — сказала Настя и улыбнулась. — В смысле, я всю жизнь библиотекарь!.. А здесь, в Тамбове, уже два года. Я раньше в Северодвинске жила. А потом так надоели мне холода, темень!.. Всё лето в куртке ходишь, как полярник. И я перебралась сюда. Здесь тепло, сады. Яблоки!..

— Яблоки — это да, — глубокомысленно согласился Алексей Ильич. — Ещё картошка тамбовская тоже.

— Наша картошка самая лучшая, — поддержала Настя. — А вы сами откуда? Прямо настоящий москвич?

— Теперь-то самый настоящий! Сколько лет в Москве. А вообще я из Калача. Есть такой город Калач-на-Дону. Дом у нас там, сад, корова, кабанчик, всё как полагается. Сейчас лето настанет, поеду. Я всегда на машине езжу, отдыхаю за рулём. А Дон там какой! Рыбалка какая! Спиннинг забросишь — лещ, другой раз забросишь — щука! Не верите?

Настя засмеялась:

— Верю!

Вся она была ладная, улыбчивая, уверенная — не в пример Гале. Джинсы сидели на ней хорошо, обтягивали так, как надо, и грудь в низком вырезе плотной футболки была литая, крепкая. Сколько ей может быть лет? Тридцать восемь? Сорок?

— Вы ведь из отпуска вернулись, да?

Настя кивнула, лицо у неё моментально посерьёзнело.

— Как только Светлана Ивановна позвонила, я сразу обратно. Что ж я, не понимаю?.. А путёвка... Пропала, конечно, ну и ладно. Не в последний же раз!..

— А где отдыхали-то?

— В Калининградской области, в Светлогорске. Там санаторий Министерства обороны, а я в Северодвинске в военной части служила, мне путёвка каждый год положена.

Между карточками Хабарову попались две плотные глянцевые бумажки. Не вытаскивая их, он посмотрел.

Это были два билета в кино с оторванным корешком.

— Вениамин Каверин, «Два капитана», — провозгласил Алексей Ильич, и Настя ушла за стеллажи. Хабаров сунул билеты в нагрудный карман.

— Каверин, Каверин... Нету. «Открытая книга» есть, а «Капитанов» нету! Должно быть, на руках.

— Должно быть, — согласился Хабаров. — Или похищены! Настя, вы не знаете, кто сочинил «Марш авиаторов»? Ну, вот этот самый — мы рождены, чтоб сказку сделать былью, преодолеть пространство и простор?..

Железо звякнуло о железо — Джахан извлекла пулю и бросила её в металлическую кювету.

— Посуши рану и можно зашивать, Макс.

Шейнерман с осторожной брезгливостью взялся за кривую хирургическую иглу. Он терпеть не мог крови и возни с пострадавшими!..

Джахан проверила пульс и давление раненого и, по очереди оттянув веки, посмотрела в зрачки. После чего стянула перчатки и маску. Паша-Суета лежал на обеденном столе, застеленном стерильной белой тканью. Над ним была пристроена мощная лампа на суставчатой ноге.

Макс наложил последний шов и погасил лампу. Сразу стало темно, как будто за окнами наступила ночь.

— Сварить тебе кофе?

Джахан повернулась к нему спиной, и он развязал завязки на её халате. Свой Макс развязывать не стал, оторвал завязки, да и все дела. Джахан собирала перчатки, маски, тампоны и халаты в чёрный мешок.

— Сколько он проспит?

— Я думаю, еще с полчаса. Точнее сказать трудно. Нам придётся переложить его на кровать. Со стола он упадёт.

— Давай сначала кофе.

Джахан ушла на кухню. Там полилась вода, зашумела кофемолка и сразу, потеснив запах операционной, свежо и остро запахло кофе. Себе она заварила чай.

Они сидели по обе стороны круглого обеденного стола, одинаково вытянув ноги, прихлёбывали из чашек и молча гордились собой и проделанной работой.

— Не сердись на неё, — сказал Макс спустя время. — Она так понимает свою задачу.

— Я не хочу за ней подчищать, — отрезала Джахан. — Это как раз не моя задача!

— Хабаров разрешил ей вмешаться, она так и сделала.

— Она развлекается, а я вынуждена возиться с последствиями её развлечений.

— Джо, сколько лет мы знакомы?

— Пожалуйста, без восклицаний, Макс.

Шейнерман одним глотком допил кофе.

— Даша самая лучшая в своём деле.

— Я тоже самая лучшая в своём. И ты лучший. И Хабаров. Только поэтому мы вместе.

— Только поэтому? — переспросил Макс, и она не стала отвечать.

Они переложили Пашу на диван — он открыл мутные глаза и сразу же закрыл — и разошлись по своим комнатам. Джахан уволокла лампу на суставчатой ноге и горелку. Она привыкла работать чётко и без пауз, вынужденные задержки вроде сегодняшней операции её злили и сбивали с мысли.

...На самом деле девчонка ни в чём не виновата, это понятно. И злится она не на неё, а на Хабарова. Как будто нельзя добыть необходимые сведения быстро и бесшумно!.. Джахан разузнала бы всё и без человека, спасением жизни которого она вынуждена была заниматься два часа подряд. Она вообще предпочитала не связываться с людьми, добывать сведения из документов и... химических опытов! Сейчас ей нужно классифицировать яд, которым был отравлен Пётр Цветаев. Это внесёт хоть какую-то ясность в картину, которая пока никак не складывается. Джахан прикидывала так и сяк, и всё равно ничего не получалось — кому под силу обвести вокруг пальца опытного спецагента? Почему он ничего не заподозрил и не дал никому знать? Где именно спрятано то, что они... ищут? Кто им противостоит? Как это вышло, что Алексей Хабаров не заметил слежки и угодил под стрельбу — в первый же день «полевой» работы?! Что ещё известно противнику об их группе?..

Джахан разложила на столе пробы с приклеенными номерами и настроила микроскоп.

...Дед, университетский преподаватель, мечтал, чтобы она стала юристом или филологом, а бабушка непременно хотела определить девочку во врачи — *самая женская* профессия. Маленькая Джахан любила деда и искренне старалась увлечься языкознанием или законодательной казуистикой, но бабушка, подсовывавшая в нужный момент нужные книжки, в конце концов пересилила, и Джахан поступила на хирургическое отделение. Бабушка была счастлива — в семье растёт талантливый врач! На кафедре Джахан то и дело говорили, что она талантлива. Джахан с блеском окончила институт и ординатуру и защитила первую диссертацию — легко и красиво. В семье немного недоумевали, почему девочка так часто и так надолго уезжает в командировки, но в конце концов смирились, ведь она должна находиться на передовой науки, а не сидеть на одном месте. Девочка на самом деле находилась на передовой, и бабушка так никогда и не узнала, *насколько не женская* профессия у внучки.

...Бедная бабушка.

Впрочем, Джахан никогда ни о чём не жалела.

...Неправда. Вот это неправда. Она жалела, что всё так получилось с Хабаровым. Она запрещала себе вспоминать, и вроде бы получалось, а потом вдруг ловила себя на мысли о нём — и стыдилась, и пугалась, вот уж на неё не похоже!.. Иногда она даже мечтала о машине времени — чтобы вернуться в ту самую точку прошлого и всё там изменить. Переделать. Пе-ре-жить.

Ну вот опять. Опять она думает о нём!..

Джахан задрала на лоб очки, в которых размечала пробы, и уставилась в микроскоп.

Макс Шейнерман прошел у неё за спиной мимо открытой двери, о чём-то её спросил, она нетерпеливо дёрнула плечом.

Макс посчитал раненому пульс и смерил давление — тот вновь открыл глаза и что-то забормотал. И пульс, и давление были в норме — насколько это возможно, — и Макс вернулся к себе.

Хлипкая книжица кроссвордов, разделённая на отдельные листы, была разложена на столе. Макс пытался найти систему в заполненных и незаполненных строчках.

...Шифр может быть очень сложным — права Джахан. А может быть очень простым — тогда прав Хабаров.

По всей видимости, кроссворды Пётр Сергеевич разгадывал постепенно, не торопясь. Некоторые клетки были заполнены синими чернилами, другие чёрными, а третьи и вовсе карандашом.

Макс открыл толстую линованную тетрадь и стал в столбик выписывать слова — отдельно синие, отдельно чёрные и отдельно карандашные.

«Китобой», выписывал Макс, «чётки», «Маяковский», «шуба», «танго», «вомбат», «аппетит», «гиппопотам», «давление», «сретение», «овчарка», «музей», «логарифм», «засов».

...Система, система. Какая тут может быть система?..

Отдельно он выписал слова, которые в кроссвордах были не угаданы. Почему-то Пётр Сергеевич не стал их вписывать. Почему?..

«Стул», «пенька», «икона», «писатель», «самолёт», «Венера», «телефон», «гаубица», «материализм», «Урал», «мастиф», «липа», «решето».

Он знал, что рано или поздно мозг зацепится за что-то и закономерность станет ясна.

Макс Шейнерман учился в физтехе, и проще всего ему давалась математическая логика. Ему вообще нравились отвлечённости, абстракции вроде «почти периодических функций», и чем сложнее была математическая модель, тем больше Максу нравилось в ней копаться. Отец-физик увлечений сына не понимал.

«Интересно то, что повествует об устройстве мира, — говорил он с воодушевлением, — а ты копаешься в каких-то мёртвых формах!»

«Может, они и мёртвые, — отвечал семнадцатилетний Макс, — зато очень красивые».

«Это красота без души, — горячился отец. — И вообще математика — всего лишь аппарат, прикладная штука. Заниматься ею отдельно от физики смешно!»

Когда Макс увлёкся криптологией, отец вообще перестал его понимать.

«Ты зря тратишь время, — убеждал он. — Ещё возьмись за расшифровку египетских иероглифов, пташек этих, лун и пляшущих человечков!»

«Да их расшифровали давно, — с досадой говорил сын, — и нет там ни иероглифов, ни пляшущих человечков, папа!»

«Стул», «китобой», «пенька», «сретение», «чётки», «овчарка», «икона», «писатель», «танго», «аппетит», «самолёт», «музей»...

...Отца убили на даче в Малаховке. Он поехал в пятницу и почему-то без мамы, кажется, ей нужно было к тёте Фуфе. Иногда по пятницам они с тётей Фуфой устраивали посиделки, это называлось «девичьи грёзы». Мама покупала пару бутылок самого лучшего, самого дорогого порто, Фуфа пекла «наполеон» в «тридцать листов» — пласт теста должен быть настолько тонок, чтобы через него легко читался газетный текст, — а третья подруга, Марочка, готовила кисло-сладкое мясо с черносливом. Они съезжались на Зоологическую к Фуфе, в гостиной накрывался стол по всем правилам, с салфетками в серебряных кольцах, хрусталём и пирожковыми тарелками. На отдельном столике зелёного сукна приготовлялось всё для покера — карты, фишки, мелки. Подруги до ночи играли в карты, а потом садились за стол, и тут, собственно, и начинались «грёзы» — рассказывалось всё, что прожито за то время, когда они не виделись.

Отец уехал один, мама осталась на Зоологической, и нашли его только в понедельник, когда он не явился на работу, пропустив учёный совет, который не пропускал никогда. Стали звонить, искать, — и нашли.

«Маяковский», «шуба», «гиппопотам», «давление», «гаубица», «решето», «музей», «материализм», «сноповязалка», «вомбат», «гром», «обобщение», «сретение».

...Говорили, что отец работал с секретными документами и почему-то забрал их на дачу, хотя непонятно, как можно забрать секретные документы на выходные, когда их положено сдавать в спецчасть, и его попросту не выпустили бы с территории института. Говорили, что документы пропали, что из-за них всё и приключилось. Следователь, грузный дядька, то и дело утиравшийся платком и с присвистом дышавший, задавал какие-то вопросы Максу и матери, соседям, друзьям, коллегам, все отвечали, как могли, и Максу было совершенно ясно, что никого не найдут.

Никого не нашли.

Мама умерла через полгода после отца. Поминали её на Зоологической в той самой гостиной, где происходили «девичьи грёзы». Без Фуфы и Марочки Макс ни с чем бы не справился, они справились за него. Они же заставили его доучиться до диплома, и не просто до какого-нибудь, а до красного, даже огненно-красного!.. Оценки «отлично» были проставлены во всех графах, и внизу мелким шрифтом напечатано: «Спецкурсы — 12, из них «отлично» — 12».

Заниматься наукой Макс не стал — не смог, хотя тётки в два голоса твердили, что он должен, обязан, в память об отце!.. Он нашёл себе совершенно другую службу, преуспел, состоялся, и с тех пор, со времён огненно-красного диплома, никогда не видел ни Фуфу, ни Марочку.

— Сварить тебе кофе?

Макс кивнул, не оглядываясь и продолжая писать.

Когда Джахан принесла чашку и аккуратно поставила на стол у его локтя, он сказал:

— В детстве меня возили в гости к маминой подруге. Окна выходили на зоопарк. И у меня там был знакомый медведь. Если забраться в кабинете на кресло, было видно его вольер. И весной я всегда ждал, когда медведя выпустят на улицу из зимней квартиры. Когда выпускали, у всех был праздник. По-моему, даже торт пекли, когда медведь в первый раз появлялся в вольере, представляешь?

Джахан молчала.

— А в самом зоопарке я ни разу не был. Никогда.

— Ты скоро закончишь?

— Пока непонятно. А у тебя что?

Она улыбнулась:

— У меня химический процесс. Нужно ждать.

И ушла.

Даша явилась под вечер. Вместе с ней явились шум, грохот и запах весенней улицы.

— Это я! — крикнула она с крыльца и втащила в коридор свой самокат. — Хоть бы свет зажгли! Еда есть? Я страшно хочу есть!

Она забежала к Максу, чмокнула его в макушку, потянула за волосы, потрясла за плечи, протянула:

— Бо-оже, сколько ты бумаги извёл!

И пропала с глаз.

— Джо! — закричала она уже из коридора. — Ты спасла несчастного, практически убитого до смерти, или он всё же помер?

— Я жив, — хрипло ответил с дивана Паша-Суета.

Джахан сказала недовольно:

— Ты очень шумишь.

— Ну и что, я всегда шумлю! Можно подумать, что мы тут в засаде и шуметь нельзя!.. Слушайте, у вас есть что-нибудь? Ну, хоть хлеб и колбаса? Я целый день в поле, а обед когда-а был!..

— Вымой руки и сядь, — приказала Джахан. — Я тебе подам.

— Да я сама возьму, хотя спасибочки, конечно!.. А где Лёха? Не был ещё?

Она сдёрнула перчатки, надоевшие за день, наспех ополоснула руки, посмотрелась в зеркало с растрескавшейся по углам амальгамой, очень себе понравилась, сама с собой пококетничала, вернулась в комнату, с грохотом подволокла стул и подсела к Паше.

— Пулю вынули? — Он неподвижно смотрел на неё. — Дырку заштопали?

Джахан внесла поднос с расписным чайником, пиалой, лепёшкой и двумя тарелками. На одной был сыр и какие-то травы, а на второй мясо и какие-то другие травы.

— Ты вымыла руки?

— Вымыла, вымыла, — и Даша сунула Джахан ладони. — Можешь посмотреть! А чего это он молчит, Джо? Ему что, плохо?

— Мне хорошо, — сказал Паша.

— Джо, где ты всё это берёшь? Чайники, пиалы? — Даша обеими руками взяла лепешку, откусила и стала с наслаждением жевать. — С собой возишь? Нет, ты скажи! Как вкусно, ужас!.. Лепёшка — ураган! Где они продаются? Я завтра себе десять куплю! И съем!

Джахан вдруг улыбнулась:

— Они не продаются. Я испекла.

Даша вытаращила глаза.

— Да ну тебя, — прохныкала она. — Вот почему ты всё умеешь, а я ничего не умею? Не умею и не успеваю!

— Ты слишком много и громко говоришь.

Джахан налила в пиалу чаю, высоко поднимая и опуская чайник, и ни одна капля не пролилась.

— Мы с ним не беседовали, — сказала она в дверях и кивнула на Пашу. — Мы и так потратили на него несколько часов. Давай сама.

— Ну конечно, сама, Джончик, спасибо тебе! Ты и лепёшки печёшь, и операции делаешь, и в трупах ковыряешься, а я!.. Что я?! Ни-че-го! — И, перегнувшись на стуле, ещё раз крикнула в пустой дверной проём: — Ни-че-го!

Облизала пальцы, отхлебнула из пиалы и зажмурилась.

Паша молча смотрел на неё.

— Может, ты есть хочешь? — спросила Даша живо и опять в дверной проём: — Джо, ему можно есть или нет?! Джо!..

— Я не хочу, — ответил Паша.

— Ну и отлично, мне больше достанется!

И она опять откусила.

— Слушай, — сказала она, поев ещё немного. — Собственно, вопрос у меня один. Кто в последнее время баловался на твоей территории? Здесь, в Тамбове? Кого раньше никогда не видел ни ты, ни твои шестёрки? Можешь сообразить? Или ты ещё под препаратами? Джо! — крикнула она и отхлебнула чаю. — Он сейчас соображает или нет?!

Паша немного пошевелился на диване. Он был по плечи закрыт стерильной тканью, а сверху ещё одеялом. Он опять пошевелился, сморщился, попытался глубоко вдохнуть — ничего не вышло.

— Зачем ты меня спасла?

Даша покрутила в воздухе пиалой:

— Ну-у, для того, чтоб спросить.

— И всё?

— Угу.

Паша смотрел на неё и молчал.

— Ну? Чего? Мне нужно знать, кто прикончил директора библиотеки. Ты знаешь?..

Он покачал головой.

— Зря, выходит, спасла, — заключила Даша.

Она допила чай, встала, сунула руки в карманы, походила по полутёмной комнате, остановилась перед книжным шкафом, почитала названия книжек, чему-то удивилась и пропела:

— Мы рождены, чтоб сказку сделать былью...

— Кто вы такие? — спросил с дивана Паша.

— Щас! — сказала Даша.

Открыла шкаф, блеснувший пыльным стеклом в свете настольной лампы, наугад вытащила толстый фолиант, плюхнулась в кресло и вытянула длинные совершенные ноги.

— Почитаю пока, — сообщила она Паше. — Отдохну. Забегалась!

— Что это за место?

— Слушай, — сказала Даша серьёзно. — Ну, чего ты как маленький-то? Просто помещение для оперативных нужд. Давай, вспоминай про библиотекаря!.. Ты мне должен.

— Я не знаю, кто его завалил и зачем. Это не наши.

— Понятно, что не ваши, — фыркнула Даша. — Но кто-то же тут крутился у тебя под носом! Тот, кто его убил!.. Не может быть, чтоб твои бойцы тебе не донесли!

Паша закрыл глаза.

— Ты сейчас думаешь или решил поспать?

— А со мной чего теперь будет? — вдруг спросил он, не открывая глаз. — Я тебя наведу, и ты меня тоже завалишь, снайпер?

— Без меня желающих небось полно, — сухо ответила Даша. — А я профессионал. Я просто так, от нечего делать, в гражданских не стреляю.

Тут Паша как-то странно сморщился, закашлял, забулькал, Даша посмотрела на него — смеётся.

— Во дела, — выговорил он, наконец. — Во чудеса! Девка из самоката Агафона накрыла, да ещё Тучу! Самого! Из-под огня меня вывезла, а теперь про гражданских втирает!..

— Паш, — сказала Даша, стараясь быть терпеливой. Когда она работала, терпения ей было не занимать, а в разговорах она всегда спешила! — Я понимаю, думать ты не приучен, но всё ж не до конца дебил! Соображай быстрей, давай, давай!.. Ты жизнью мне обязан.

— Да лучше б я там сдох! Позора меньше!

— Пожалуйста, без восклицаний, — произнесла Даша любимую фразу Джахан.

Макс Шейнерман возник в дверях, посмотрел на них и пропал.

— Выходит, тебе «язык» нужен, — вновь заговорил Паша. — А с «языками» на фронте разговор короткий. И эту вашу... явку я теперь знаю. По всем статьям хана мне выходит!..

— Да что ты заладил, — рассердилась Даша. — Какой пугливый!.. Ты чего, музейный работник-экскурсовод?!

Тебе и так по всем статьям хана выходит, без нас. А тебя я вывезу. Ты мне про библиотекаря расскажешь, и я тебя вывезу куда скажешь.

— Никуда ты меня не повезёшь. В погреб сбросишь, и вся недолга. Я и тебя в лицо знаю, и дом тоже знаю.

— В этом доме через два дня никого не будет. И никогда больше никого из наших не будет. Ты за нас не беспокойся!.. Ты лучше про библиотекаря расскажи.

Паша перевёл взгляд на одеяло. Глаза у него больше не бегали, он смотрел прямо и почти не моргал. Видимо, терпел, и терпеть ему было трудно.

— Из местных в библиотеке не было никого, — наконец произнёс Паша. — Это точно. А мотоциклист какой-то там крутился. Пришлый, не наш. Мне братва говорила, с Ростова кто-то, номера ихние, ростовские. Я проверять не стал. Нам в библиотеках ловить нечего!..

— Тут, Паша, ты не прав, — назидательно сказала Даша. — Если б ты, Паша, в детстве в библиотеку записался и книжки читал, возможно, из тебя вышел бы музейный работник-экскурсовод!.. Куда подевался мотоциклист и как долго он тут крутился?

Паша помолчал.

— Возле киношки старой на той стороне байкеры тусуются. Есть там один, кликуха Борода. Он того мотоциклиста видел, базарил с ним. Найдёшь его, привет от меня передашь.

— Они каждый день там тусуются?

— По пятницам и по выходным.

— Вот и умница, — похвалила Даша. — Хороший мальчик. Куда тебя везти?

Он молча смотрел на неё. Даша скорчила ему рожу.

— Как-то чё-то помирать мне неохота, — вдруг признался он. — То всё до звезды было, а сейчас чё-то неохота.

— Если всерьёз неохота, — сказала Даша, — значит, не помрёшь. А тебя вообще можно возить-то? Или ты по дороге перекинешься? Не знаешь? Подожди, умных людей спрошу!

Она вышла было из комнаты, вернулась, захватила из тарелки последний кусок лепёшки и отправила в рот.

— Джо! — донёсся из коридора её голос. — Джо, а его можно трогать, или он должен лежать?..

Паша закрыл глаза.

Ему было больно везде, и непонятно, где начинается боль, то ли в животе, то ли в спине, то ли в горле. Он сильно мёрз под вытертым байковым одеялом, и от боли и холода мелко, как студень, тряслись и дрожали все мышцы. Мучительно слипались глаза, но он не спал — боялся, что как только заснёт, его задушат или зарежут и по-тихому закопают под яблоней. Люди, спасшие его от смерти для каких-то своих целей, всесильны и опасны. И эта беловолосая девка с её самокатом — как ловко она его провела, в два счёта!.. В «Тамбов-Паласе», когда она залепила одному в глаз, а второму между ног, стало ясно, что она какая-то непростая и залупается не с дурьей башки, а за каким-то надом, но ему и в голову не стрельнуло, что она... Она...

Да вот — кто она?!..

Снайпер, понятное дело, вон Агафона завалила, и Тучу тоже — Паша даже застонал от отчаяния, негромко, — гараж взорвала, его из-под ментов уволокла, а сама всё в зеркало смотрелась и белые волосы приглаживала, как дурёха малоумная!.. А те двое, что его, Пашу, кроили-резали-шили-зашивали, они кто?..

И что всё это значит? Кто-то, выходит дело, на его, Пашину, землю нагрянул?.. Инопланетяне, что ль?! Американские шпионы?! Люди в чёрном?!

И что ему делать, если они его всё же не грохнут? Сдать их ментам — у вас, мол, под носом какие-то шпионы завелись?! Чтоб он, Павел Лемешев, менту поганому хоть слово по своей воле сказал — не бывать такому! Тогда что делать?

110

Братва с ними не справится, хоть всех подними!.. Да и сколько их в городе шурует, непонятно. Тут трое, а ещё сколько?

Паша понимал, что связался с силой, которая превосходит его в сто раз, какое-то странное чувство грызло и мучило его едва ли не сильнее, чем боль. Бессилие, страх и ещё что-то, что определить он никак не мог. Понимал только, он должен их остановить, что-то такое придумать, всё взять на себя, вот только что именно придумать и взять?! Все его враги до сегодняшнего дня были ему близки и понятны — такие же как он, с тем же оружием, с теми же целями и средствами: подмять, забычить, заставить себя бояться, а следовательно, уважать, принудить платить, кого малую толику, а кого большие куши. Простые, нормальные дела!..

Пришельцы его не боялись. И не уважали. И не презирали за трусость и слабость.

Чихать они на него хотели.

Вот это осознать было труднее всего.

Он им зачем-то понадобился — не ради библиотекаря, ясное дело! — они его ловко выпотрошили, и в смысле пули, и в смысле сведений. Теперь они через него перешагнут и пойдут дальше — по его земле пойдут! — а он ни остановить, ни задержать их не может!..

Он опять застонал.

— Ты чего мычишь?

Паша открыл глаза. Над ним стояла снайперша, белые волосы свешивались.

— Тебе плохо, что ли, или так, от тяжёлой жизни?..

— Чего надумали? — спросил Паша с ненавистью. — Валить меня сейчас будете или когда?

— До чего вы, бандитьё, о себе заботитесь, — протянула Даша задумчиво. — До чего себя любите и жалеете!.. Какая у вас у всех душа нежная и слабая, прям фиалковая!..

Он смотрел на неё, даже не моргал.

— Ты, Паш, в людей небось чаще, чем я, стрелял! Крутышкой себя чувствовал! Они-то все слабые, боязливые, на них прикрикнуть погромче, приложить покрепче, а уж если ствол вынуть — тут все от страха описались, а ты полный царь зверей! А как дошло до серьёзного, так одно тебя и волнует, бедняжку, — завалят, не завалят, да когда завалят, да где закопают!.. Ты ещё всплакни.

На пороге показалась Джахан. Вид у неё был недовольный — как всегда.

— Зачем ты ведёшь бессмысленные разговоры? — осведомилась она. — Я позвала Макса, мы сейчас сменим повязку, и ты можешь ехать.

— Мне Лёху нужно дождаться.

— Жди, если нужно. А сейчас иди отсюда.

Даша, которая терпеть не могла крови, бинтов, шприцев, выскочила в коридор, покрутилась немного по дому, посмотрела записи Джахан, чему-то удивилась. Впрочем, в химии она разбиралась плохо, почти не разбиралась!.. Потом почитала слова, которые выписывал и расставлял в каком-то одному ему ведомом порядке Макс Шейнерман. Слов было много, и головоломные сплетения и пересечения их напоминали сложный узор.

Ни один из агентов никогда не работал на компьютере — особенно «в поле»!.. Сведения, которые можно было добыть только и исключительно в Сети, добывали только и исключительно в управлении, а потом передавали «дедовским способом» — напечатанными на бумаге. Угроза взлома и утечки информации была куда серьёзней, чем незначительная потеря времени. Большую же часть сведений приходилось держать в голове, не полагаясь ни на какие электронные хранилища.

Когда-то им говорили, что работать они будут только по «аналоговым схемам», и никогда — по цифровым!.. Их и отбирали таких, способных удерживать в памяти гигантские объёмы текста, карты, даты, мелкие факты, детали. В разведшколе время от времени возникали неясные слухи: кто-то сошёл с ума, кто-то всерьёз впал в беспамятство — от перегрузок. Даша после школы точно знала, что выучить китайский язык — плёвое дело!.. Приучить мозг к постоянной бесперебойной работе, натренировать память так, чтобы в нужный момент она выдавала нужные сведения — трудно, почти невозможно. На переаттестациях самым сложным было сдать «аналитику», как это в шутку называлось, а вовсе не стрельбу и не боевые приёмы!..

Хабаров появился нескоро, Даша соскучилась ждать. Ни Джахан, ни Макс с ней не разговаривали, сколько она ни привязывалась — каждый сидел, уткнувшись в свой стол. Паша после укола заснул и во сне всхлипывал, метался и сжимал кулаки. Делать было совсем нечего, а Даша любила активные действия, ясную цель. Но до ясной цели — байкера по прозвищу Борода, который вроде бы видел возле библиотеки подозрительного мотоциклиста, — времени был целый вагон, сегодняшний вечер, да и завтрашний день, ведь вряд ли байкеры начинают тусить с утра пораньше! Одна надежда на Хабарова — приедет, задание даст!..

От нечего делать захотелось есть, и Даша вытащила из запасов Джахан ещё одну лепёшку.

...Как это люди умеют такие лепешки печь? Удивительное дело!..

Лепёшка был съедена, пара книжек пролистана — Даша умела читать, именно листая книгу, их так учили, — когда Хабаров бесшумно открыл дверь и возник в коридоре. Даша специально сидела так, чтобы сразу его увидеть.

— Здесь гражданский, — сказала она, не дав ему и рта раскрыть. — Помнишь, ты разрешил мне вмешаться?

Хабаров усмехнулся, через голову стаскивая ремень портфеля. Он и не сомневался, что она «вмешается»!

— У нас в библиотеке имени Новикова-Прибоя полдня все на нервах. Говорят, на улице Максима Горького бандиты друг друга перестреляли. Ужас, что было.

— Ну, не совсем бандиты, но перестреляли, да.

Вышла Джахан, кивнула Хабарову — он, бедный, замер, как суслик, когда её увидел, Даше стало его жалко, — и подбородком показала, куда следует идти. Идти следовало в кухню.

Первым делом Джахан поставила чайник и стала выкладывать на тарелку травы и сыр. Хабаров смотрел, как она выкладывает.

Из сумерек возник Макс Шейнерман и прикрыл за собой дверь.

— Лёш, давай я первая, — начала Даша. — Мне ещё терпилу везти, а я и так торчу тут без всякого дела весь вечер!..

Хабаров кивнул.

— Кто крутился возле библиотеки, он не знает. — Даша махнула рукой в сторону комнаты, где лежал раненый. — Но некий байкер по кличке Борода видел поблизости мотоциклиста. Я завтра найду его и расспрошу. В нашей гостинице неделю живут байкеры вроде бы из Германии, и вроде бы они едут на Чёрное море.

— Через Тамбов? — уточнил Хабаров.

— Считается, что они путешествуют по России. Я караулила полдня, но их не было. И «минивэна» тоже не было. При них «минивэн» с механиком!.. И в городе я не видела никаких немецких номеров, так что непонятно, где они.

— Это интересно, — подал голос Макс.

— К церкви, которая на площади, тоже приезжают на мотоциклах. Вроде бы каждый день, но вчера не приезжали, как раз когда я под стрельбу попал, — сказал Хабаров. — Номера У 556 АН и Р 463 КС. Дашка, узнаешь, кто на них катается и как давно.

— Ага. Что ещё?

— Ещё мне нужны сведения вот об этих людях. — Из нагрудного кармана Хабаров извлёк сложенный вчетверо листок в клетку. — У нашего Петра Сергеевича была отдельная картотека, личная. В библиотеке считается, что он так выявлял пристрастия читателей. Здесь список всех, кто был в неё внесен.

Он взял с тарелки кусок сыра и запихнул его в рот.

— Нужно выяснить всё о библиотекарше Анастасии Хмелёвой, — выговорил он, равномерно жуя. — Она была в отпуске, когда директора убили, но вернулась. Я не понял зачем. То ли из патриотических чувств, то ли ещё зачем-то. По её словам, в Тамбове она два года, до этого работала в Северодвинске в военной части. Отдыхала в санатории Министерства обороны в Светлогорске.

— Ещё интересней, — сказал Макс Шейнерман.

— Отпуск у неё пропал, но она не могла не вернуться, когда узнала о смерти директора, версия такая. Я не очень верю, потому что путёвку ей бесплатно раз в год дают, а она библиотекарь на окладе, никак не Ксения Собчак.

Даша просматривала список на листочке в клетку. Макс подошёл, опёрся о спинку её стула и тоже стал смотреть.

Джахан налила Хабарову чаю в расписную пиалу.

— Спасибо, — сказал он и улыбнулся. На щеке появилась милая ямочка. — Меня сегодня в библиотеке чаем поили, и я всё время думал... Короче, не чай, а вот как будто веник заварили.

— Вероника Гуськова — подруга Паши-Суеты, — подала голос Даша, обернулась к Максу, который был очень близко, и ни с того ни с сего чмокнула его в висок. — Она в библиотеку записана?! Ничего себе! А Никита Новиков — администратор «Тамбов-Паласа». Тоже, выходит, книголюб, маленький милый зайчик! И оба из картотеки директора!

Хабаров внимательно на неё взглянул.

— Установишь, когда они приходили в библиотеку в последний раз.

— А в карточках у них не записано?

Хабаров подумал, вспоминая.

— Записи в карточках ничего не значат! Гуськова приходила всего три раза. Осенью, потом под Новый год и в марте. Новиков ходил регулярно, в последний раз был за десять дней до убийства.

— Ты точно помнишь?..

— Что за вопрос?

Даша кивнула:

— Да, да, понятно, не помнил бы, не говорил. Хорошо, я попробую, Лёшенька. Не сердись, моя дуся!.. Про Веронику мне терпила всё выложит, а зайчика я сама спрошу.

— Вот ещё. — Хабаров аккуратно выложил на стол два билета в кино с оторванным корешком. — Это тоже было в директорском ящике. А вот это, — последовал канцелярский клей, — в кармане плаща. Плащ — единственное, что есть в библиотеке из одежды Цветаева. Ботинок нет, хотя все работники переобуваются. На улице весной грязно, а в резиновых сапогах сидеть — с ума сойдёшь.

Джахан сняла с тюбика длинную, как от губной помады, крышку и внимательно понюхала содержимое. Подождала, прикрыв глаза, и ещё раз понюхала.

— Это клей, — сказала она. — Но на всякий случай я могу сделать анализ.

— На что? — не удержался Хабаров, и она промолчала.

— То есть Цветаев с кем-то ходил в кино, — заключил Макс. — И собирался что-то к чему-то приклеить.

— Не собирался, а приклеил, — пробормотала Джахан. — Клеем пользовались. Видишь, поверхность нарушена?..

— Может, он объявления расклеивал, — предположила Даша. — Ну, если клей был в плаще! Продаётся диван в хорошем состоянии!.. Ходил по Тамбову и расклеивал объявления!..

Джахан всё изучала столбик клея, подносила близко к глазам и поворачивала то так, то эдак.

— Я не уверен, что в кино ходил Цветаев, — усомнился Хабаров. — Почему мы решили, что это его билеты?

— Потому что они были в его картотеке.

— Это ничего не означает.

— Как ещё они могли туда попасть?

— Ну, кто-нибудь из читателей забыл, а директор взял и сунул в ящик. Или они, допустим, туда сами по себе случайно упали, а он не заметил, — проговорила Даша, делая рукой круговые движения.

Они помолчали. Джахан всё изучала клей.

— Если это его билеты, с кем он мог здесь ходить в кино?

— С женщиной, — вдруг сказала Джахан. — И с этой женщиной у него были... доверительные отношения.

Все трое уставились на неё.

— Из чего это следует?..

Джахан аккуратно поставила тюбик на стол, вышла и вернулась с тоненьким фонариком в руках. Фонарик горел неприятным синим светом.

Она посветила на столбик клея и показала его Хабарову. Он посмотрел, и Даша подсунулась.

— Клей совершенно новый. Им пользовались один раз. Видишь, на поверхности как будто тонкая сетка?

— Вижу, — буркнул Хабаров, не понимая, при чём тут сетка.

— А-а-а, — протянула Дашка. — Ясненько!..

— Этим клеем заклеивали порванный чулок, — объяснила Джахан. — Чтобы стрелка не поползла дальше.

— Какая, итить твою налево, стрелка?!

— Когда чулок рвётся, капрон начинает распускаться, получается не просто дырка, а длинная полоска. Если дырку помазать канцелярским клеем или бесцветным лаком для ногтей, стрелка дальше не поползёт.

Хабаров переглянулся с Шейнерманом.

— Занятно, — сказал тот.

— Такая тонкая сетка, как на клее, скорее всего означает, что заклеивали именно капроновый чулок. В середине как будто маленькая окружность! Видно, если приглядеться. — И Джахан поводила туда-сюда синим фонарём. — Билеты в кино и клей... в паре означают, что у Цветаева был некий романтический и доверительный интерес. Малознакомому мужчине ни одна женщина не признается, что у неё порвались чулки!..

— Значит, нужно установить женщину, с которой Пётр Сергеевич проводил время, — задумчиво протянул Хабаров. — И раз билеты были в картотеке, выходит, он не слишком ей доверял.

— Почему?..

— Очевидно, что в случае... крайних обстоятельств картотеку проверят первым делом, Даш!.. Если он хотел, чтобы на билеты обратили внимание, оставить их в картотеке — лучший вариант. Макс, у него в доме не было следов женского присутствия?

— Обо всём, что там было, — недовольно буркнул Шейнерман, — я доложил.

Хабаров подумал.

— Даш, расспроси байкера. Может, он не только мотоциклиста видел, но и даму?

Та кивнула, ловко перекинула длинную ногу через спинку стула — она любила сидеть верхом на стульях — и помахала ручкой.

— Я поеду, да? Гражданского забираю, да? Джо, он в машине не перекинется? Макс, ты меня любишь, да?

— Я тебе помогу его дотащить, — сказал Шейнерман, поднимаясь.

— Да ладно, сам дойдёт! Подумаешь!

Они вышли в коридор, и слышно было, как они там препираются. Хабаров посмотрел на Джахан. Он только и делал, что смотрел на неё.

...Он проснулся после наркоза в прекрасном настроении. Там, где он был всё это время — потом оказалось, восемь или девять часов! — ему ужасно понравилось. Там было просторно, светло, и какое-то радостное ожидание самого лучшего. Откуда-то он знал, что здесь ещё не окончательное место, а самое лучшее впереди. Хабаров был там один, но знал совершенно точно, что Джахан видит его и слышит, и он в любую секунду может с ней поговорить — как будто она даже не за стеной, а за тонкой плёнкой, и он просто пошёл вперёд, чтобы всё разведать, и эта разведка была нетрудной и нестрашной. Время от времени он окликал её, и она каждый раз отзывалась, а потом сказала, чтобы он отстал, и это было так на неё похоже, что он обрадовался ещё больше. Он не понял, откуда появилась кровать, но сообразил, что должен лечь и спать, и почувствовал, как ему захотелось спать. Он давно не спал — крепко, от души, хоть из пушки стреляй, как у Христа за пазухой, как Бог в Одессе! Всё больше вполглаза, чутко, нервно. Здесь можно было спать во всю мочь, и ничего страшного не произойдёт, уж такое тут место. Хабаров лёг и уснул, зная, что когда проснётся, рядом будет Джахан. Он проснулся в прекрасном настроении, и она была рядом. «Сколько это будет продолжаться? — сказала она, едва он открыл глаза и заулыбался от счастья. — Сколько ещё раз тебя будут убивать?» И он очень удивился. Он не помнил, чтобы его убивали.

— Налей мне чаю, — сказал Хабаров громко. Он знал, что она умеет слышать мысли, и не желал, чтобы сейчас услышала. — Что с анализами?

— Нужно ждать. Это химический процесс. Он идёт как идёт.

— Предварительное заключение?

— Я терпеть не могу никаких предварительных заключений.

Он молча взглянул на неё. Что ты будешь делать! В сторону лучше смотреть, в сторону!..

Но Джахан улыбнулась ему. Он не поверил своим глазам.

— Я тебя совсем запугала, — сказала она, и Хабаров чуть не свалился со стула. То есть он даже рукой взялся за деревянные переплетения, чтобы не упасть. — Но я решила, больше ни за что и никогда.

— Понятно.

— Мы сделаем работу, разойдёмся и будем жить, как жили.

— Ты жила хорошо?

Она подумала немного, словно вспоминая, хорошо ли жила.

— Довольно интересно, — наконец сказала она. — И без потрясений.

— Понятно, — повторил Хабаров. И осведомился: — Останемся друзьями?

Тут она растерялась.

...Друзьями? Какими друзьями?.. Такими, как показывают по телевизору в «серьёзных мужских» фильмах? То есть станем что-то такое из себя изображать, ссориться-мириться, встречаться-расставаться, вспоминать-убиваться?.. Они с Хабаровым никакие не друзья и не любовники даже — тем более бывшие!.. Они — единое существо, странный симбиоз, немыслимое сочетание. Искусственно созданное, между прочим!.. Когда-то для серьёзного и важного дела понадобился такой странный организм, состоящий из противоположных знаний и несовместимых взглядов, и такой организм был создан — из Алексея Хабарова и Джахан Бахтаевой. Она не может быть ему... другом или подругой.

Вдруг Джахан сообразила, что он, должно быть, пошутил.

— Ты пошутил? — спросила она с подозрением.

Алексей Ильич кивнул совершенно серьёзно.

Они помолчали, потом он попросил:

— Всё же расскажи мне про яд.

— Очень предварительно! Искусственно синтезированное отравляющее вещество с отложенным действием. Первоначальные пробы на распространённые яды не дали вообще ничего. Химический механизм мне пока непонятен, ясно только, что он вызывает паралич сердца. Как-то сложно взаимодействует с другими органами, поражает именно сердце. Пробы тканей других органов абсолютно чистые. Вещество новое, я с ним незнакома.

— Непростые ребята убили Цветаева.

— Непростые.

— И время поджимает.

— Нас всегда поджимает время, Алексей.

Вернулся Макс и сообщил, что Даша уехала и авторитета забрала. Но Хабарова авторитет не интересовал.

— Расшифровка, я так понимаю, ни с места.

Шейнерман моментально вспылил:

— Я делаю всё, что могу. Если этого недостаточно, попроси в управлении, чтобы прислали другого специалиста.

— Щас! — сказал Хабаров на манер Даши. — Как же! Жди!..

За тёмным оконцем по голому саду пробежал ветер, запутался в кустах и сник. Форточка стукнула.

— Весна, — мечтательно проговорил Хабаров. — Пора любви и грусти нежной. И ещё чего-то, я забыл. А, юности мятежной. Значит, у нас четыре направления. Мотоциклисты, которые повсюду. В меня стреляли с мотоцикла, в «Тамбов-Паласе» мотоциклисты, возле церкви тоже. И некий байкер по прозвищу Борода видел какого-то мотоциклиста возле библиотеки. Затем неизвестная женщина, с которой Цветаев ходил в кино и помогал ей ликвидировать дыру на колготках.

— Чулках, — поправила Джахан. — Колготки делают совершенно из другого материала.

— Если предположить, что этой женщине Цветаев не доверял и поэтому оставил нам билеты в картотечном ящике, то можно допустить также, что она имеет отношения к убийству.

— Нет логики, — возразил Макс. — Если Пётр Сергеевич Цветаев ей не доверял, он не подпустил бы её так близко.

— Согласен.

— Не согласна, — возразила Джахан, и они оба на неё посмотрели. — Мы исходим из того, что все его поступки безусловно выверены и логичны. И почему-то исключаем любой сбой.

— Сбой... какого рода?

— Например, он мог влюбиться.

— Агент со стажем? Влюбиться? Так бывает только в кино.

— В жизни тоже бывает по-разному, — отчеканила Джахан, и Алексей Ильич принял её чеканку на свой счёт.

— Яд в ботинок подложить удобней всего близкому человеку, вот это точно. В библиотеке сменная обувь стоит у каждого под столом, и за ней никто не следит, — продолжал Хабаров. — Можно с улицы зайти и сунуть, ничего особенного. Ещё одно направление — фамилии из картотечного ящика. Ясно, что у картотеки было какое-то особенное назначение!.. Она важна. Недаром и билеты в кино Цветаев оставил именно там. Я думаю, имеет смысл проверить всех, но начать нужно, конечно, с Вероники Гуськовой и этого администратора Никиты.

Макс встал, засунул руки в задние карманы джинсов и уставился в тёмное окно.

— Ты что-то хочешь сказать? — не понял Хабаров.

Макс обернулся.

— На твоём листочке записана ещё Елизавета Хвостова. Именно с дамой по имени Елизавета Хвостова я обедал, когда получил... вызов. Она просила меня помочь ей с картиной Бакста.

— Совпадение, — предположила Джахан.

— Я проверю, — возразил Макс. — Лёша, какой у неё адрес?

Хабаров моргнул, вызывая в памяти карточку.

— Улица Луначарского, тринадцать «а». Я согласен с Джо, вряд ли это один и тот же человек, но проверить необходимо. Последняя книга, которую она брала, как раз по искусству.

— Что за книга?

Хабаров опять моргнул, сказал, какая книга, сунул в рот пучок тархуна и пожевал, сделав бессмысленное лицо.

— Джо, если твои химические реакции к утру завершатся, встречаемся в девять у Дашки в номере.

— Я тебя провожу, — неожиданно сказала Джахан.

Хабаров кивнул как ни в чём не бывало, словно это было самым естественным продолжением вечера — Джахан провожает его домой! Макс Шейнерман тотчас же ушёл в свою комнату и плотно прикрыл дверь.

Джахан сунула ноги в остроносые ботинки и нацепила короткую безрукавку, отороченную коричневым тонким мехом.

...Больше никогда в жизни Алексей Хабаров не видел таких красивых женщин — с тех пор как увидел Джахан. Это было много лет назад, и об этом не стоило вспоминать. Он, натренированный на детали, как охотничья лайка на соболя, ни за что не смог бы ответить на вопрос, чем она уж так хороша!.. Всё, что она носила, как ела, как заваривала чай, как молчала, как чеканила слова, казалось ему необыкновенным. И она отличалась от всех остальных женщин на земле. Была она — и все остальные. Остальные — за границей его интереса и понимания.

...Нет, Джахан он тоже никогда не понимал, но не понимал радостно, с удовольствием, признавая это непонимание, как будто она была высшим существом. Его земным притяжением.

Вот она сказала: я тебя провожу, и он моментально подчинился. Не просто подчинился, а с восторгом и замиранием сердца, можно сказать!..

Они пошли по тёмной улице в сторону церкви, сквозь голые ветки лип просвечивали фонари.

Джахан молчала, и Хабаров молчал тоже. Так они шли довольно долго, а потом она сказала:

— После задания я подаю в отставку.

Хабарову показалось, что на него упала липа. Прямо на голову. Джахан сбоку взглянула на него.

— Я решила, что ты должен узнать об этом первым.

— Спасибо за доверие.

— Ты руководитель группы.

...Зачем я это сказала, пронеслось у неё в голове. Какая разница, руководитель он или нет. Почему меня тянет его бесить?.. Я уже давно должна быть спокойна. Я спокойна с тех пор, как приняла решение, что больше ни за что и никогда. Слишком трудно мне дались все те разы, когда его убивали. Его убивали вместе со мной. Только он выжил, а я нет.

— А... мы? — неожиданно спросил Хабаров, на которого упала липа. — Как же мы... останемся?

— Не смей говорить мне таких вещей.

И они опять пошли молча.

...Ничего-ничего, говорил себе Хабаров, с натугой волоча за собой свалившуюся липу, как-нибудь. В голове было пусто.

— Я поставлю в известность начальство, как только мы закончим дело.

— Я понял.

— И не осуждай меня.

— Я не осуждаю.

...Он должен осуждать, должен!.. Он должен убеждать, что ее решение глупо, что ей нечем будет заниматься в отставке, никто из них не способен вместо службы выращивать на даче кабачки!.. Он должен орать, что группа сформирована давным-давно, и её переформирование — целое дело, и ещё неизвестно, удастся ли!.. Сколько примеров, когда группы распадались из-за смерти или серьёзного ранения одного из членов, потому что оставшиеся не могли найти взаимопонимания с новым игроком!..

...Почему он ничего этого не говорит? Почему молчит и только дышит как-то странно.

— Я тебя удивила? — осведомилась наконец Джахан.

— Несколько, — согласился Хабаров, и это не подходящее ему слово заставило её остановиться и взять его за руку.

— Посмотри на меня, — велела она.

Он посмотрел.

— У тебя оловянные глаза.

— Стеклянный, оловянный, деревянный, — проговорил Хабаров. — Исключение из правила русского языка.

— Я больше не стану жить придуманной жизнью, Алексей.

— Другой у нас не будет. Неужели ты не понимаешь?.. Это, — он поискал слово, — как монастырь. То есть навсегда. И мы все с этим согласились.

— Много лет назад! — перебила она.

— Много лет назад, — повторил Хабаров. — Возвращайся. Поздно уже, и у тебя там... химический процесс. Он идёт как идёт.

И, высвободив руку, быстро пошёл вперёд. Джахан не стала его догонять.

Хабаров шёл сначала по одной стороне тёмной улицы, а потом перешёл на другую. Пустота в голове отдавалась и резонировала в такт шагам.

...Всё же он жил от задания к заданию, зная, что рано или поздно они встретятся — все вчетвером. В этом был смысл, и в этом была его сила. Он как будто пережидал, понимая, что ничего не кончилось. А теперь получается, что кончилось. Джахан так решила. И ей нет дела до Алексея Хабарова, который должен отныне жить как-то по-другому, зная, что его вызовут на задание, а её больше не будет.

Никогда.

Словно она умерла.

Он всегда был уверен, что она не позволит себе умереть раньше него.

Она никогда не позволяла себе пошлостей!..

Он вышел на освещённую синими фонарями площадь. За церковной оградой, словно ледяная, блестела брусчатка. Над чугунными двустворчатыми вратами сиял лик, подсвеченный лампадой. Хабаров остановился и посмотрел на лик. И врата, и этот подсвеченный лик вдруг показались ему входом в другое измерение. И он, пожалуй, знает, как там — светло, просторно и ожидание хорошего, самого лучшего.

Хабаров обошёл церковь по кругу вдоль решётки. За колоколенкой начиналось тёмное кладбище, каменные кресты угадывались за стволами старых деревьев. В отдалении светилось оконце, должно быть, поп с попадьёй чаёвничали у себя дома. В зарослях темнели сараи, притулившиеся к белой церковной ограде.

Алексей Ильич почуял неладное до того, как понял, что происходит. Он был очень хорошо подготовлен!..

Пригнувшись, он перебежал освещённое место и оказался в темноте под щелястой стеной сарая. Послышался глухой удар, от которого вздрогнули хлипкие доски, то ли стон, то ли всхлип, и ещё как будто подскуливание. Потом в сарае тяжело заматерились, словно камни посыпались.

— ...твою мать, отвечай, когда спрашивают! Чё он тебе говорил?! Ну?! Память отшибло, так я напомню!

Снова бульканье, всхлип, невнятное бормотание, а потом кашель — страшный, навзрыд.

И другой голос:

— Ты гляди, Серёг, как бы он того... не отъехал.

— Да он здоровей тебя! Хорош прикидываться, дедуля! К тебе сегодня мужик подходил, чужой, не местный! Давай, давай, крути мозгой, вспоминай, твою мать! Чего ему надо было?.. Чего он спрашивал у тебя?!

— Сы... сынки, — прокашлял третий голос. — Забирайте чего есть, только не бейте больше! Больно мне... Не знаю никакого мужика, мало ли их за день подходит... Не помню я...

Хабаров под стеной сарая огляделся по сторонам. Ему нужна палка. Самая обыкновенная палка — хорошо бы, не сразу сломалась.

— Серёг, погодь, говорю, отъедет он!..

— Твою мать, ты ещё!.. Давай, дедуля, бормочи, а то опять больно сделаю! Высокий мужик, куртка нараспашку! Чё он тебе дал?! Чё ему нужно было?!

И снова короткий глухой удар, стон и бульканье.

— Про собачку спрашивал, — прохрипел третий голос. — Как звать...

— Давай собаку сюда! Волоки, сказал! Если ты, дедуля, что следует не вспомнишь, я кобеля твоего прям щас начну на куски резать!

За стеной раздался визг, громкий и страшный, и кто-то взял Хабарова за плечо.

Джахан умела так появляться — словно происходил акт материализации.

Она вопросительно кивнула снизу вверх. Хабаров показал на пальцах — двое. Она кивнула в обратном направлении, утвердительно. Хабаров выломал из куста толстый прут. Быстро и бесшумно они подобрались к хлипкой дверце и стали по разные стороны.

Хабаров прутом сильно застучал по стене. Внутри снова обвалился тяжеловесный мат, и дверь наотмашь распахнулась. На пороге, подсвеченный сзади, возник приземистый качок в куртке с закатанными рукавами.

— Чего тут такое, твою мать?!

Хабаров хлестнул его по лицу. Качок схватился за щёки, остальное доделала Джахан. Алексей Ильич даже не стал смотреть, что именно. Он точно знал, что у него за спиной всё будет сделано чётко и аккуратно.

Он шагнул в сарай, второй попятился от него к стене, зацепился ногой и чуть не упал.

— Ты кто? — спросил он перепуганно.

Хабаров не стал отвечать, ударил два раза. В лицо — от злости, и по шее — чтобы успокоился. Тот закатил глаза, покачался и рухнул ничком.

Давешний дядя Саша, которому Хабаров выгреб из кармана всю мелочь, боком лежал на топчане. Нечёсаная борода была залита кровью, рубаха тоже в крови, пятнами. Он с присвистом дышал и дрожал всем телом. В углу на тряпье валялся пёс, то ли дохлый, то ли оглушённый.

— Джо?

— Пусти, я посмотрю.

Она моментально переложила старика на спину, оттянув веки, по очереди посветила фонариком в глаза, задрала рубаху и ощупала рёбра. Старик зашёлся кашлем и стал подтягивать ноги к животу.

— Тихо, — велела Джахан. — Тихо, тихо.

— Только не бейте больше, детушки, — прокашлял старик. — Сил нет терпеть, помру...

— Дядь Саш, это я, — сказал Хабаров. — Помнишь, утром?..

Старик разлепил залитые слезами глаза и уставился на Алексея.

— Так ты, выходит, жив, — выговорил старик. — А я думал, прикончили они тебя.

— Серьёзных повреждений нет, — сказала Джахан. — По крайней мере, я не вижу. Рёбра целы. Рука вывихнута. Вот так нажимаю, больно?

— Больно, дочка.

— А так?

— Всяк больно.

— В больницу? — спросил Хабаров у Джахан.

— Сначала я обезболю. Потерпите ещё немного, дедушка. Вот так полежите и подышите, раз-два, раз-два. Лёш, посмотри за ним.

И она исчезла, как и не было её.

Старик на топчане тяжело дышал — раз-два, раз-два. Его мучители лежали у стены параллельно, видно, второго Джахан приволокла с улицы и устроила рядышком, и признаков жизни не подавали.

— По твою душеньку приходили, — проговорил старик с натугой.

— Я понял, понял, дядь Саш.

— Глянь, чего там напарник мой. Убили его?

Хабаров оглянулся на собаку, подошёл и присел на корточки. Пёс дышал мелко-мелко. Как давеча Джахан, Алексей Ильич ощупал грудную клетку, рёбра и лапы. Пёс не шевелился, но дышал. Открытых ран на нём не было.

— Жив, — сказал Хабаров. — Дышит.

— Христом Богом просил, не бейте. Собаку, божью тварь, пощадите. Да разве ж они пощадят?..

Он закашлялся, изо рта пошла кровь. Хабаров подложил ему под голову подушку в ситцевой грязной наволочке. Старик с трудом отдышался.

— А я им, не знаю, мол, ничего, дал мне денежку прохожий и пошёл себе... А они бить, да по зубам прямо. Я, грешным делом, уж решил, что они тебя того... порешили и меня следом отправят.

— Ничего, — сказал Хабаров пустым голосом. — Ничего, дядь Саш, ещё поживём!..

Джахан оттеснила его плечом, закатала деду рукав и аккуратно поставила укол. Разорвалась стерильная упаковка, в сарае запахло антисептиком и как будто йодом.

— Сейчас вот здесь заклеим, а тут перевяжем, — бормотала Джахан успокоительно. — И поедем потихонечку в больницу.

Она положила на кровоподтёк салфетку и сверху залепила пластырем.

— Лёш, помоги мне.

Вдвоём они подняли деда на руки и дотащили до машины, стоявшей возле сарая нараспашку, двигатель работал.

— Собаку-то не бросайте, — попросил дед из салона. — Полечите собаку, досталось ей тоже...

— Я вернусь, — сказала Джахан. — Ты тут... не увлекайся.

— Ну что ты.

Он захлопнул пассажирскую дверь и махнул рукой. Двигатель заработал, и машина стала выбираться из кустов. Хабаров постоял немного, дождался, пока стихнет рычание мотора, и вернулся в сарай.

Один из гопников сидел, свесив голову, и качался из стороны в сторону. Второй по-прежнему лежал.

Хабаров подтащил трёхногую табуретку, как следует утвердил её и уселся напротив. Тот, что сидел, стал загребать ногами и подался от него назад, к стене.

— Не суетись, — велел ему Хабаров.

— Ты... ты кто, твою мать? Откуда ты взялся, твою мать? Тебе чё, больше всех надо? — забормотал гопник дрожащим голосом.

— Как тебя звать-то, урод? — скучным голосом спросил Хабаров.

— Да чё я урод, сам ты урод, мать твою!.. Вали отсюда, паскуда, пока я подмогу не вызвал, — продолжал бормотать тот, как видно, по многолетней привычке. — Не лезь не в своё дело, лезет он!..

— Я лезу? — удивился Хабаров.

Двумя руками, легонько, вскользь он ударил гопника по ушам снизу вверх. Тот моментально выпучил глаза, взвыл и повалился на бок.

Хабаров за шиворот поднял его.

— Кто вас к деду послал? Имя, фамилия! Ну!..

— Моё... фамилия? — прохрюкал гопник, перестав выть. — Или... чьё?

— Кто послал вас к деду, я спросил. Во второй раз спросил. В третий спрашивать не стану.

— Ты погоди, погоди, — заторопился гопник, громко сглатывая слюну. — Я это... я не знаю, по чесноку не знаю! Юрец знает, а я не того, не вкурил. Юрец сказал, старикана одного потрясти треба, и я пошёл трясти. А чего там, кто, не знаю, вот те крест...

— Какой крест! — сказал Хабаров с досадой.

Второй — видимо, Юрец — зашевелился, застонал и перекатился на спину.

Хабаров встал и посмотрел, как там пёс.

Тот по-прежнему дышал мелко и часто, но глаза открыл, и когда Хабаров подошёл и присел, стал косить на него налитым кровью глазом, хрипеть и испуганно загребать лапами, как будто собирался бежать.

Хабаров погладил его по голове, осторожно и легонько.

— Ну, ну, — успокоил он пса. — Сейчас Джо приедет, укол тебе сделает, полегчает! Терпи, парень, ты молодец!..

И вернулся на табуретку.

Юрец поднялся на четвереньки, свесил голову между рук. Дышал он тоже быстро и мелко и дрожал всем телом. Хабаров знал, что ему нехорошо, и хорошо станет нескоро. Через несколько дней ему станет хорошо.

— Слушай, Юрец, — сказал Алексей Ильич. Тот с трудом поднял голову и стал всматриваться в Хабарова.

Взгляд у него не фокусировался. — Кто тебя к деду послал? Или ты тоже не вкурил?

Юрец ещё немного покачался туда-сюда, лёг на живот и затих. Носком ботинка Хабаров приподнял его голову за подбородок.

— Не спи, — велел Хабаров. — Рано спать, время детское. Ты отвечай, когда тебя вежливо спрашивают.

— Чё... те... надо?

— Кто тебя к деду послал и зачем?

— Юрец, — заскулил второй, — ты ему лучше скажи, а то он дерётся больно!..

— Подошёл один возле «Тамбовчанки», — захрипел Юрец, косясь на ботинок. — Сказал, нужно дедка тряхануть, который у церквы милостыню просит. Мужик, мол, к нему днём подходил, потолковал и в руку чего-то сунул. Так ферт хотел узнать, чё за мужик, зачем подходил, об чём толковали.

— Денег дал? — осведомился Хабаров.

Юрец мотнул головой — сначала как «нет», а потом как «да».

— Ферт местный или приезжий?

— А хрен его разберёт. Я у него регистрацию не проверял.

— Ты его не знаешь?

Юрец опять мотнул головой.

— Что он ещё сказал?

— Сказал, что найдём в халабуде, то наше. Нищие все богатые, сказал. А я заработать хотел! Главное, сказал, чтоб дедок отдал, что ему тот мужик сунул. А дедок заладил — нету, нету, ничего нету!.. Ну, я и смазал его по роже да по рёбрам...

Он почти просил у Хабарова сочувствия, этот самый Юрец! Он не сделал ничего такого, просто заработать хотел, кто ж не хочет заработать!.. А старик мешал ему, вот и пришлось его поучить, старика-то!

— Где и когда ты должен встретиться с фертом?

— Так завтра в «Тамбовчанке»! Пивка уговорились попить часиков в одиннадцать.

— Ферт на мотоцикле ездит?

— Так ты от него, что ли? — вдруг спросил проницательный Юрец, сел и взял себя за голову. Кожа на щеках блестела влажным блеском, как жабье брюхо. — А чё тогда нам навалял?

— Я не от него, — пояснил Хабаров. — Я с другой стороны. А вы под Пашей-Суетой ходите?

— Не, мы сами по себе... То есть под Агафоном мы... — заговорили они разом и посмотрели друг на друга. — Только Агафона того, говорят, вальнули. И Пашку тоже, обоих, выходит дело... Теперь беспредел начнётся...

Хабаров молча слушал.

— Отпусти нас, мужик. Чего там!.. Мы на тебя не в обиде, и ты на нас не обижайся. Ну, не поняли друг друга, давай разбежимся, да и все дела...

— Сколько денег ферт отвалил?

— Все наши.

Хабаров, которому они надоели, твёрдой рукой взял Юрца за загривок. Тот захлебнулся и выпучил глаза.

— Ну?..

— По два косаря на рыло.

— Где они? Пропили?

— По косарю только пропили.

— Давай остальные.

— Да ладно те, мужик, ты сам зажиточный, по всему видать, на что тебе наши косарики жалкие...

— Деньги где?

Юрец полез в карман куртки, достал две мятые тысячерублёвки. Хабаров выдернул их у него из горсти.

— Вот и хорошо, — подытожил он и спросил в сторону распахнутой двери, из которой тянуло ледяным весенним ветром. — Как дела, Джо?

Она зашла, ни на кого не глядя, в руке у неё был тяжелый медицинский чемоданчик. Гопники замерли, а потом медленно переглянулись.

— Дядя Саша в реанимации, — сообщила она ровным голосом. — Я вызвала главврача районной больницы, и мы решили, что так будет лучше. Хотя бы под присмотром. Ему капают глюкозу и обезболивающее. Главврач около него подежурит. Я его попросила, и он согласился. Сейчас я должна осмотреть собаку.

Она разложила чемоданчик, достала шприц и сделала укол. Собака вновь забилась, стала выворачиваться, пытаясь подняться, но её не держали ноги.

— По спине били? — осведомилась Джахан, не глядя на гопников.

— Да ничего не били, поддал я ему пару раз, всего и делов. Он в первый-то раз отлетел, вскочил и на меня кинулся, ну, я его тогда снова... Он башкой об угол, а по спине никто его не бил...

Джахан сделала ещё один укол, достала таблетку, глубоко засунула собаке в пасть и придержала челюсти, чтобы не выплюнул. Пёс мотал головой и вырывался, но всё же с усилием сглотнул. Она оглянулась на Хабарова:

— Я привезла тебе документы.

Он кивнул. У них всегда были самые разнообразные документы практически на все случаи жизни — абсолютно подлинные, «белые», легальные.

— Собирайтесь, уроды, — приказал Хабаров гопникам. — Поднимайтесь и пойдём.

— Ку... куда пойдём? — сбившимся голосом спросил Юрец.

— В КПЗ. Или ты думал, в Дом культуры?..

На старомодном тяжеленном телефоне, похожем на полевую рацию, Хабаров набрал номер, сверяясь с засаленной записной книжкой, которую подала ему Джахан.

— Дежурный? — спросил он, когда ответили. — С начальством своим соедини меня сию минуту. Полковник Васильев Олег Петрович говорит, из главка. Ну, ну, добро, добро.

Джахан складывала чемоданчик, пёс встал и, качаясь, подошёл к ней, гопники не отрывали тревожных взглядов от Хабарова.

— Товарищ майор Поликарпов? — полуутвердительно сказал в телефон Хабаров. — Полковник Васильев, да. Я тебе сейчас двоих подвезу, мои орлы их с поличным на твоей территории взяли. Да они давно в разработке у бойцов из наркоконтроля! При них наркота, где ж ей быть!.. Всё по закону, всё для суда, товарищ Поликарпов!.. Жди, сейчас буду по-быстрому.

— Ты чё, мужик? Ты чё? — вдруг на высокой ноте заголосил Юрец. — Какая наркота, какой майор?! Чё мы тебе сделали-то?! Дедку в зубы сунули, подумаешь, не убили же! Ты чё беспредельничаешь?! Чё ты прицепился, клещ поганый!

Хабаров защёлкнул на нём наручники, Юрец вырывался и выворачивался. Второй сам подставил руки и понурился — как видно, соображал лучше подельника.

— Если б убили, я бы товарищу майору Поликарпову вас сдавать не стал, — честно признался Хабаров. — А наркота у вас по карманам.

— Нету у нас никакой наркоты!

— Есть, есть, — уверил Алексей Ильич. — Ты позабыл просто! Закрою я вас от души, а майор Поликарпов меня в этом всячески поддержит!

— Мы готовы, — объявила Джахан.

В одной руке у неё был сложенный чемоданчик, другой она держала пса за загривок. Пёс косился вверх и вбок — на её руку. Джахан была абсолютно спокойна, даже безмятежна, как будто провела вечер в кресле или за письменным столом, в глазах веселье — непостижимая женщина!..

— Двигайте к машине, козлы, — приказал Хабаров гопникам. — Джо, я подсажу собаку в багажник. Мы рождены, чтоб сказку сделать былью, преодолеть пространство и простор...

Макс Шейнерман спал, и ему снились слова. Длинные, короткие, странные и обыкновенные, вписанные в клетки синей шариковой ручкой, чёрной гелевой или простым карандашом.

Слов было много.

Потом клетки стали увеличиваться и множиться, обрастать переплетениями прутьев, и за прутьями оказался медведь, которого Макс Шейнерман никогда не видел в зоопарке, только из окна кабинета в гостях у тёти Фуфы. Маленький Макс забирался в кресло — оно крутилось и выворачивалось из-под него, — ложился животом на мраморный подоконник и смотрел в вольер.

Когда медведь выходил из зимней квартиры, был праздник, даже торт пекли.

«Наполеон» в тридцать листов.

Медвежья клетка вновь превратилась в тетрадный лист, и в клетках оказались заперты слова.

«Сноповязалка», «обобщение», «логарифм», «выселок», «телефон», «засов», «гром».

Гром не грянет, мужик не перекрестится. Гром победы, раздавайся. Когда весенний первый гром, как бы резвяся и играя, грохочет в небе голубом.

Макс открыл глаза.

За окном лило и гремел гром — должно быть, первая гроза в этом году. Утренний свет тихонько колыхался и подрагивал от дождя, и хотелось снова уснуть, и чтоб непременно приснился медведь и кресло тёти Фуфы.

В доме было тихо, только вздыхал где-то вчерашний запуганный пёс, которого привезли Джахан с Хабаровым. Он долго не хотел идти в дом, а когда его всё же уговорили, почти бегом бросился в угол между диваном и книжным шкафом, и там остался, сколько его ни звали.

...После работы я вернусь домой и куплю собаку. Не очень большую, чтобы можно было брать в самолёт. И не очень маленькую, чтобы можно было поговорить. Я буду выбирать собаку долго и со вкусом, возможно, даже посоветуюсь с Дашкой. Впрочем, какой из Дашки советчик!..

Думать о собаке и Дашке было приятно.

Макс намеренно усилием воли запрещал мыслям вернуться к тому, что стало ему очевидно ночью.

Он знал, что всё правильно, но сначала он встанет, умоется и выпьет кофе, а уж потом будет проверять. Во всём должна быть система.

Он всегда мылся холодной водой, но в тамбовском «частном секторе» вода была какая-то уж совсем ледяная. Макс сильно озяб и растирался полотенцем до красноты, до боли.

Одевшись, он зажёг на кухне газ, погрел над пламенем конфорки руки и поставил чайник.

Джахан не появлялась, хотя всегда вставала раньше всех.

Макс сварил кофе — зёрна мололись в ручной мельнице, которую он таскал с собой, на чашку холодной воды примерно три большие ложки кофе, так его когда-то научили в Италии, отрезал кусок сыра и задумчиво съел.

...Я прав, прав. Ну конечно, я прав!..

Кофе поднялся коричневой шапкой, и за секунду до того, как закипел, Макс снял его, осадил пену и снова дал подняться. Теперь нужно подождать, пока осядет гуща. Он подождал.

Вот теперь можно пить и проверять любые гипотезы.

Он отрезал себе ещё сыра и забрал кусок вместе с чашкой в комнату.

...Значит, «гром», «засов», «телефон», «выселок», «логарифм», «обобщение», «сноповязалка».

И «вомбат»! Там ещё был «вомбат», вдруг вспомнилось ему.

Всё моментально сошлось, и он поглядел на пирамиду слов.

...Большой шутник был Пётр Сергеевич Цветаев, погибший странной смертью в библиотеке имени Новикова-Прибоя!..

— Макс, сварить тебе кофе?

Он ничего не ответил, разглядывая пирамиду, и Джахан заглянула в дверь.

— Зайди.

Она вошла и встала у него за спиной.

Вдвоём они ещё некоторе время смотрели на пирамиду.

— Поедешь туда? — Джахан кивнула на листок с выписанными словами.

Он кивнул.

— Это прямо по твоей части, — заметила она. — Но всё равно будь осторожен.

Он задрал голову и посмотрел на неё снизу вверх.

— Я всегда осторожен.

— Мне просто захотелось тебе это сказать. Наверное, я старею, Макс.

— Ну. — Он поднялся. — Никто из нас не молодеет. Это было бы странно.

— Я приготовлю тебе завтрак, — поспешно сказала она. — Только дай мне десять минут.

Она вышла, и через некоторое время до него донеслось, как в большой комнате она разговаривает с собакой.

...Никто не молодеет, это точно!.. Что они станут делать, когда их время выйдет окончательно и они больше не будут пригодны для оперативной работы?.. Нет, есть, конечно, некие аналитические отделы, службы сбора информации и всякое такое, где постаревшие агенты находят себе занятия! И что с того? В работе ради заработка ни один из них не нуждался — их долго и тщательно учили преуспевать практически на любом поприще, и Макс точно знал, что сделать какую угодно карьеру совсем не сложно. Есть элементарные законы психологии, и если их соблюдать, вожделенная карьера, гарцующая в отдалении, как дикая лошадь, быстро окажется прирученной, взнузданной и стреноженной!..

...И всё же. Что они станут делать?.. Звонить друг другу по телефону? Вместе отдыхать в санаториях? Писать мемуары — гриф «Для служебного пользования»?

Почему-то Макс никогда не представлял себе жизнь «после», ему это и в голову не приходило. Как никогда не представлял себе, что с ним будет после смерти родителей!

Они должны были жить вечно — у них не получилось.

— Завтрак готов, Макс.

В расписной пиале была ложка овсянки с орехами и мёдом. На тарелке солёный творог с кинзой и укропом, завёрнутый в тонкий лаваш. В плошке жареный арахис. В чайнике чай.

Овсянка была воздушна и приветлива, как сливочные июльские облака.

Макс проглотил ложку и спросил:

— Где ты всему этому научилась?

— Бабушка научила, — отозвалась Джахан. — Она считала, что женщина должна уметь всё — и шелка носить, и глину месить. Вот тогда она настоящая женщина!.. И она очень гордилась моей профессией. Считала, что это самое лучшее для девушки.

Макс взглянул на Джахан:

— А какая у тебя профессия? По бабушкиной версии?

Та улыбнулась:

— Я врач, Макс.

— А-а.

В дверях показался пёс, видимо, привлечённый звуками и запахами завтрака. Всем видом он выражал сомнения в том, что его примут и покормят. Опущенный хвост свисал почти до пола и не шевелился.

Джахан положила ему в миску овсянки, а сверху ещё вывалила полбанки тушёнки.

Пёс подошел, понюхал — они наблюдали за ним. Повернулся и посмотрел на них с изумлением. Потом снова уставился в миску. Хвост дрогнул и качнулся из стороны в сторону. И ещё раз, посильнее.

— Мы его смущаем, — сказала Джахан и отвернулась.

Пёс принялся жадно есть. Уши у него вздрагивали, и по бокам как будто прошла волна. Смотреть было неловко, Макс тоже отвернулся

— Куда мы его денем?

— Хабаров решит, это его собака. Нет, не так. Это собака дяди Саши, и он поручил её заботам Хабарова.

— А есть возможность поручить её заботам дяди Саши обратно?

— Я не знаю, — призналась Джахан.

Они допили чай и разошлись, уговорившись встретиться у Даши в номере, если до вечера ничего не случится.

Первым делом сразу после завтрака Даша на своём самокате угодила в дорожно-транспортное происшествие.

Усатый мужик на «Газели», сбивший её на пешеходном переходе, махал руками и орал, как резаный. Даша рыдала и не могла ступить на ногу. Целёхонький самокат валялся рядом. Толпа, моментально собравшаяся вокруг них, попеременно сочувствовала то шофёру — совсем оборзели эти молодые, сами под колёса бросаются, по сторонам не смотрят, небось в телефон пялилась, вот и допялилась! — то Даше — гоняют, сволочи, как хотят, правил никаких не соблюдают, вон и переход для них не указ, а если б коляску с младенцем сбил?!

Приехала патрульная машина, из неё выбрались сержант с лейтенантом и, оглядев зарёванную Дашу, сразу приободрились и заулыбались.

Мужик-газелист по тому, как они заулыбались, понял, что плохи его дела, того гляди срок впаяют!..

— Да она сама под колёса бросилась, — убеждал он лейтенанта, чуть не плача. — Христом Богом клянусь!.. Не было её, точно не было, и вдруг уже под машиной моей лежит!

— Видеорегистратор есть? — оглядываясь на красотку, с которой разговаривал сержант, спрашивал лейтенант. Ему хотелось тоже поговорить с красоткой!

— Да какой, в борозду, видеорегистратор, начальник! — чуть не плакал газелист. — На что он мне, я больше шестидесяти даже по трассе не иду! Не виноват я, ты послушай меня, не виноват! Сама она бросилась! Может, она психическая!

Беловолосая красотка была не похожа ни на какую «психическую», и лейтенант — понятно! — заранее принял её сторону.

— Ладно тебе, дядя! Сбил на переходе человека, так и отвечай по закону. Протокол составим, свидетелей опросим, чего теперь!..

Однако ясное как божий день дело быстро стало выворачивать совсем в другую сторону.

Красотка, усевшись в патрульный «фордик», призналась, что сама виновата. Она всхлипывала, вздрагивала, прятала глаза и говорила, что не может допустить, чтобы из-за неё пострадал человек. Ещё с работы его выгонят, а у него наверняка семья, дети!..

Как же всё произошло? А вот как: она катила себе на своём агрегате по тротуару. Модная штука, в Москве все на таких катаются! И улицу переходить вовсе не собиралась!.. Она по тротуару катила, в правой руке у неё был эспандер — красотка показала зелёный бублик из литой резины. Она всегда ходит с эспандером, чтобы тренировать кисть. Ей важно тренировать кисть, она художник! И этот эспандер у неё как-то выскользнул и ускакал на проезжую часть. Красотка бросилась за ним, а тут дядька на «Газели»! Да он и не задел её, она сама от страха упала, когда увидела, что прямо на неё машина едет! Не виноват дядька, ни в чём не виноват!..

Лейтенант переглянулся с сержантом. Сроду у них таких происшествий не было, чтобы жертва выгораживала виновника!.. Даша покивала — всё, всё правда! Сама виновата!

Лейтенант порывался составить протокол — так положено, нельзя без протокола, — но красотка в два счёта убедила его, что никаких протоколов не нужно, зачем?..

Потом как-то так вышло, что они с сержантом предложили подвезти её до гостиницы, чтоб она джинсы переодела — на коленке была дыра. По дороге заговорили о байках, о повальном увлечении мотоциклами, о том, что по весне из-за байкеров этих у патрульных работы прибавляется, и не помогает ничего, ни штрафы, ни агитация, ни плакаты с трупами и горелыми железками — всё равно гоняют, как придурки бешеные, ну и разбиваются, конечно... Красотка сочувствовала — она вообще оказалась понимающей. Лейтенант по гибэдэдэшной базе посмотрел владельцев двух каких-то мотоциклов, она попросила. Сказала, что вот эти гоняют, как беспредельщики полные. Лейтенант, который не мог оторвать от неё глаз и сидел рядом с водителем спиной вперёд, обещал при случае беспредельщиков остановить и прочистить им мозги.

На прощание красотка его поцеловала.

Когда он выволок из багажника её самокат, она трогательным движением заправила за уши белые гладкие волосы, улыбнулась, глядя ему в глаза, чмокнула в щёку и умчалась под шикарные своды «Тамбов-Паласа».

— Яка гарна дывчина, — обиженно сказал сержант, которого не поцеловали и вообще не обращали на него внимания. Он родился в Харькове и время от времени выражался по-харьковски.

Лейтенант потрогал щёку и понюхал ладонь — пахло духами, тонко-тонко.

...Таких девушек показывают в сериалах про несуществующую, выдуманную жизнь. Там в полиции служат дети богатеев, деревенские дурнушки получают в мужья миллионеров, лейтенанты ведут допросы в комнатах с зеркальными стенами, а врачи живут в квартирах с кирпичными нишами и хрустальными каминами!.. Там все работают «удалённо» — лёжа на кроватях в немыслимых интерьерах или на пляжах с золотым песком, и работа состоит в ленивом тыканье в компьютерные клавиши. Там все озабочены «стартапами» и «лайфхаками». Там юнцы независимо от профессии и общественного положения носят бороды, узкие брючки и цветастые носки, а девушки... Девушки именно такие, как эта, умчавшаяся в «Тамбов-Палас»! Они красивы несуществующей, выдуманной красотой — сияющая кожа, длинные волосы, совершенные формы. Понятно, что они сказочные существа, миф, придумка!.. Их нельзя потрогать — они моментально испарятся, как сгусток тумана! В детстве лейтенант читал разнообразное фэнтези и всё понимал в сгустках тумана!.. Девушки из сериалов озабочены такими же несуществующими, как они сами, проблемами — недопониманием с состоятельными отцами или женихами, ссорами с подругами-феями, конфликтами с начальниками-злодеями, если у них бывает начальство!..

До сегодняшнего ДТП с усатым газелистом лейтенант был уверен, что волшебные девушки не могут перепрыгнуть из телевизора в реальность, а уж тем более на проезжую часть!.. Не могут просто потому, что их нет, а они, оказывается, существуют...

Вопрос, зачем волшебнице понадобились мотоциклы с номерами У 556 АН и Р463 КС, даже не пришёл лейтенанту в голову!

В холле «Тамбов-Паласа» Даша любовно разгладила дизайнерскую дырку на джинсах — она обожала дырявые джинсы, курточки-бомберы, белые рубахи и крохотные сумочки на широких солдатских ремнях, — пристроила самокат в угол под пальму, уселась за столик и спросила кофе и воду. Местные тамбовские бизнесмены, избравшие холл «Паласа» для деловых встреч — «я тебе полтора центнера подброшу и с поставщиками сам договорюсь, заимообразно, а ты мне своего закупщика подгони!» — по очереди оборачивались и подолгу на неё смотрели. Даша закинула ноги на соседнее кресло — чтоб им уж точно было на что посмотреть — и занималась своим телефоном.

Администратор Никита, который сто раз давал себе слово, что не посмотрит в её сторону и которого она притягивала как магнит, подошёл поздороваться.

— Приве-ет, — протянула Даша, едва взглянув на него, и снова уставилась в телефон. — Самокат себе купил?

— Добрый день, — вежливо сказал Никита. — Что-нибудь принести?

— Например, что?

Никита смешался.

— Журналы.

— Все журналы есть в Сети, — объявила Даша. — Слушай, ты в кино любишь ходить?

— Ну... хожу иногда.

— А чего у вас показывают?

Никита пожал плечами:

— То же, что и у вас. На прошлой неделе «Время первых» показывали, про космонавтов. Они там в космос выходили, и один вроде застрял.

— Смотрел?

Никита кивнул.

— Что-то скучно мне в Тамбове, — заявила Даша. — Работать нужно, этюды писать, а мне неохота! Так неохота!.. Может, в кино сходить?..

Никита посмотрел на неё с подозрением. Она приглашает его в кино, или он всё не так понимает?.. Может, опять издевается?..

Даша сняла ноги с дивана и великодушно разрешила:

— Садись.

Никита оглянулся на конторку, где в одиночестве маялась Алина.

— Нам не положено...

— Да ладно! — не поверила Даша. — Персоналу не положено выполнять просьбы гостей?! Дайте жалобную книгу! Садись давай.

Никита опустился на диван напротив неё.

Хорошо бы управляющий не нагрянул, объясняй ему потом про жалобную книгу и просьбы гостей!

— Слушай, ты мне расскажи, как вы вообще тут живёте, — начала Даша. — Я же художник! Как я напишу правдивую картину из жизни русской провинции, если я ничего не знаю! Вот ты. Ты что делаешь? Ну, на работу ходишь, стоишь за прилавком своим, как дурак, а ещё что делаешь?..

— Почему как дурак-то? — тихо спросил Никита, доверчивый маленький зайчик. — Между прочим, хорошая работа, такую трудно найти, особенно у нас. А я нашёл! У меня английский, я в спецшколе учился.

— Ну ладно, не как дурак! А ещё что делаешь? Кино про космонавтов смотришь? Может, в библиотеку записан?

...Она была очень хорошо подготовлена и уловила, почуяла секунду, когда он дрогнул. То ли испугался, то ли изумился. Внешне это никак не выразилось, он по-прежнему сидел на краешке дивана и смотрел на неё, но что-то изменилось.

Даша обращала внимание на свою интуицию и никогда её не игнорировала.

— Записан, — сказал Никита. — Ну и что? Нельзя?

— Да ладно тебе, я просто так, — быстро ответила Даша. — А что, у вас хорошая библиотека?

Он пожал плечами и поднялся:

— Обычная.

— Стой, стой, куда помчался-то! — Даша потянула его за рукав. — Давай вместе сходим!

— Куда? — не понял Никита.

— Ну, в эту библиотеку твою! А что такое? Я посмотрю, какие люди там работают, кто за книжками приходит, а потом напишу картину «Будни тамбовской библиотеки»! А?..

Он молчал.

— Или ты просто так сказал, что записан, а сам не ходишь? В последний раз был, когда в школе учился?

— Недавно был, — возразил Никита. — Там директор помер, я с тех пор не ходил.

— Да ладно! А отчего он помер? От старости? Слушай, ну, давай правда сходим!.. Я себя буду прелестно вести, вот увидишь, а ты потом всем расскажешь, что я тебя на свидание пригласила!

И она засмеялась, а Никита тяжело покраснел.

— Когда двинем? Ты сегодня работаешь, тогда завтра, да? Да?! Часов в одиннадцать заходи за мной!

Никита кивнул и вернулся за конторку.

— Что ей нужно? — не поднимая головы от бумаг, спросила Алина.

Никита покосился на неё:

— В библиотеку. Она хочет, чтоб я сходил с ней в библиотеку.

— Странно, — прошелестела Алина и больше ничего не добавила, потому что столичная художница выбралась из кресла и подошла к конторке.

— Слушайте, ребята. — Она понизила голос. — А эти ваши немцы на мотоциклах съехали, что ли, я не поняла?.. Я же хотела с ними покататься!

— Здесь они, не съехали, — сказал Никита. — Они за городом на полигоне гоняют. Там специальная трасса для мотоциклистов проложена, горки всякие, препятствия!.. Вечером возвращаются.

Вчера, доставив Пашу-Суету в какую-то бандитскую «малину», как Даша определила для себя дом-развалюху в близлежащем селе, она вернулась в гостиницу, и никаких мотоциклов не было на стоянке. Получается, немцы гоняют на полигоне до поздней ночи и в полной темноте, что ли?

...Не сходится.

Или Никита, маленький милый зайчик, что-то скрывает?

Нужно было сообщить информацию о владельцах тех мотоциклов, что Хабаров видел возле церкви и которых Даша установила, свалившись под колёса «Газели» — хорошо, что джинсы уберегла, они были совсем новые, дорогие!

Из номера она позвонила в библиотеку имени Новикова-Прибоя, представилась секретаршей хозяйственного управления Минкульта и спросила Алексея Ильича. Когда того позвали, она сказала: «В почтовом ящике у ворот, минут через пятнадцать», — и положила трубку.

Через пятнадцать минут она притормозила возле библиотечного забора, кинула в зелёный, изъеденный ржавчиной ящик с надписью «Почта» сложенный вчетверо листок, вскочила на самокат и помчалась дальше, напевая себе под нос:

— Мы рождены, чтобы сказку сделать былью...

Хабарова повеселило, что горшка с геранью не было на библиотечном крыльце, должно быть, Светлана Ивановна всё-таки «приняла» его от греха подальше. Дверь была подпёрта старинным чугунным утюгом, в который для разогрева надо насыпать угли.

Хабаров полюбовался на утюг и решил, что сбрасывать его с крыльца не станет.

— Девушки! — позвал он, проскрипев дверью. — Это я!..

По раннему времени в библиотеке было пусто, а «девушки» чаёвничали на вчерашнем месте, и писатель Мурашов-Белкин при них, как будто и не расходились!..

— Мы вот с Юрием Григорьевичем план на лето согласовываем, — с ходу начала Светлана Ивановна, чтобы московский проверяльщик не заподозрил их в тунеядстве. — Летом работу проводить трудно, дети кто на участках, кто в лагерях, и взрослых не собрать. У нас всегда эти вопросы Петя решал, Пётр Сергеевич, а теперь вот самим приходится.

— Садитесь, Алексей Ильич, — сияя, пригласила Галя. — Вам чайку чёрного или зелёного? Или, может, кофе? Вон печенье есть, и запеканка творожная, я сама пекла...

Хабаров выбрал чай зелёный, сунул в кружку пакетик, намотал нитку на ручку, и Галя налила кипятку. Пакетик всплыл, нитка размоталась, и картонный хвостик оказался в чае. Хабаров стал его вытаскивать — сначала мизинцем, но было слишком горячо, и он схватил ложку. Галя ахала и сокрушалась, говорила, что она во всём виновата. Настя Хмелёва улыбалась, писатель молча жевал запеканку, Светлана Ивановна вздыхала.

Хабаров выловил пакетик, как следует отжал его в чашку — чтоб ни капли заварки не пропало, — и объявил, что работа почти закончена и он вскоре поедет в Москву.

— А директорствовать кто у нас будет?

Хабаров сказал, что не знает, хозяйственное управление, мол, директоров не назначает.

— Хоть бы Светланочку Ивановну оставили, — сказала Галя и стрельнула в Хабарова глазами. — А то ведь назначат... невежду, как вон в ТЮЗ назначили!.. Теперь одни водевили ставят, а раньше какие спектакли были!..

— Истребляют потихоньку культуру, — подал голос писатель. — И ведь как взялись! По всем фронтам. Со школьников начали, сочинения отменили, экзамены отменили, тесты какие-то назначили! Потом театры, библиотеки под нож пошли, скоро до музеев доберутся. Картины все распродадут за границу, а помещения под супермаркеты пустят. Десяток-другой лет, и всё, вымрет великая Россия. Вон Моршанск уж почти вымер, я оттуда родом, всё детство там прошло. А сейчас гляньте, что там творится! Алкоголизм, безработица, наркоманы!

— Что-то уж больно мрачно, — заметила Светлана Ивановна.

— Да не закроют нашу библиотеку, — пробормотала Галя. — Что вы, сколько народу к нам ходит... Как вы думаете, Алексей Ильич?

— Вот я в московском ТЮЗе «По щучьему веленью» смотрел, до сих пор помню!.. Это сколько ж мне тогда было? Ну, девять, не больше!.. А помнится же!.. Нас родители из Калача на экскурсию привозили. Там Третьяковка всякая, Царь-пушка, пятое-двадцатое. И в театр ходили! Ох, сильная вещь была!..

Настя засмеялась.

— Вот «По щучьему веленью» всё теперь и выходит, — распалился писатель. — Емеля на печи лежит, а печь его везёт, и куда привезёт — большой вопрос.

— Так ведь искусство! — возразил Хабаров. — Вас в детстве в театр водили, товарищ писатель? Нравилось вам?

— В Москве бывать не приходилось, мать одна меня тянула, не разгуляешься. А тут, в Тамбове, ходили с классом, конечно...

— Сказки смотрели? — привязался Хабаров.

— Ну, и сказки тоже.

— А какие, какие?

Писатель вздохнул, вспоминая.

— Про кота в сапогах, — признался он. — Такой был кот роскошный, а усищи!.. Я тогда по малолетству думал, что он настоящий. И на двух ногах ходит, и разговаривает человеческим голосом.

— Ну вот и выходит, хорошо, что сказки ставят! Или плохо?

— Да я про другое говорю! Галя, положи мне ещё запеканочки. Я про то, что гибнет культура и вскоре совсем погибнет!..

— Да нууу, — протянул Хабаров. — Вот Светлана Ивановна и девочки не дадут ей пропасть. А? Не дадите?

Настя опять засмеялась. А Галя вздохнула — уж больно ей нравился московский проверяльщик. Руки какие — сильные, красивые! А волосы — густые, чистые, как будто золотые искры переливаются, или, может, выгорели так! И глаза — ясные, весёлые, а уж как улыбнётся, пиши пропало. Ему бы артистом быть, чтоб по телевизору показывали, а он в хозяйственном управлении!..

— Я в пол-одиннадцатого, — сказал Хабаров Светлане Ивановне, — отойду ненадолго по делу. Может, Настя с Галей за меня продолжат? Вы уж сделайте милость, помогите, девушки. А я вернусь и подключусь.

— Я с удовольствием! — пискнула Галя.

Светлана Ивановна пожала плечами:

— Да, пожалуйста. Всегда рады.

— Что же запеканки-то не покушали, Алексей Ильич? Я пекла, старалась. Пётр Сергеевич мою запеканку очень любил.

— Он же один жил, да? — спросил Хабаров. — Сам себе и готовил, и стирал, и убирал?

— Ох, вы, мужчины, все как под копирку, — сказала Настя со вздохом. — Вам самое главное, чтоб за вами стирали и убирали!..

— Всё правильно, — поддержал Мурашов-Белкин. — Женщина как была в средневековом рабстве, так и осталась. Домашняя прислуга, и больше ничего.

— Как же ничего? — удивился простодушный проверяльщик. — Вот наши девушки! На работу ходят, по домам не сидят.

— Да то-то и оно-то, что теперь женщина ещё и на жизнь должна заработать! Не только подать-убрать-постирать, но и зарплату принести! Рабство и есть.

— Эмансипация, — поправил проверяльщик. — Равенство полов. Все одинаково работают и зарабатывают.

— Не больно-то мужчины разбежались с нами одинаково работать!.. — вдруг вспылила Светлана Ивановна. — Мы отсюда, из библиотеки, сразу в магазин бежим, потом домой, а там вторая смена — обед поставь, посуду помой, у кого детки, уроки проверь! А тут и третья — в огороде тоже само ничего не вырастет! Вон наш Петя, такой понимающий мужик был, такой душевный, а попросишь, к примеру, грядку вскопать, ни за что не станет!.. Сто причин найдёт для отказа!.. Не любите вы, современные мужчины, работать! Разучились совсем.

— А жена? — задал вопрос Хабаров. — Ушла от него, что ли? Из-за грядок?

— Какая жена? — не поняла Светлана Ивановна. — Ах, да не было у него никакой жены, может, по молодости только, но он не рассказывал, а я не расспрашивала. Один он жил, одинёшенек.

— Да вроде не старый ещё, — удивился Алексей Ильич.

Светлана Ивановна махнула рукой:

— Должно быть, нагулялся! Помню, говорил он мне, что, мол, все свои обязательства выполнил, и новых ему не хочется. Для себя пожить хотел человек. Любимым делом занимался — любил он библиотеку нашу, от души любил!.. А ещё мечтал антоновку восстановить, какой она раньше была — каждое яблоко с кулак величиной, жёлтое, на свету прозрачное, надкусишь, сразу сок брызнет!.. Нет сейчас такой антоновки...

Зазвонил телефон.

Светлана Ивановна сняла трубку и позвала Хабарова.

— Кто там? — спросила Галя у Светланы Ивановны, когда тот отошёл к телефону.

Та рассердилась:

— Господи, ещё ты встреваешь! Выдумала себе чепуху какую-то! — Но Галя смотрела так жалобно, что Светлана Ивановна продолжила, понизив голос: — Ну, девица какая-то, из управления, секретарша вроде!

Секретарше Галя обрадовалась — хорошо, что не жена. Впрочем, не может быть, чтоб такой мужчина жил бобылём на манер Петра Сергеевича!..

Хотя и директор бобылём не был, это Галя точно знала...

Светланочка Ивановна с писателем принялись за свои бумаги, Хабаров с Настей за опись, а Галя вернулась в читальный зал, развернула карамельку, сунула за щёку, вздохнула и стала рисовать на бумажке и мечтать.

...Вот бы москвич в неё влюбился, сделал предложение и забрал с собой. А что, так бывает, по телевизору то и дело показывают!.. Приезжает столичный житель в провинцию, влюбляется в простую девушку и увозит её, и там, в столице, у неё начинается совсем другая, увлекательная жизнь! Свадьбу они, конечно, здесь сыграют, в Тамбове. Чтоб все видели. Чтоб все знали!.. Светлану Ивановну пригласят, Настю, всех родственников и соседей. Соседки, материны подруги и врагини, станут качать головами — надо же, какого жениха Галька-то отхватила!.. Видный, достойный, да ещё из Москвы!.. Сидела-сидела, никто не брал, и вон как жизнь повернулась!.. А она, Галя, такой хорошей женой будет, самой лучшей! Она же всё, всё умеет, о чём он там говорил, — и готовить, и стирать, и уют наводить! Борщ у неё даже лучше, чем у матери! А в отпуск сюда, в Тамбов, они на машине приедут, на джипе. Наверняка у такого мужчины джип. Галя представила себе, как она на джипе подкатывает к материной хрущёвке, и во дворе всё замирает, все смотрят, как она выходит — туфли на шпильке, платье с корсажем, а сама загорелая, только с заграничного курорта!.. А муж ей ручку подаёт — ну, как в кино, как в кино. И подарки всякие, сюрпризы то и дело. Галя в журналах читала, что правильные мужчины своим жёнам разные приятные сюрпризы делают. И работать он её устроит не в библиотеку, а в министерство, непременно в министерство! Там, должно быть, красиво и богато, кругом ковры, компьютеры, кондиционеры разные, кофемашины...

Галя вздохнула, перевернула листок и продолжила рисовать.

...Хоть бы раз с таким мужчиной по улице пройтись. Вот все обзавидуются, оглядываться будут, перешёптываться наверняка.

Тут она сообразила, что это можно устроить. Вполне можно!..

Она посмотрела на часы, достала из ящика круглое зеркальце в розовых пластмассовых завитушках, пригладила щёткой волосы и намазала губы липким перламутровым блеском. Вскочила, одёрнула юбку и подхватила сумку.

— Светланочка Ивановна, я сбегаю домой, — умоляющим голосом сказала она, заглянув за перегородку. — Я кота забыла утром впустить, представляете?

Начальница зацокала языком, понимая, что случилась почти трагедия:

— Беги, конечно! Если народ придёт, я тебя подменю! Вот бестолковая, как это ты так? Выпустить выпустила, а обратно не пустила?

— Сама не знаю, как.

— Ну, беги, беги!..

Галя выскочила за калитку, немного отбежала, снова посмотрела на часы, поминутно оглядываясь, перешла улицу и стала разглядывать разложенные на пластмассовом столе у тётки-торговки носки, гольфы и лифчики.

— Любой размер есть, — равнодушно сказал тётка, скользнув по Гале взглядом.

— Хорошо, хорошо.

Хабаров долго не появлялся, и Галя замучилась с этими лифчиками и носками, да и тётка смотрела всё подозрительней.

— Выбрали чего, девушка?..

Галя купила капроновые носки за пятьдесят рублей, рассудив, что впереди лето и носочки всегда пригодятся, и тут только увидела Хабарова. Он быстро шёл по той стороне улицы.

— Алексей Ильич! — закричала Галя и замахала носками. — Подождите, Алексей Ильич!

Тот оглянулся и приостановился. Галя подбежала.

— А я кота забыла впустить, — заговорила она на ходу. — Он у нас самостоятельный, сам гуляет! Его только из подъезда нужно выпустить, а потом обратно забрать! А я забыла!

— Бывает, — сказал Хабаров, несколько растерявшись. — Вам в какую сторону?

— А? Да мне туда, туда, — и она махнула рукой. — Пойдёмте?

Она взяла Алексея Ильича под руку, и они пошли.

— Нравится вам у нас в городе? — спрашивала Галя. — Или в Москве лучше? У нас хорошо, особенно летом! Тепло, яблоки! В Москве, конечно, лучше, я понимаю!.. А вы там где живёте, в центре или на окраине? У нас в центре красиво, зато на окраине участки большие. У вас участок есть?

Она твёрдо держала Хабарова под руку и шла всё медленней, то и дело стреляя по сторонам глазами.

— Вы к нам в отпуск приезжайте! Непременно! — Тут она заглянула ему в лицо. — С женой и с детками! У вас жена и детки есть?

— Как не быть, — улыбнулся Хабаров. — Марфе тринадцать, а Тёмочке на той неделе два стукнуло. Такой бутуз! Да я вам фотографии покажу, хотите?..

Галя пала духом.

...Марфа, да ещё Тёмочка двух лет!..

Не женится на ней столичный проверяльщик, не заберёт в Москву, не повезёт на курорт. Моментально она почувствовала себя рядом с ним несуразной, плохо одетой, слишком навязчивой. И правда — что привязалась к человеку!.. Зачем ты ему нужна? У него вон... бутуз.

— Это хорошо, когда детки есть, — упавшим голосом молвила Галя и вытащила руку у Хабарова из-под локтя. — Не скучно.

— Не скучно, — согласился Алексей с сочувствием. Он всё понимал, но ему нечем было ей помочь.

— Вон наш Пётр Сергеевич! — продолжала Галя. — Умер, а близких никого нету, и деток нет.

— Он всегда один жил?

— Пётр Сергеевич? Один-одинёшенек.

— Не скучал? — поинтересовался московский проверяльщик.

Галя покачала головой.

— Он книги очень любил, всё время читал. Сады любил. Огород не признавал, а вот сады — да. Гулял много. Бывало, идёшь мимо театра, обязательно его встретишь. У нас в центре красиво, — уныло добавила она.

— Книги и сады — это прекрасно, — согласился Хабаров. — Я бы тоже так пожил, в спокойствии. И что, ни за кем не ухаживал Пётр Сергеевич-то ваш? Прямо святой!..

Галя вздохнула, опять взяла Хабарова под руку и посмотрела на него с некоторой, как ему показалось, надеждой.

— Никто не святой, — и она опять вздохнула. — Хотя он прекрасный человек!.. Он за Настей ухаживал, — шепнула она, дотянувшись до уха Алексея Ильича. — За нашей Настей!.. Не верите? Честное слово! Сама видела!..

— Настя симпатичная, — промолвил Хабаров осторожно.

...Значит, Джо была права. Мы исключаем сбой любого рода, сказала она. По привычке и по правилам мы учитываем только логические и выверенные поступки, а человек, как бы он ни был собран и подготовлен, иногда поступает против всякой логики!..

...Значит, Настя? Которая вернулась из отпуска, когда ей позвонила Светлана Ивановна и рассказала о смерти директора!.. Вернулась, потому что случилось несчастье, но нельзя сказать, что она страдает, как люди, внезапно потерявшие близкого человека. Огорчена — и только.

...Или Галя ошибается? Ей *хочется* чего-нибудь романтического, и она придумала Петру Сергеевичу тайное увлечение?..

— А Светлана Ивановна говорит, не было у директора никого...

— Да она не знает, — пылко сказала Галя. — И никто не знает!.. У нас все на виду, если б он за ней ходил, весь город знал бы! А они потихонечку встречались.

— Это как же? — не понял москвич.

— Я однажды на электричке ехала из Раздолья, у меня там тётя, смотрю — наши! Рядышком сидят, говорят о чем-то тихонечко. Я хотела подойти, поздороваться, как положено, а потом вижу — он её за ручку взял, нежно так, как мальчик!.. Я и не полезла к ним. Зачем, думаю, людям мешать?.. Может, у них тайна!

— Да какая ж тайна? — удивился москвич. — Что тут особенного-то? Или у вашей Насти муж ревнивый?

— Да нету у неё мужа никакого! Был в военной части офицерик, так разбежались они давно, она о нём и не вспоминает!.. А вот с Петром Сергеевичем встречались тайно. Может, нравилось им так.

— Может, и так, — согласился Хабаров.

— Вы только не рассказывайте у нас. — Галя махнула рукой в сторону библиотеки. — Я никому не говорила, и вы тоже не говорите. Чего старое ворошить, человека-то не вернёшь...

— Не стану, — пообещал Хабаров.

Они ещё какое-то время шли под руку, а потом Алексей Ильич сказал, что ему нужно к торговым рядам.

— Гостинцев хотите купить? — спросила догадливая Галя. — Это правильно. Там на втором этаже бутик есть, называется «Сувениры Черноземья». Зайдите, поглядите! Выбор большой.

И они расстались.

Бар «Тамбовчанка» был обычным питейным заведением — не слишком чистым, не слишком новым, но, как видно, популярным среди желающих начать возлияния пораньше, чтоб время зря не терять.

Алексей Ильич вначале зашёл в гастроном напротив и долго топтался у автомата с соками и газированной водой. Автомат стоял у окна, и Хабаров изучил подъезды, подходы, заплёванный пятачок стоянки, поворот дороги, автобусную остановку чуть пониже, немытые с зимы окна почти вровень с мостовой. В окнах мигала на разные лады гирлянда, почти не видимая в солнечных плотных лучах, и надпись «Бар», криво выведенная светящейся проволокой.

Бутик «Сувениры Черноземья», так сказать!..

Хабаров купил бутылку воды, сунул её в портфель и, не торопясь, перешёл улицу.

В «Тамбовчанке» громыхал шансон — «Ты скажи мне, мама, долго ль ещё ждать, долго ль мне на нарах время коротать, если бы не сука, сука-адвокат, я б уже вернулся в дом родной назад», — пахло горелым маслом, дезинфекцией и чем-то кислым. С левой стороны на пластмассовых столах ногами вверх торчали стулья, а с правой стулья стояли, как положено, на полу.

— Проходите тудой, — предложила Хабарову дородная тётка в чёрной залоснившейся юбке и белой кофте с пятном на воротнике. И юбка, и кофта были ей маловаты. — Где открыто. На бизнес-ланч только там посадка. Вам чего? Меню? Или пивка сразу?

Хабаров сказал, что пивка, но меню он тоже посмотрит.

...У него не было никаких иллюзий. Разумеется, человек на мотоцикле, заплативший гопникам за то, чтобы они пытали старика с собакой, знает его в лицо, и вряд ли им придётся мирно побеседовать. Разумеется, у Хабарова на всё про всё будет несколько секунд. Разумеется, никто не станет стрелять — среди бела дня в баре города Тамбова!

Но шанс есть.

Есть несколько секунд, и если всё пойдёт по плану, он увидит противника — а это уже немало.

Хабаров сел лицом ко входу, но так, чтобы его слегка — на несколько секунд! — загораживала от входящих барная стойка с пивными кранами и остовами кальянов.

С пивом кальян хорошо, подумал Хабаров. Да под шансон!..

...Долго ль мне на нарах время коротать!..

Три столика были заняты. За одним сидели подростки в широченных штанах и толстовках с иностранными словами. Мода на короткие и узкие брючки с узорами до «Тамбовчанки» ещё не дошла. Они матерились и хохотали.

За другим возрастная тётка с грубым лицом и ярко-красными губами говорила по телефону, сильно подавшись вперёд, так что стол подпирал её и без того невозможное декольте. Время от времени она восклицала басом:

— Да что ты говоришь?! — И возмущённо взбивала свободной рукой волосы.

За третьим сидели два мужичка, как видно командированные. Пиджаки — коричневый и синий — висели рядом на стене, мужички, одинаково закатав рукава, чистили креветки и тянули пиво, наклоняясь к стаканам, чтобы не брать их креветочными пальцами.

Хабаров заказал луковые кольца, чесночные гренки и скумбрию — бизнес-ланч.

— Что-то народу у вас немного, — сказал он официантке с пятном на воротнике. — Дорого берёте, что ли?

Та фыркнула.

— А сам читать не умеешь?! В меню всё написано, дорого или дёшево!..

Она оглядела зал и вздохнула:

— Щас ещё ничего, под вечер набегут, вот тогда самое веселье начнётся. Щас все приличные, обедающие.

Время приближалось к одиннадцати.

Хабаров глотнул кислого пива.

Дверь распахнулась, сверкнув на солнце пыльным стеклом, и в «Тамбовчанку» вошёл Никита Новиков, администратор из «Паласа». Дашка называет его — «маленький зайчик».

Хабаров ещё глотнул.

Никита устроился за столиком у окна, подпёр рукой щёку и принялся читать меню.

...Никита Новиков был записан в директорскую картотеку. Приходил в библиотеку за несколько дней до убийства. Работает в гостинице, знает обо всех передвижениях постояльцев.

...Он?

Дверь вновь распахнулась, и к Никите за стол подсел какой-то парень, Хабаров раньше его никогда не видел. Он спросил пива, оглянулся по сторонам и стал что-то втолковывать Никите.

...Или не он?..

Тётка с грубым лицом и алыми губами перестала повторять: «Да что ты говоришь?!» — кинула телефон в сумку и взбила волосы обеими руками, глядя на себя в пластмассовую стенную обивку.

Хабаров изо всех сил прислушивался, надеясь расслышать мотоцикл, но за грохотом шансона невозможно было ничего услышать.

Командированные допили пиво и замахали руками, чтобы несли ещё. Гора креветочной шелухи почти загораживала их друг от друга.

Подростки показывали друг другу какое-то видео, толкались локтями, ржали и орали, добавляя децибелов в общий шум. Пиво действовало на них безотказно!..

Тётка стала выбираться из-за стола, сильно отклячив задницу, обтянутую джинсами с вышитыми на обеих половинках цветами. Выбравшись, она уверенным шагом двинула в сторону выхода — очевидно, там был туалет. В дверях она столкнулась с человеком в кожаной куртке и камуфляжных штанах так, что тот покачнулся и чуть не упал. Она сказала ему нечто неслышное, а он в ответ покрутил пальцем у виска и зашёл внутрь.

...Он?

Хабаров посмотрел в сторону, а потом, не торопясь, перевёл взгляд на вошедшего.

Тот огляделся, и тут его отвлёк Никита Новиков, который помахал ему рукой, заулыбался и что-то сказал своему соседу.

...Они знакомы?.. Случайно встретились в баре «Тамбовчанка»?..

Человек в кожаной куртке похлопал Никиту по плечу, повернулся и увидел Хабарова.

Хабаров секунду смотрел ему в глаза, а потом равнодушно отвернулся и глотнул пива.

...Алексей знал это состояние мгновенного ожидания — дрогнет противник или нет. На это уходит меньше секунды. Он не готов к тому, что я здесь. Это значит, тип в кожаной куртке что-то упустил, неправильно оценил. Он должен сейчас, сию секунду, принять единственно правильное решение.

...Принять его очень сложно, это Хабаров знал по себе. Требуется огромная выдержка и годами выработанный автоматизм, чтобы не сплоховать.

Человек в кожаной куртке сплоховал. Он помедлил посреди зала, а потом быстрым шагом пошёл, почти побежал прочь.

Никита Новиков что-то закричал ему вслед.

Хабаров бросил на стол деньги — чтобы не было погони в лице официантки! — и выскочил на улицу.

Человек в кожаной куртке дёргал стартёр мотоцикла, пытаясь его завести, тот фыркал и не заводился. Парень оглядывался на дверь, скалил зубы и всё отчаяннее дёргал стартёр.

Хабаров стремительно приближался.

По мощёной улице прогрохотал грузовичок. Маршрутка притормозила, из неё выскочил мальчишка и побежал, подпрыгивая, как заяц, рюкзак скакал у него на спине. Пожилая женщина одной рукой катила коляску, другой совала младенцу соску. Девицы щебетали на автобусной остановке. Солнце отражалось от золочёного купола храма. В кустах возились воробьи, и жирный голубь, треща крыльями, взлетел на подоконник второго этажа.

Всё это Хабаров увидел как будто одним взглядом.

До мотоцикла оставалась пара шагов.

Человек в кожаной куртке зарычал, с силой толкнул мотоцикл на Хабарова и побежал.

Хабаров перескочил через упавший мотоцикл и помчался за ним.

Парень в кожаной куртке перебежал дорогу перед фурой, которая громко и обиженно заревела, а Хабаров не успел. Он переждал, когда фура проедет, и увидел бегущего уже довольно далеко впереди.

...На бегу он не станет стрелять! Нельзя дать ему остановиться и прицелиться.

...Вся надежда на Джахан.

Она выскочила из подворотни наперерез бегущему, он сделал обманное движение, Хабарову показалось, что он чем-то её задел. Она упала на колени, и бабуся с палочкой, неторопливо шествовавшая по тротуару, стала растерянно тащить её под локоть.

Когда Хабаров подбежал, Джахан уже поднялась, и они ринулись оба — догонять.

Парень в кожаной куртке свернул в синие гофрированные ворота, за которыми гудел экскаватор и с силой колотил в грунт чугунный молот копёра. Земля вздрагивала и двигалась под ногами.

— Стой, стой, куда! Куда прёшь?!

Человек в куртке оттолкнул рабочего, попавшегося ему на пути, тот замахал руками и спиной повалился в неглубокий котлован.

— Твою мать!

Перепрыгивая через кучи песка и попадая в лужи, Хабаров добежал до развалин дома. Тот, кого они преследовали, скрылся внутри.

— Не пускай сюда никого! Слышишь, Джо?!

...Внутри было сумрачно и пыльно — старинный полуразрушенный дом, от которого целыми остались только наружные стены. Широкая лестница, кое-где осыпавшаяся, словно висела в воздухе — нижних ступеней не хватало. Подтянувшись, Хабаров закинул себя на лестницу и побежал вверх. Над головой он слышал топот, пыль и мелкие камушки сыпались оттуда, попадали в глаза.

...Здесь уже можно остановиться и прицелиться. У того парня есть на это несколько секунд. Более чем достаточно.

Шум стройки остался внизу, под ногами, и Хабарову казалось, что он слышит дыхание противника.

Лестница всё не кончалась, сколько же здесь этажей?! Их не может быть сто, никак не может!.. Слева и справа зияла пропасть, перекрытия были разобраны, и некуда отступать, если придётся.

Выглядывая из-за очередного пролёта, чтобы не угодить под выстрел, Хабаров увидел над собой распластавшуюся гигантскую летучую мышь, которая готова была вцепиться ему в голову. Он отшатнулся, потерял равновесие и чуть не полетел вниз.

Мышь спикировала на ступени, оказалось, что это чёрная кожаная крутка.

Значит, оружия нет. Выстрелить проще и эффективней, чем бросаться куртками!

Хабаров подпрыгнул, уцепился за трухлявую деревянную балку, покачался над бездной, подтянулся и перемахнул на следующий пролёт.

Тут лестница заканчивалась. Площадка последнего этажа была не разобрана, здесь торчала заляпанная краской стремянка, приставленная к лазу на крышу. Хабаров увидел над головой ноги в мотоциклетных ботинках. Человек с силой толкнул стремянку, она упала, и шаги загрохотали сверху по крыше.

...Твою мать!..

Он поставил стремянку, выбрался на крышу и зажмурился — здесь оказалось слишком много света. И оглянулся.

Следом за ним выбралась Джахан.

— Где он?

Зелёная крыша, нагретая солнцем, была с перекатом, и на этой стороне никого.

— Ушёл?

Внизу по-прежнему грохотало, старинный дом чуть заметно подрагивал.

— Ты с той стороны, я с этой. Оружия у него нет.

Крыша была неровная, латаная, во вздутиях и проплешинах ржавчины. Возле слухового окна торчали какие-то палки, по всей видимости, остов разрушенной голубятни. Ставня болталась на одном гвозде, поскрипывала от ветра.

...Нет никакого ветра!.. Здесь, на крыше, полное затишье и марево, как бывает летом в самую жару.

На корточках Джахан подобралась к самому оконцу, и когда человек выпрыгнул на неё, она была готова. Она ударила его ногами, он вцепился ей в горло и в правую руку, они покатились, и только игрушечный барьер, ограждавший водосток, удержал их от падения.

Парень хрипел и наваливался на неё, краем глаза она видела сверкающую пустоту, а в ушах у неё звенело от боли и нехватки воздуха, он теснил её и сбросил бы, но тут что-то отшвырнуло его наверх в сторону слухового окна, он распластался на зелёном железе и замер.

Хабаров взял Джахан за руку и потянул.

Она с трудом села. Дышать было тяжело.

— Кто это?

Хабаров присел рядом с ней.

— Певец. Из Дашкиного «Тамбов-Паласа». Я видел его в холле, когда мы в первый раз собирались вместе.

— Певе-ец, — протянула Джахан уважительно.

Обеими руками она вцепилась себе в голову, проделала странные манипуляции, как будто старалась сама с себя снять скальп, волосы оторвались и остались у неё в пальцах.

— Хорошая штука, — сказала она, кивнув на парик. — Я думала, быстрей отвалятся. А они продержались.

Её собственные волосы были стянуты на затылке туго-туго.

— Хорошая, — согласился Хабаров. — Даже я тебя почти не узнал там, в баре.

— Да ладно.

— Особенно когда ты повторяла «Да что ты говоришь?!» И ещё задницу вот так оттопыривала. У тебя на ней цветы.

— Розы, — сказала Джахан. — Как это ты заметил?

— Ну, такое трудно не заметить. Что ты сделала с его мотоциклом?

— Вывернула свечи.

— Как ты поняла, что это он? Ты же никогда раньше его не видела?

Она улыбнулась.

Она улыбнулась и положила руку ему на голову.

Она улыбнулась, положила руку ему на голову и притянула его к себе.

— У меня дьявольская интуиция, — проговорила она, губами касаясь его губ. — Хотя на самом деле я увидела в окно человека на мотоцикле! Проще простого.

Хабаров потянулся было к ней, но она не далась, вывернулась и оставила его с носом.

— Зачем он от тебя побежал? — спросила она.

Хабаров пожал плечами:

— Нервы сдали. Я так и думал. Я смотрел на него и думал: сейчас он сделает глупость. И он сделал.

— Странно.

— Да нет. Ты же знаешь, так бывает.

Лежащий зашевелился, привстал на локтях и потряс головой.

— Аккуратней, — сказал ему Хабаров. — Не свались.

И, придерживаясь рукой за утлую оградку, поднялся.

— Не подходи ко мне, — негромко сказал певец. — Слышишь?! Не подходи!

В негромком голосе было нечто, заставившее Хабарова остановиться. Всего одна нота, но он остановился.

— Да всё уже, — сказал Алексей Ильич, словно пробуя почву. — Дальше бежать некуда. Лучше не пытаться.

— Загнали, — простонал певец из ресторана «Тамбов-Паласа». — Как зверя загнали!.. М-м-м, сволочи, суки!..

Джахан мгновенно посмотрела на Хабарова.

— Не подходите ко мне! — закричал певец. — Стоять! Не сметь!.. С собой заберу, паскуда!.. Хоть одного!..

И сверху он ринулся вниз на Джахан.

Хабаров метнулся ему под ноги, но не успел.

Истлевшее железо проломилось, и парень ухнул вниз, в рваную неровную дыру. Величайшее изумление в последний миг отразилось на его лице, потом сильно загрохотало, и из дыры поднялось облако пыли.

Хабаров подполз к дыре и посмотрел.

Певец лежал далеко внизу, неестественно вывернув шею. Балка, свороченная во время падения, неторопливо покачивалась из стороны в сторону. В солнечном столбе сыпались щепки, куски дранки и старых обоев.

Джахан тоже подползла и заглянула. А потом они уставились друг на друга.

— Профессионалы, твою мать, — выругалась Джахан, которая не материлась *никогда*. — Живым не смогли взять!..

— Я виноват. Я неправильно его оценил.

— Да какая теперь разница, кто виноват!

— Джо, нам нужно уходить отсюда. Только не вниз, а куда-нибудь... в сторону.

— Согласна.

Они разом отпрянули от дыры в крыше. Джахан села на пятки и стала оглядываться. На зелёной краске в том месте, где она только что лежала, остался смазанный тёмный след.

Хабаров посмотрел на след, а потом на её живот.

Тугая джинсовая курточка — часть маскарада — снизу была мокрой и более тёмной.

— Он меня задел, — объяснила Джахан, не поворачивая головы. — Ножом. Ничего страшного, небольшая кровопотеря. Хорошо, что куртка чёрная.

— Не ходи за мной.

Хабаров обежал крышу по периметру.

...Кровопотеря — это не страшно. Это ерунда. Перевязать, и не будет никакой кровопотери.

...Ни разу за все годы её не ранили. Ни разу он не видел её крови. Это было как бы само собой разумеющимся — ранить могут только его. Однажды она сказала, что не даст ему возможности сидеть возле её койки в госпитале — это было бы слишком пошло!..

В одном месте можно попытаться перепрыгнуть. Всего метра три до соседней крыши.

Но у нас кровопотеря. Небольшая и нестрашная. Как прыгать с крыши на крышу, истекая кровью?..

— Давай, Джо. Я тебе помогу.

Она поднялась чуть медленнее, чем обычно, и опёрлась на его руку чуть тяжелее, чем всегда.

— Сможешь?

Она сосредоточенно кивнула.

Хабаров, чувствуя, что у него вот-вот «сдадут нервы», твёрдо взял её за плечо и посмотрел в лицо.

...Можно просто сойти вниз, и всё. По ступенькам. По той самой лестнице, которая висит в воздухе и которая сейчас кажется самым безопасным местом на земле! Ничего не случится! Нас задержат, а потом отпустят. Не сразу, но всё равно отпустят. Мы потеряем время, возможно, упустим противника. Скорее всего, нам придётся начинать сначала, но это совсем не страшно.

...Небольшая кровопотеря — это тоже не страшно. Если не прыгать с крыши на крышу.

— Джо, мы можем просто спуститься вниз.

— Не можем.

— Ты можешь остаться здесь.

— Не могу.

— Тогда ты первая.

Она сосредоточенно кивнула.

...Расстояние совсем пустячное. Откуда они только не прыгали!.. Нужно сосредоточиться и ничего не бояться. Нужно быть уверенным, что допрыгнешь, и тогда всё будет хорошо.

Джахан немного отошла от края. Разбежаться было негде, но она попыталась хотя бы немного — и прыгнула.

Она приземлилась на самый край соседней крыши, не на полную стопу, чуть-чуть не долетела. Её стало заваливать назад, она сильно качнулась, но Хабаров уже перескочил на ту сторону и подхватил её.

Джинсы с вышитыми на попе розами тоже постепенно промокали.

Они перебежали на другую сторону, Хабаров поддерживал Джахан. Там была металлическая лесенка и ещё одна крыша, на которую просто можно было спуститься.

Они миновали её, а потом ещё одну.

Дальше был переулок и больше никаких крыш. Теперь они оказались на уровне второго этажа.

Особнячок был старый, довольно приземистый, чердак заколочен.

Хабаров лёг на живот и посмотрел вниз во двор.

Значит, на балкон с витой решёткой, оттуда на козырёк подъезда, и всё.

Он подвёл Джахан к краю, ловко, как белка, спрыгнул на крохотный балкончик, и за руку потянул её на себя. Она сделала неловкое движение, перевалилась и почти рухнула на него. Он едва удержался на ногах.

— Перелезай.

Она посмотрела на него.

— Перелезай через решётку, Джо. И держись крепче.

Как во сне она перелезла через решётку, Хабаров не отпускал её. Вдвоём они прыгнули на козырёк, который дрогнул и закачался под ними.

— Хулиганы! — закричали из окошка на втором этаже, и высунулась возмущённая старуха. — Паразиты! Полиция! Звоню в полицию!

На руках Хабаров спустил Джахан с козырька и приземлился рядом.

Старуха из окна грозила им жилистым кулаком и поливала на чём свет стоит.

Пригибаясь, как под обстрелом, они побежали к выходу со двора.

Когда они выскочили на улицу, мимо них пронеслась «Скорая» и затормозила через три дома возле синих гофрированных ворот.

— Хочешь, я скажу тебе формулу яда, которым отравили Цветаева? — чуть задыхаясь, предложила Джахан.

Он соображал, как быстрее добраться до дома.

— Где свечи, которые ты вывернула из мотоцикла?

Она полезла в передний карман и достала металлические тупорылые столбики. Хабаров забрал их у неё с ладони и крепко взял её под локоть.

— Так что там с формулой?

Она молчала, крепко сжав губы, и сосредоточенно шла, держась за него.

— Сейчас, — сказал Хабаров. — Уже немного осталось.

Они добрались до мотоцикла, так и стоявшего возле бара «Тамбовчанка». Он вкрутил свечи, дёрнул стартёр, мотор взвыл и застучал. Он посадил Джахан перед собой, обнял с двух сторон, оттолкнулся и нажал на газ.

Звонок не работал. Макс нажал ещё раз и прислушался. За чёрной дерматиновой дверью было тихо.

Тогда он постучал. Удары глухо отозвались в подъезде, утонули в старых досках и почти осыпавшейся штукатурке.

Дом был такой трухлявый, что казалось непонятным, почему он ещё стоит, давно должен был завалиться! Деревянная щелястая лестница скрипела и ходила ходуном под ногами. Входных дверей оказалось две — с улицы и со двора, и от этого в подъезде было шумно и пыльно.

Макс определил дату постройки здания от девятисотого до девятьсот шестого года.

Значит, никого нет дома.

Он пошёл было прочь, уже взялся за хлипкие, крашенные коричневой краской перила, но дерматиновая дверь внезапно распахнулась.

— Извините, пожалуйста, — сказала девушка. — Я не сразу расслышала, что вы стучите. Проходите, пожалуйста.

Очень удивлённый, Макс Шейнерман поздоровался и «прошёл».

Прихожая была настолько тесной, что он непроизвольно повернулся боком, протискиваясь между вешалкой с грудами одежды и книжными полками, стоящими друг на друге — от пола до потолка. В полках были зелёные волнистые стёкла.

Макс оглянулся.

— В комнату проходите. — Девушка показала рукой, куда именно следует проходить, хотя путь был только один.

В комнате оказалось светло и изумрудно, как будто в окна тоже вставлены зелёные волнистые стёкла. Подоконник уставлен цветами в горшках, и от них получался такой странный свет.

— Садитесь, — предложила девушка, словно принимала дорогого гостя. — Хотите чаю? Или кофе? Я могу сварить кофе.

Если б она не была красива — по-настоящему красива, без дураков, — он отказался бы, конечно!

— Кофе, — сказал Макс Шейнерман. — Если можно.

— Конечно! — как будто обрадовалась она. — Я сейчас.

И вышла.

Макс огляделся. На полу и стенах висели и лежали разнообразные ковры, в основном старые, толстые, с бордовыми и зелёными розами. Должно быть, гнилые доски этого дома продуваются насквозь, и ковры — единственное спасение. Посреди комнаты стоял круглый стол с откинутой до половины скатертью. На деревянной половине стола как бы был кабинет — компьютер, тетрадки, ручки и бумаги, на другой, застеленной, будто столовая — вазочка с орехами, салфетки, литая чугунная подставочка, по всей видимости, для чайника.

С левой стороны диван, старинный, массивный, с деревянными подлокотниками и монументальными кожаными подушками, наводившими на мысль о кабинете товарища Сталина в Ближних Горках. За диваном этажерка и книжный шкаф. С правой стороны полукруглый бок чугунной печки, перед заслонкой на полу железный лист, кучкой сложены щепки и отдельно дрова. Простенок между печкой и окном занимала горка с разнообразной посудой.

Таким образом комната, как и стол, делилась на две части — сталинско-кабинетную, с книгами и диваном, и легкомысленно-житейскую, с печкой и вазочками.

...Странное место. И странный приём!..

Вошла девушка, установила поднос на ту половину стола, где следовало жить светской жизнью, и снова пригласила:

— Садитесь!

Кофе был в турке, и пахло от него правильно — крепко и упоительно. Запах кофе для Макса был одним из важных жизненных удовольствий. Когда становилось невозможно пить — начинала болеть голова и молотило в висках, — Макс просто нюхал кофе. Чашки тоже были правильные, ну, почти правильные. Конечно, неплохо, если бы они оказались поменьше, но и такие сойдут. Сахар был колотый, не песок.

Тут Макс окончательно развеселился.

— Вам с молоком? — приветливо спросила девушка.

— Нет, нет.

Осторожно, стараясь не взболтать, она налила глоток кофе и подала ему. Он взял. Ему хотелось улыбаться.

Они пригубили из своих чашек и посмотрели друг на друга.

— Между прочим, вот этот ковёр, — Макс показал какой именно, — совершенно особенный.

Она вытянула шею и посмотрела.

— Почему особенный? Он просто самый старый.

— Старый, — согласился Макс. — Это старый иранский ковёр из мечети.

— Из... мечети?

— Это можно понять по узору. И по цвету. Ему лет двести, да? Ну, двести тридцать!

Девушка недоверчиво посмотрела на Макса, а потом на свой ковёр.

— Я не знаю, — сказала она. — Это дедушкин. Он говорил, что турецкий.

— Нет, нет, иранский.

— Как интересно! — Она улыбнулась. — Сразу разглядели! Вы разбираетесь в коврах?

— Я немного понимаю в прикладном искусстве.

Она кивнула, словно принимая объяснение, и ещё отпила из чашки.

— Хорошо, — сказала она, словно подводя черту. — Давайте я посмотрю и скажу, когда успею.

— Что посмотрите? — уточнил он.

Она удивилась.

— Вашу работу!

Он окончательно развеселился:

— Мою работу?..

...Нет, он понимал, конечно, что она принимает его за кого-то другого, но так забавно было ставить её в тупик и наблюдать, как она начинает волноваться.

Если бы она не была такой красивой, в этом не было бы ничего забавного!..

— Вам же нужен перевод, да? — спросила она и покраснела. — Вам нужно перевести работу?

— Нет, — сказал он. — Не нужно.

— Подождите, подождите. — Она и впрямь заволновалась. — Вы кто? Зачем вы пришли?

— Меня зовут Макс Шейнерман, и я пришёл к Елизавете Хвостовой.

— Я и есть Елизавета Хвостова!.. Но если вам не нужен перевод...

— Мне нужна книга.

— Какая книга? — Она смотрела на него почти умоляюще.

...Он давным-давно так не развлекался. Ощущение было школьное, лёгкое — он просто болтает с девушкой, ему нравится с ней болтать, у него есть на это ещё немного времени, прежде чем начнётся работа — он ведь на самом деле не просто так пришёл, и книга интересует его меньше всего.

— Нет, подождите, объясните, — продолжала она. — Что вы хотите?

— Вы взяли в библиотеке книгу Виктора Мизиано «Пять лекций о кураторстве». Помните? И до сих пор не вернули. Она нужна мне для работы. Вот я и пришёл. За книгой.

...В одном этом выражении — «я пришёл за книгой» — была гимназическая прелесть, чудный предлог, как в старом романе.

— Господи, — сказала Елизавета Хвостова растерянно. — Я ничего не поняла! Извините меня!

— Что вы, что вы.

— «Пять лекций», да, конечно. Сейчас...

Она поднялась и почти бегом помчалась на «сталинскую половину» к шкафу. Макс смотрел на неё.

У неё были волосы до плеч, светлые и лёгкие. На концах они завивались в разные стороны и казались светлее, чем на макушке. Полные, словно постоянно улыбающиеся губы и чётко очерченные скандинавские скулы. Вся она была лёгонькая, но очень соразмерная, с хорошо вылепленной грудью и прочими округлостями именно там, где надо. Самым замечательным было то, что красота её существовала как будто отдельно от неё, она не обращала на неё никакого внимания.

Как правило, девушки, знающие о том, что красивы, озабочены тем, чтобы «подать себя», «произвести впечатление», им не всё равно, как сидеть, как двигаться, как смеяться. Они всё время помнят о том, как выглядят со стороны. С этой самой «стороны» они всегда должны выглядеть превосходно! Они и волосы поправляют не потому, что они им мешают, а для того, чтобы продемонстрировать красоту — на манер породистой собаки на ринге, которую научили стоять особым образом, чтоб судьям была видна их, собачья, красота!..

Елизавета Хвостова ни о чём таком не заботилась. Она искала в шкафу книгу.

— Я, знаете, её так и не осилила, — говорила она из-за стекла. — Попыталась, и... нет. Мне Пётр Сергеевич, директор библиотеки, так и сказал.

— Сказал, что не осилите?

— Ну да. Он говорил, что такие книги, как эта или, например, «Осень Средневековья», без подготовки нельзя читать. «Осень» я тоже у него просила... Где ж она?.. Уф, вот, нашла!

И она вынырнула из шкафа с серой книжкой в мягкой обложке.

— Вы меня извините! Я давно в библиотеке не появлялась, мне нужно было перевод сдавать, а потом у них директор умер, и я... В общем, не ходила.

— Что вы переводите?

— Разное!.. Что попросят. Всякие сложные инструкции, иногда документы. Студентам курсовые делаю. У нас есть филологический факультет, там английский и французский преподают, а студенты всегда ленятся сами курсовые писать. Статьи из журналов часто заказывают, школьной лексики не хватает!.. Я и подумала, что вам нужен перевод!

— Вы работаете переводчиком? — Макс не очень представлял себе, как именно можно работать переводчиком в Тамбове.

— Не-ет. — Она удивилась. — Я так подрабатываю. Дома и в картинной галерее! А работаю на телевидении редактором.

...Переводчик, редактор, книга по музейному кураторству, картинная галерея. Нужно перестать забавляться и начинать думать всерьёз.

— Я тогда скажу в библиотеке, что книгу вам отдала, хорошо? А то они с меня спрашивать будут, там у них строго!..

Она вдруг смутилась, и Макс понял, в чём дело.

— Максим Шейнерман, — представился он ещё раз. — Искусствовед.

Елизавета посмотрела на него. Он улыбался, но почему-то ей показалось, что он насторожен или даже рассержен. Только что он был совсем другим.

— Максим Шейнерман, — повторила она медленно, вспоминая. — Да, сейчас ... Подождите, у вас же тоже есть книга! Правильно? «Весёлый новый век» о мирискусниках!

— Всё верно. Как это вы вспомнили?..

— Мне вашу книгу Пётр Сергеевич тоже не дал! — Она засмеялась. — Сказал, что я могу посмотреть иллюстрации! Они прекрасно подобраны!

...Да. Большой шутник был Пётр Сергеевич Цветаев!..

— Вы у нас в Тамбове по делам? Или у вас здесь родственники?

— Я собирался посетить картинную галерею.

— Слушайте, это замечательно! — Она явно пришла в восторг. — Хотите, я вас провожу? Здесь недалеко! Нет, вы не подумайте ничего такого, просто к нам не каждый день приезжает Максим Шейнерман! И это чудеса, что мы с вами так случайно познакомились!

Ни в чудеса, ни в случайности Макс не верил.

— У меня есть знакомая Елизавета Хвостова, — начал он. — Она коллекционер. Я когда увидел ваше имя в карточке, подумал, что, может быть, вы родственница...

— Нет, вряд ли, — живо отозвалась Елизавета-вторая. — У нас никого нет, ни двоюродных, ни племянниц.

— То есть вы совсем одна?

— В каком смысле? У родителей дом в пригороде, а здесь раньше бабушка жила. Дед давно умер, его в войну совсем малышом в Германию угнали, он после этого болел долго и умер рано. А бабушка сейчас с родителями живёт. — Елизавета объясняла всё это очень обстоятельно и как-то так, что Макс слушал с удовольствием.

...Интересно, какие у неё родители и бабушка? Он попытался представить. Родители наверняка инженеры, или так — отец военный, а мать врач. Бабушка ... кем может быть бабушка такой вот Елизаветы Хвостовой? Учителем литературы, пожалуй. Она должна быть в очках, коротко стриженная, громогласная и очень деятельная.

— Ваша бабушка учительница литературы?

Она удивилась.

— Нет, бабушка — врач. Почему вы так решили?.. Мама — учительница литературы!

— Я всё перепутал.

Она засмеялась.

— А паспорт вы не теряли? — спросил он.

Елизавета удивилась:

— Теряла! А почему вы спрашиваете? Я в Москву ездила и где-то там посеяла. Потом целая история была, в поезде теперь тоже нужно показывать паспорт! Ну, я как-то выкрутилась. Пойдёмте?.. Я только обуюсь.

Они вышли на улицу, Елизавета поправила шарф и потянула носом воздух.

— Как я люблю весну! — воскликнула она. — Особенно здесь, у нас! Скоро всё зацветёт, сады будут в такой дымке. А ведь ещё даже не май. То есть всё впереди. Вы в Москве живёте?

— В основном в Прибалтике. В Москве я работаю

Она значительно покивала, признавая, что есть такие особенные люди, которые живут в одном месте, а работают в другом. Например, живут в Париже, а работают в Нью-Йорке, это так здорово!..

— У вас очень старый дом.

— Да, — подхватила Елизавета, — начало прошлого века. Совсем дряхлый старичок. Я всё боюсь, что его снесут или он сам рухнет. Вот ужас.

— В таких домах, должно быть, неудобно жить.

— Не очень, — согласилась Елизавета, помедлив, и спрятала нос в шарф, ветер был сильный и свежий, словно со снеговых гор. — Но я люблю, чтоб была история, понимаете? У вещи или у дома. Или у человека!

— Пожалуй, понимаю.

— Конечно, щели, конечно, дует, а как же! Зимой рамы ватой забиваем, и всё равно несёт. Двери не закрываются, сквозняк. Ну и что? Зато окна какие, потолки! Вы обратили внимание на балки?

— Обратил, конечно.

— Ну вот! Когда смотришь на эти балки, хочется сделать что-нибудь великое.

Макс засмеялся.

— Нет, правда! И самое главное, всё есть. Газ есть, горячая вода есть. Чуть-чуть бы подлатать нашего старика, он бы ещё сто лет прожил!

— Это вы про дом?

— Это я про дом.

Некоторое время они шли молча.

Елизавета время от времени косилась на искусствоведа с мировым именем. Искусствовед как раз очень походил на человека, который живёт в Женеве, а работает, допустим, в Лондоне — иначе зачем ему мировое имя!.. Он был смуглый, ухоженный, словно до блеска отмытый. Отросшие волосы шевелил ветер. Одежда — подогнанный пиджак, футболка, узкие джинсы, легкомысленное пальтецо и кеды — делала его похожим на персонаж из модного журнала. Елизавета любила модные журналы с фотографиями! На фотографии в журнале он сошёл бы за концептуального режиссёра, популярного писателя, или — да, искусствоведа.

Как его занесло к ней в дом?.. Правда чудеса!.. Сейчас в галерее он наделает переполох, а как же иначе!.. Она предвкушала и веселилась.

Её немного смущало, что он словно чем-то недоволен. Впрочем, какая ей разница!

— А кем вы работаете в галерее? — в конце концов спросил Макс. — Тоже переводите?

— Ну да, — кивнула Елизавета. — Статьи из Pictures and Arts и из Museum International. Письма всякие. У нас очень хорошая галерея, мы часто на выставки ездим, то в Бельгию, то в Голландию. Не самые знаменитые музеи приглашают, но вполне респектабельные.

— И вы тоже ездите?

— Меня пока не берут, — беззаботно откликнулась Елизавета. — У меня всё впереди, так говорит наш управляющий.

— Какой оптимист, — пробормотал Макс.

...Чем объяснить, что некая Елизавета Хвостова уже встречалась с ним совсем в другом месте и совсем по другому делу?.. Совпадение? Не бывает таких совпадений, хотя нельзя сказать, что имя какое-то небывалое, редкое. Имя как имя. Всё остальное вполне логично — книга нашлась и, судя по штампу, была на самом деле взята из библиотеки имени Новикова-Прибоя, адрес в карточке указан верный, девушка не была ни взволнована, ни обеспокоена его визитом.

Посмотрим, что будет дальше.

Тамбовская художественная галерея располагалась в просторном доме в стиле классицизма — высокие окна, строгие портики, мраморные ступени. Вокруг был «старый Тамбов» — особняки, липы, сквер на той стороне, львы по обе стороны подъезда. У львов были немного облупившиеся носы, и морды от этого казались удивлёнными.

Девушка потянула на себя тяжеленную дверь с латунными украшениями. Макс дверь перехватил.

— Я вас провожу сразу к управляющему, — говорила Елизавета на ходу. — Сейчас все на месте, до обеда ещё далёко. Хотя обедаем мы на работе, домой ходить как-то не принято. Я однажды ушла, и мне потом выговор сделали. То есть не в прямом смысле — выговор, а пожурили просто.

...Даже если бы она не была так красива...

Нет, нет, не так. Если бы она была совсем некрасива, но так же улыбалась, говорила и двигалась, от неё всё равно невозможно было бы оторваться.

— От вас невозможно оторваться, — сказал Макс Шейнерман ей в спину.

Она оглянулась:

— А?..

— Я говорю, пожурили — хорошее слово.

— Здравствуйте, Алиса Петровна, — громко сказала Елизавета в сторону деревянной будочки с надписью «касса». Будочка ютилась в углу просторного вестибюля, в окошке горел жёлтый свет и выглядывала любопытствующая старушенция. — Мы к управляющему!

Голоса гулко отдавались от высоченных потолков и стен мраморного парадного. Три широкие ступени вели к другой, большой, лестнице, которая полого поднималась к высоким окнам, занавешенным римскими шторами. У лестницы перед турникетом сидел человек в форме и читал газету.

Завидев Елизавету, он сначала посмотрел поверх очков, потом определил их на лоб и посмотрел под очками, задрав щетинистый подбородок.

— Яков Андреевич, мы пройдём?

Вахтёр солидно кивнул и нажал кнопку. На панели загорелся зелёный глазок, и турникет провернулся.

...Пётр Сергеевич Цветаев совершенно точно был большой шутник, но вряд ли он мог спрятать то, что они ищут, именно здесь! Вся охрана — благожелательный дедок с газетой и турникет. Или это первое впечатление, а на самом деле тут форт Нокс?

— Ну вот, наша галерея. Сейчас как раз выставка художников двадцатых годов. Можно потом сходить посмотреть. Это ужасно интересно! На чём они писали, уму непостижимо! На картонках, клеёнках, на резинках каких-то! Одна работа есть на кафельной плитке, представляете? То есть художник нашёл где-то кусок кафельной стены или выломал в богатом доме и написал картину.

— Я знаю, — кивнул Макс. — Я сталкивался с такими работами.

Елизавета вдруг остановилась, так что он чуть не налетел на неё.

— Вы меня извините, — сказала она совершенно искренне. — Я морочу вам голову своими копеечными познаниями, а вы...

— Искусствовед с мировым именем, — подсказал Макс.

— Правда извините!..

...Ему хотелось ухаживать за ней: пойти на выставку художников двадцатых годов и там поразить её воображение глубокими знаниями. Продекламировать сонет Шекспира, и непременно по-английски. Пригласить покататься на яхте и пройти весь Ботнический залив — вдвоём, без всяких сопровождающих. Слетать на выходные в Берлин или съездить в Москву — в Берлине сейчас выставлен весь авангард, а в Москве Зинаида Серебрякова.

...Это всё невозможно, но самое невозможное, что он больше никогда её не увидит.

— Управляющего зовут Бруно Олегович, — продолжала Елизавета, понизив голос. — А его заместительницу Наталья Сергеевна.

Она налегла на тяжёлую дверь — все двери в этом здании казались тяжёлыми, — решительно прошла через пустую приёмную и заглянула в кабинет:

— Можно, Бруно Олегович?

Из кабинета донёсся голос, довольно сердитый, слов Макс не разобрал. Елизавета улыбалась растерянно, кивала и продвигалась назад, в приёмную. Чего доброго их сейчас выставят вон!..

Макс перехватил дверь, зашёл в просторное и светлое помещение и сказал очень вежливо:

— Прошу меня извинить, я без предупреждения. Госпожа Хвостова любезно вызвалась меня проводить, я тут человек новый.

— Вы Шейнерман?! — спросили из-за стола, и произошло какое-то движение, вернее даже воздвижение, загородившее свет, — человек-гора поднялся на ноги. — Вы же он! Или нет?

— Да, — согласился Макс. — Он — это я.

— Я пойду, — тихонько проговорила Елизавета.

— Подождите, — велел он. — Вы мне нужны.

...Ох, это правда. Так и есть. Она ему нужна.

— Проходите, проходите! Вот уж гость так гость! Вот неожиданность какая! Бруно Черпухин, здешний директор! Какими же судьбами вы к нам?.. И без предупреждения!..

Человек-гора, улыбаясь во весь рот, далеко вперёд протянул руку и так, с вытянутой рукой, пошёл к Максу.

Макс на лету подхватил мощную ладонь и пожал.

— Чай? Кофе? Может, бутербродов? Как же мы не знали! Лиза, детонька, выручай, секретарша сегодня в детском саду, у внука выпускной бал! Представляете, теперь везде балы, даже в детсадах! Что дальше будет, непонятно!

— Спасибо, мне ничего не нужно, я просто так заглянул... познакомиться.

— Да как это так — не нужно, что значит, не нужно! Лиза, детонька, давай, давай пошустрей! Всё что есть! И Наталью Сергеевну разыщи, она где-то в запасниках. Или, может, в экспозиции!..

Елизавета Хвостова посмотрела на Макса смеющимися глазами и выскочила из кабинета, на ходу разматывая свой шарф.

Громкоголосый и курпулентный директор хлопотал над Максом, как наседка. Таким макаром он, пожалуй, переполошит весь курятник!..

— Да вы не стесняйтесь, Максим... как вас по батюшке?

Макс сказал, что не нужно батюшку, и сел за длинный полированный стол, торцом приставленный к директорскому. Прямо перед ним на противоположной стене оказалась картина — очень хорошая. Макс посмотрел, отвернулся и ещё раз посмотрел.

— Какими же судьбами к нам? — продолжал хлопать крыльями директор. — Что привело, так сказать?.. У нас музей достойный, хороший, но ничего особенного, не из ложной скромности говорю, а со знанием дела! Таких специалистов, как вы, у нас не бывает никогда!..

— Я иногда езжу в музеи, — сказал Макс. Это была чистая правда. — Именно в достойные и хорошие!.. Прада, Эрмитаж, Орсе и все остальные — совсем другая история.

— Другая, другая, — подхватил директор. — Абсолютно другая!

Он пристроился напротив и то и дело оглядывался на дверь, словно был не уверен в своих силах и ожидал подкрепления.

Зачем явился знаменитый эксперт, он не понимал и видел в этом подвох. Кто его прислал? Зачем его прислали? Может, случилось что-то, а он, директор, об этом даже не знает? Может, готовится ревизия фондов или назначение нового руководства? Может, он проштрафился по-крупному и даже не догадывается об этом? Сейчас работать, особенно в культуре, всё равно что по минному полю с завязанными глазами идти — не знаешь, когда рванёт, то ли сейчас, то ли через час, и где рванёт, то ли в стороне, то ли под ногами!

Директор нервничал, шумел, двигался, крутил в пальцах карандаш и в конце концов сломал его пополам.

— Я во Владимире недавно был, там отличный музей, в Саратове прекрасная галерея, — говорил Макс неторопливо. Он знал: чем медленней и размеренней говоришь, тем быстрее успокоится собеседник. — А здесь, в Тамбове, у меня приятель жил, давно приглашал приехать. Цветаев, директор библиотеки. Не знакомы?

Бруно Олегович уставился на Макса:

— Пётр Сергеевич?! Как же не знакомы! Разумеется, разумеется, только ведь с ним... беда случилась... недавно... Вы не осведомлены?

Макс вздохнул:

— Осведомлён. Приехал и вот, не застал.

— Да, такое горе, такая потеря! И специалист большой, и человек превосходный, отличный человек!.. Немного нелюдим, но книжным людям это свойственно.

— Вы с ним дружили?

Бруно развёл огромными ручищами и опять покосился на дверь. Где там эта Лизонька застряла, чёрт её побери, и Наталья Сергеевна не идёт!..

— Как вам сказать, чтоб не соврать! И дружить не дружили, и приятельствовали не слишком... тесно. На областных конференциях по культуре встречались, в Ленинград ездили, то есть в Петербург, конечно! Там «круглый стол» собирали по развитию русской провинции. Он к нам в галерею школьников направлял, это такая у него затея была, хорошая, между прочим, затея!.. Как начинают, допустим, «Кавказского пленника» проходить, так в библиотеке чтения, а у нас батальные художники того же, так сказать, периода. Экскурсию, значит, проводим! Это сам Пётр Сергеевич придумал и воплотил!.. И такая нелепая смерть! И так не вовремя! Впрочем, вовремя ведь никогда не бывает...

Макс сочувственно кивал.

— Да что ж это дамы наши не идут! — в сердцах прервал себя директор. — А вас что интересует, Максим... как по батюшке? Да, да, просто Максим! Может, особенное что-то хотите посмотреть?

— Выставку двадцатых годов с удовольствием, — сказал Макс. — А специализируюсь я на мирискусниках.

— Это нам известно, это мы знаем! У нас коллекция небольшая и не слишком приметная, но покажем, всё покажем!..

— А это кто писал? — Макс кивнул на стену.

— Что писал? — Бруно оглянулся и удивился, как будто увидел картину первый раз. — Это наш местный художник, молоденький совсем! А что? Почему вы спрашиваете? Неприличная, да?.. Плоховатая?

На картине были изображены осевшие сугробы, серые тени, белое небо, какое бывает только самой ранней весной в тихие и тёплые, неподвижные, словно затаившиеся дни, небольшая церковь за покосившимся штакетником, а на переднем плане возле штакетника поленница дров. Максу казалось, что из рамы тянет запахом талой воды и мокрого дерева.

— Отличная работа, — сказал Макс искренне. — Просто превосходная!

— Ну, спасибо, похвалили! А я думал, ругать станете! Тут ведь... всё просто, понятно, а сейчас чем непонятней, тем лучше... Это Илья Кондратьев писал, нашенский, говорю же, коренной. У самого Матвея Вильховского, говорят, учился. Хотя Вильховский учеников не берёт. Он же величина!

— Величина, — согласился Макс. — Ещё какая.

— Пётр Сергеевич эту работу тоже выделял, — с особой доверительной интонацией проговорил Бруно. — Нравилась она ему. А художник совсем мальчишка!

В коридоре зазвучали шаги, заговорили голоса, и в кабинет ворвалось сразу несколько человек под предводительством дородной запыхавшейся тётки в зелёном платье.

— Не может быть! — задушенным голосом начала тётка с порога. — Мне говорят Шейнерман, а я не верю! Бог мой! Теперь я и глазам своим не верю! Девочки, это сам Максим Шейнерман! К нам!

Ворвавшиеся следом девочки тоже стали ахать и знакомиться, Елизавета Хвостова притащила поднос с чашками и печеньем в вазе. На тарелке лежали бутерброды, с одной стороны с сыром, а с другой с колбасой, и Макс подумал, что она так по привычке разложила — у её в доме всё поделено пополам, и у половин разное назначение.

...А у сыра и колбасы — разное назначение?..

Из шифра Цветаева следовало, что к Тамбовской художественной галерее нужно отнестись особенно внимательно. Макс Шейнерман, который никогда не игнорировал собственную интуицию, чувствовал, что напал на правильный след. Но где именно искать? И как, если за ним наблюдает целая толпа зевак!

Подвалы, запасники, архивы, чердаки, кабинеты — может быть всё, что угодно! Или... не может?..

Макс пробыл в галерее несколько часов. Он выпил чаю — от кофе отказался решительно, — немного порассуждал о европейских художественных течениях, многословно порассуждал о живописи начала двадцатого века, погулял по выставке, оценил работы местных молодых художников — ничего равного церкви со штабелем дров там не было, сделал вид, что не заметил, как ушла Елизавета Хвостова, обещал завтра зайти ещё раз и откланялся.

Ему нужно было подумать.

Даша крутилась вокруг салона красоты под названием «Офелия» довольно долго. Изучила все входы и выходы, пересчитала сотрудников, вернее сотрудниц, и посетителей — посетительниц, конечно! Сотрудниц было много, а посетительниц почти совсем не было. Салон явно из дорогих, никакого «бесплатного маникюра при заказе педикюра», а всё наоборот — при входе охранник и ваза с искусственными цветами размером с охранника, зеркальные стены, стеклянная стойка, чёрный плиточный пол, на стенах плакаты с красавицами. Плакатные красавицы были хорошо видны с улицы.

Вероника Гуськова, зазноба Паши-Суеты, ранее спасённого от смерти, прикатила на золотом кабриолете с поднятым верхом. Солнце нестерпимо сверкало в золотых боках. Кабриолет был неизвестной марки, Даша не смогла определить ни издали, ни вблизи.

Вероника приткнула кабриолет капотом к стене «Офелии», так что по тротуару теперь было не пройти, хотя места вокруг сколько угодно, долго выбиралась из салона, прикидывая, как бы поудобнее утвердить на выщербленном асфальте десятисантиметровые шпильки, а потом ещё дольше копалась в леопардовой сумочке, выуживая тёмные очки. Нацепив их, Вероника огляделась по сторонам, повесила сумочку на локоть, придерживаясь рукой за крышу машины, осторожно обошла кабриолет, взобралась на две ступеньки и вошла в салон.

Охранник поклонился, и там, внутри, сразу забегали.

Даша ещё немного покаталась на самокате вокруг. Ей нужно было знать, куда пойдёт дорогая гостья — к парикмахеру или на маникюр. С улицы всё было отлично видно.

Провожаемая поклонами, гостья прошествовала к парикмахерскому креслу, мастерица услужливо повернула его, чтобы было удобней сесть, и тут же другая мастерица подкатила столик со всякими маникюрными принадлежностями.

Значит, обслуживание по полной программе.

...Вот интересно, а разве Вероника сейчас не должна сидеть у постели любимого, подавать ему чай, читать вслух и менять повязку? Или у этих так не принято? Подстрелили — да и шут с ним, авось поправится как-нибудь!..

...Даже замороженная до состояния камня Джо сидела возле раненого Хабарова, и все об этом знали!.. Все знали, что она — рядом с ним, и никто не спрашивал, кто сегодня около него дежурит. Все знали, что дежурит Джахан, всегда.

...Даша никому и никогда не позволила бы сидеть возле себя, особенно после ранения. Ни за что на свете! Ранение — это ошибка, недосмотр, непрофессионализм! Она ненавидела себя, когда попадала в передряги. И слабость свою ненавидела! Эту слабость никто не должен наблюдать, особенно вблизи.

...Наверное, Хабарова его слабость не волновала. Даша никогда не слышала, чтобы он попросил Джо уйти. Впрочем, мужчины устроены совсем иначе, даже самые лучшие, самые умные и сильные. Им нужно, чтобы их жалели, окружали заботой, спрашивали, где болит. Чтобы утирали со лба пот и смотрели встревоженными глазами.

Даша никогда и ни на кого не смотрела «встревоженными глазами»!..

Она сделала ещё один круг на самокате, причалила к кабриолету, сердито пнула его ногой — так чтобы охранник из салона непременно увидел, — поднялась по ступеням и втащила за собой самокат.

— Хай, — сказала она охраннику, выскочившему на улицу и, очевидно, собиравшемуся её прогнать. — Хау ар ю? Файн? Отлично. Прими, милый, агрегат и поставь так, чтоб я его видела.

И она сунула ему резиновые уши-ручки. Охранник растерялся и принял самокат.

По-особенному ставя ноги, Даша подошла к стойке, облокотилась и сделала скучное лицо.

— Ну, я не записывалась, конечно, — выговорила она в лицо девушке, поднявшейся навстречу. — Но вам всё равно делать нечего, да-а?.. Значит, мне маникюр, только ничего не трогать, просто лаком покрыть и чуть-чуть массажик, да-а?.. И укладку. Ну, просто помыть волосы и посушить, вы справитесь. Да-а?.. Я вот там сяду, у окна. Да-а?..

Она обошла подругу Паши, плюхнулась в соседнее кресло, пристроила на стеклянный подзеркальник рюкзак, откинула голову и громко приказала принести кофе, капуччино, разумеется.

Вероника смотрела на неё, вытаращив глаза, и обе мастерицы тоже недоуменно смотрели.

— О, — сказала Даша, поворачиваясь в кресле. — А я вас знаю! Видела! В нашей гостиничке! Точно?

Вероника надменно пожала плечами и отвернулась.

Но не тут-то было!..

— Да бросьте, я вас видела! Точно! Ну, когда ко мне гопота пристала! Помните?

— Ну, помню, — процедила Вероника. — И что?

— И всё, — весело сказала Даша. — Тут можно маникюр-то сделать? Или лучше не связываться?

— Вообще-то, — возмутилась Вероника, — это лучший салон в городе. Мы работаем только на французских препаратах, я сама их привожу.

— Да ладно, — восхитилась Даша. — Это чего, твой салон, что ли? Нет, правда, твой?

Вероника кивнула величественно. Даша пришла в полный и окончательный восторг — она все свои роли играла с удовольствием и от души.

Через десять минут они пили капуччино, болтали, смеялись, а четыре мастерицы трудились над ними не покладая рук.

Даша была уверена, что Паша-Суета ни словом не обмолвился ни подельникам, ни любимой, что случилось во дворе его цитадели в момент нападения. Да и те, кто там был, болтать вряд ли станут!.. Болтать в таких случаях себе дороже. С этой стороны она ни о чём не волновалась.

Даша поведала Веронике, что приехала работать, писать картины «из русской жизни» — «а дело ни с места, вообрази! Во-первых, мне скучно, во-вторых, лень, а в-третьих, лень и скучно!» Хорошо хоть сегодня встретила нормального человека, Веронику то есть.

— Мне нужны впечатления, понимаешь? Я же художник! А какие тут впечатления?! Ну, солянка в ресторане вкусная, а ещё что? В библиотеку, что ли, записаться?

— Я записана, — кокетливо сказала Вероника. — Вот тебе крест! Не веришь?

Даша покатилась со смеху, так что мастерице пришлось спешно отдёрнуть щипчики, которыми она нежно обрабатывала Дашины пальчики.

— А что? У нас книжные так себе, новинки редко привозят, а в библиотеке всегда новенькое есть! Я детективчики люблю. И романы любовные! Особенно любовные! Мне иногда кажется, там всё прямо про меня написано, вот как с натуры! И чувства! Главное — чувства!..

— Да ну. — Даша махнула рукой, и мастерице опять пришлось продемонстрировать чудеса ловкости. — Главное, деньги. Я лично так считаю. На фиг они нужны, чувства, когда денег нет!..

— Это точно, — согласилась Вероника. — Но вот я без чувств не могу. Мне нужно, чтоб меня любили, на руках чтоб носили! И внимание нужно. Я без внимания вяну, ну, просто вяну, как цветок без воды!..

...А ты не переигрываешь, цветок без воды?.. Или это никакая не игра, а самая настоящая правда Верони́киной жизни?..

Даша смотрела на неё недоверчиво, а Вероника продолжала:

— Нет, конечно, для жизни нужно богатого выбирать! Чтоб обеспечивал!.. На бедного горбатиться придётся, да ещё, не дай бог, дети какие-нибудь!.. Что за жизнь? Нет, нам, красивым девочкам, надо, чтоб за нами ухаживали, чтоб денежки давали, чтоб на курортик свозили. Красоту ведь долго можно поддерживать, правильно я говорю? Сейчас это всё доступно, пластика любая, хоть какая! Ты себе чего-нибудь делала?

Даша моментально придумала, что делала нос и грудь. Вероника осмотрела Дашины нос и грудь и удовлетворённо кивнула.

— Я тоже грудь делала. — И она горделиво повела туда-сюда плечами. Сделанная грудь заколыхалась. — В Москву ездила, к светиле. И щёки подтягивала, чтоб скулы проявились. Видишь, проявились? Ну, зубы, конечно. С зубами просто пипец, замучилась. Это такая канитель — зубы делать! Зато сейчас, глянь, какие!..

И Вероника осклабилась. Даша оценила зубы. Они были роскошные, фарфоровые, сияющие белизной, как новая сантехника.

— Я долго молодой быть собираюсь. — Вероника приняла у мастерицы руку, подвинулась к зеркалу, посмотрела на себя близко-близко и пальчиками потянула кожу к вискам. — Ни одной морщиночки нету!.. Для того чтоб кожа сияла, надо долго спать. Я так люблю поспать!.. Полдня могу, а могу и до вечера! И никаких отрицательных эмоций. Это я себе давно такой график установила — чтоб никаких расстройств. Чтоб только позитив! Негатив весь отметаю!..

— Это точно, — поддержала Даша. — Я фильмы грустные никогда не смотрю, и книги, где несчастья описаны, тоже не читаю.

— Во-во!.. — обрадовалась собеседница. — Только про любовь! И про розы! Вот она просыпается утром в своей чудесной постельке, а у изголовья букет вот такой! — Вероника показала какой огромный у изголовья букет. — А под подушкой колечко.

— С бриллиантом, — мечтательно подсказала Даша.

— Вот с таким! — И Вероника с восторгом показала, с каким огромным бриллиантом. — И он ей кофе в постель несёт на серебряном подносе, а потом секс!.. Вот всё-таки в кино так показывать не умеют, в книжках лучше описывают!.. Наши вообще не умеют кино снимать и пишут плохо. Как нашу книжку станешь читать, так там обязательно — бац, и какая-нибудь проблема, ну, прям подстава, как нарочно, хоть не открывай! А в американских так всё красиво придумано, так хорошо!.. И всё как будто с натуры списано.

...Не может она быть такой дурой. Она подруга авторитета, а это место, без сомнения, и выгодное, и тучное, но хлопотное, ненадёжное, беспокойное! Что-то здесь не так.

...Или Даша просто отстала от жизни?..

— Пойдём вместе в библиотеку, — предложила она. — Ты меня запишешь и скажешь, чтоб мне тоже американские книжки давали, как тебе! Я здесь ещё долго буду торчать, а делать нечего, только читать!

— Если хочешь, пойдём, — откликнулась Вероника. — Они прямо мои на тебя перепишут, чтоб не сдавать.

— А то совсем заняться мне нечем, — продолжала Даша. — На сегодня придумала развлечение, а что потом делать, ва-аще не знаю!

— А сегодня что?

— Поеду посмотрю, как ваши байкеры тусуются, — сказала Даша и засмеялась. — Меня один тип навёл, говорит — прикольные они!..

Мастерица прошелестела, что нужно помыть голову, Вероника поднялась, держась за зеркальный столик, и засеменила по блестящей плитке — каблуки очень мешали ей ходить. Даша проводила её глазами и в зеркале помахала рукой, когда Вероника зачем-то оглянулась.

— Мы вам тоже голову помоем, — нежно проворковала Дашина мастерица. — У нас отличные шампуни, Вероника Анатольевна из Парижа привозит, все клиентки умирают, просто умирают!..

...Плохо дело, подумала Даша с мрачным сарказмом. Ещё и клиентки умирают!..

У Вероники в сумочке зазвонил мобильный, и через секунду за ним прибежала администраторша, видимо, так было положено. Привычно покопавшись, она выхватила телефон и спросила у Дашиных хлопотуний:

— Голову моют?

Телефон надрывался, Даша косилась на него недовольно.

Получив утвердительный ответ, администраторша умчалась. Даша закрыла глаза. Ей очень нравилась возня с волосами, она сразу начинала засыпать, расслабленно мурлыкать и подставлять разные места, чтоб ещё почесали.

Вероника вернулась в белом тюрбане на голове, бросила в сумку телефон, потянулась и сказала:

— Как хорошо!.. Вот люблю я всякие позиции комфорта! Сейчас пишут, что обязательно нужно себя из комфортабельности вытаскивать, а я никогда не вытаскиваю! Вот мне хорошо — и хорошо!..

— Я тебя понимаю, — вздохнула Даша.

Они расстались почти подругами. Даша обещала звонить, а Вероника придумать «культурную программу» и поводить Дашу по «злачными местам», не выходя из «зоны комфортабельности»!

Стаскивая самокат с мраморных ступеней, Даша призналась себе, что немного сбита с толку.

Хабаров рассматривал листки, исписанные химическими формулами. Он плохо разбирался в химии, но кое-что понимал. Дяди Сашин пёс, поначалу спрятавшийся от него за голландскую печку, вышел из угла и теперь задумчиво чесался посреди истоптанного ковра, стучал лапой.

Постучит-постучит и перестанет.

— Блохи заели, да? — спросил Хабаров, оторвавшись от формул. Пёс насторожил уши. — Блохи — штука неприятная, но не смертельная.

Пёс слушал.

— Вот это, — продолжал Хабаров и потряс листочками, — штука смертельная и опасная. Насколько я понимаю.

Пёс заскулил.

— Да ладно, — удивился Хабаров. — Что такое?.. Ты тоже разбираешься в химии, хочешь сказать?..

— Он хочет сказать, что ему нужно пройтись, — объяснила Джахан. — Его выпускали только утром.

Хабаров уронил листок. Формулы спланировали под стол. Алексей полез за ними и спросил оттуда:

— Зачем ты встала?

— Мне надоело лежать. Пойдём, пёс! Пойдём, я тебя выпущу!

Тот бросился за Джахан, кубарем скатился с крыльца и немедленно задрал лапу на куст жасмина.

Джахан нашарила ногами туфли, сунула в них ступни, спустилась по ступенькам и уселась на серую от дождей и снегов лавочку, приткнутую к стене дома. Алексей Ильич вышел следом, вынес куртку, некоторое время мыкался рядом, а потом неловко накинул её на Джахан.

— Спасибо.

Он посмотрел на неё, ушёл в дом и не возвращался. Джахан задумчиво смотрела в сад. Он был серый, весенний, весь голый и какой-то неприкаянный. Вдоль глухого забора бурелом — разросшиеся кусты, повисшие плети то ли плюща, то ли винограда, прошлогодние листья, которые никто не сгребал. Участок пустовал, и видно было, что он пустует, никому не нужный.

...Нам ты тоже не нужен, подумала Джахан. Мы закончим работу, уедем и не вспомним о тебе. Ты останешься один, без людей — медленно пропадать.

Пёс, сделавший круг, подбежал и улёгся на кучу сосновых иголок, вывалив розовый язык.

Джахан посмотрела на него и прокричала:

— Алексей!

От натуги в боку сразу стало больно, как будто её вновь полоснули ножом. Впрочем, когда полоснули, совсем не было больно.

Хабаров в ту же секунду показался на крыльце, словно ждал под дверью, когда она позовёт.

— Дай ему попить, — велела Джахан. — Он изнемог от жажды.

Хабаров удивился и ушёл. Вернулся и выставил на крыльцо миску с водой. Пёс подбежал и стал шумно лакать. Время от времени он поднимал голову, жмурясь от наслаждения, переводил дыхание и снова принимался лакать.

— Откуда ты знаешь, чего он хочет, — пробормотал Хабаров. — Пить или писать!..

— Он говорит, — ответила Джахан. — Я просто его слушаю.

Хабаров ещё постоял и вернулся в дом. Джахан закрыла глаза, медленно вытянула ноги и пристроилась спиной к тёплой стене.

После укола её неудержимо клонило в сон, а поспала она всего-ничего, может, минут сорок. И крови потеряла довольно много. Ничего страшного, но — слабость!..

Джахан к собственным слабостям относилась строго, без всякой почтительности.

Если ей что-то мешало в себе самой, она приказывала себе не обращать на то, что мешает, внимания — будь то боль, усталость, дурное настроение, лишнее переживание. Она была твёрдо убеждена, что усилием воли можно заставить себя сделать всё, что угодно. Лишь бы это усилие было достаточным.

...Однажды по делам службы она оказалась на фешенебельном и очень дорогом курорте. Мало того, курорт был «для своих», принятых в «узкий круг», просто так попасть туда было невозможно ни за какие миллионы, и Джахан пришлось довольно долго возиться, устраивая себе приглашение. Среди отдыхающих самыми популярными были «похудательные и детокс программы», а также «сеансы психотерапии». Джахан прилежно худела, занималась «очищением» и посещала психотерапевта. Впрочем, на курорте это называлось — общаться. Она общалась с психотерапевтом.

Тот учил Джахан и всех желающих как можно больше обращать внимание на себя. Слушать только свои желания. Ловить каждое своё чувство. Исполнять любые свои капризы. Поклоняться себе, как божеству.

От психотерапевта были в восторге все, особенно дамы.

Нужно не замечать собственных недостатков, учил психотерапевт, ибо недостатки, как и вы сами, неповторимы, и их следует любить, а не пытаться исправить. Не надо бороться с собой, из этого всё равно ничего не выйдет, нужно восхищаться и гордиться собой, и тогда сделанные гадости будут казаться прелестями, мерзкие поступки превратятся в милые шалости, убогие мысли станут верхом познания, невежество обернётся глубиной понимания!

Джахан слушала психотерапевта молча, старалась не возражать, только всё больше злилась. Она точно знала, что человек приходит в мир исключительно для того, чтобы чему-нибудь научиться. Нет и не может быть других объяснений!.. Он приходит для того, чтобы узнать и преодолеть — собственную лень, невежество, убогость, болезни, горе. Если это выдающийся человек — бывают и такие, — он может помочь окружающим узнавать и преодолевать, у него хватит сил не только на себя, но и на других. Если человек обыкновенный, главная его цель — работа над собой. Он не может позволить себе умереть таким же, каким родился, иначе — зачем?.. Зачем?!

Любить себя — последнее дело. Жалеть себя — хуже не придумаешь. Ничего и никогда не вырастет из подобного рода жалости и любви! Нужно преодолевать и заставлять себя, и тогда, возможно, отвратительные недостатки, подлые мысли и мерзости характера забеспокоятся, переполошатся, станут воевать за себя, а потом сдадутся, завянут — как вянут сорняки, если их регулярно полоть!..

Джахан точно знала, что нужно стараться изо всех сил, постоянно, и тогда награда непременно будет, и эта награда — единственное, чего стоит ждать и за что надо бороться.

Когда задание оказалось выполнено, она потратила довольно много времени, придумывая и воплощая разнообразные ходы, и в результате у психотерапевта отобрали лицензию. Джахан была твёрдо убеждена, что должна это сделать, чтобы он больше не морочил людям голову. Наверняка многие, особенно дамы, поверили, будто нужно без памяти жалеть и любить себя, и тогда всё пойдёт как по маслу!

На крыльце сильно загрохотало, и Джахан открыла глаза.

Хабаров спускался очень неудобно — задом, — коекак надетый башмак свалился, он пытался его нащупать и делал странные подскоки. В руках у него был уставленный поднос.

Джахан хотела встать и подсунуть ему ботинок — и не встала.

— Я решил, — танцуя вокруг ботинка, проговорил Хабаров, — что нам нужно поесть. Я, конечно, не могу как ты, вот собрал одно-другое, пятое-двадцатое.

Наконец он спустился и приткнул поднос на лавочку. Джахан подвинулась.

На подносе были чайник, прикрытый полотенчиком, две расписные пиалы, крохотный молочник, жареные орехи — у Джахан всегда имелся запасец, — шоколадка, толстые ломти чёрного хлеба, свежий огурец, разрезанный на половинки, и копчёная рыба, целая тарелка с горкой.

— Ты попробуй, — сказал Хабаров про рыбу, — вот попробуй, и у тебя сразу всё пройдёт! Это даже не анадырская, это нам из Магадана присылают! Как они там её коптят, один бог знает, или, может, духи моря знают!.. Но я ничего вкуснее в жизни не ел!

Джахан взяла из тарелки кусок и понюхала с некоторой осторожностью.

Пахло упоительно.

— Ты ешь, а не нюхай! Давай я тебе на хлеб положу!

— Подожди, я так пока, без хлеба.

— Можно и без хлеба. Ценная штука, — продолжал Хабаров. От неловкости он много говорил, не знал, куда девать руки, стрелял по сторонам глазами и всё никак не решался сесть рядом. — Там сплошные эти самые... как они... ёлкин корень... ненасыщенные жирные кислоты и антиоксиданты!

— Боже мой, — выговорила Джахан и взяла ещё кусок рыбы, оказавшейся какой-то необыкновенной, — что ты несёшь? Какие ещё антиоксиданты?

— Давай я тебе лучше чаю налью.

Она согласно помычала с набитым ртом. Ей было так вкусно, что неожиданно и сильно захотелось есть. Только что не хотелось, а от вкусноты захотелось!

Хабаров налил ей чаю, добавил молока и размешал сахар.

Она опять замычала, не отрываясь от магаданской рыбы.

— Ты не пьёшь сладкий, я знаю, не мычи! Сейчас нужно выпить с молоком и сахаром. И не спорь со мной.

— Я не пою, — невнятно выговорила она и отправила за щёку ещё кусок.

Это она сказала, я не спорю!

Хабаров пристроился на лавочку рядом с ней и поднёс пиалу ей ко рту. Она сделала глоток.

Так они посидели некоторое время — Джахан ела, а он смотрел, как она ест.

— А ты? — спросила Джахан, когда смогла на минуту остановиться. — Ты что, не будешь?! Такую рыбу?!

Он засмеялся.

— Буду, буду. Ты ешь давай, я специально для тебя через всю страну вёз! Я знал, что тебе понравится.

Тут он спохватился и замолчал — нельзя было говорить, что он делал что-то специально для неё, но она не обратила внимания.

— Я раньше рыбу терпеть не мог, — признался Хабаров, глядя на неё. — Вот на дух не переносил!.. И не понимал, зачем её люди едят, когда можно съесть мяса. Большой кусок жареного мяса!.. Он мне по ночам снился, кусок этот!

— Очеу нися?

Это она спросила, почему снился!

— Да не было ничего, — сказал Хабаров как-то так, что она посмотрела на него и даже на миг перестала жевать. — Есть нечего было. Пять человек детей и бабка!.. Летом ещё ничего, картошки можно напечь, огурцов набрать, а в августе яблоки!.. Яблоки пошли, и сразу жить веселее! А зимой совсем... худо. Я в школу мимо забегаловки ходил, забегаловка называлась «Ветерок». Возле неё так пахло едой!.. Я останавливался и нюхал. И смотрел. Это, знаешь, стекляшка, при советской власти такие строили. Там люди ели. Как они ели!.. Я помню жареную куриную ногу. Она мне казалась огромной. Представляешь, несут тарелку, на ней огромная поджаристая нога, ещё салат какой-нибудь или рис, и всё это одному человеку! Или мясо. Иногда даже по два куска и с картошкой. Я ночью представлял, как вырасту, разбогатею, приду в «Ветерок», закажу всё, что там есть, и всё съем. Один.

Джахан слушала очень внимательно.

— А почему дети и бабка? Ты так сказал. А родители?..

— Отца я никогда не видел. Никто из нас отцов не видел! — Хабаров улыбнулся. — Вроде у меня и старшей сестры отец один на двоих, а остальные все разные. Мать нас рожала, привозила к бабушке и оставляла. И опять уезжала!.. Потом, когда мы выросли и ей алименты потребовались, она говорила, что мы ей должны уже только за то, что нас по детским домам не раздали. А на самом деле раздать бабка не дала! Мне иногда казалось, что она нас ненавидит. И дармоедами называла, и тунеядцами, и безотцовщиной, и шлюхиным отродьем! Но... растила. Учебники покупала, тетрадки. Спортивную форму какую-то, лыжи. Я однажды с горки съехал, лыжину сломал, думал, убьёт бабка!.. У нас ремень такой был армейский, с медной пряжкой, так она этим ремнём всю спину мне исполосовала и задницу, я сидеть не мог. И я решил из дома убежать.

— Убежал? — спросила Джахан.

Хабаров кивнул.

— Но недалеко. На станции, километров через сто, нас с дружбаном Серёгой милицейский наряд выловил. Вызвали бабку, она примчалась, забрала меня.

— Не убила?

Хабаров посмотрел на неё. Она больше не жевала, вид у неё был такой, как будто она решала важную и трудную задачу, и главное в этот момент не сбиться в вычислениях.

— Потом, когда я после лётного училища академию Жуковского закончил, поехал её навестить, бабку. Она уже совсем старая была. — Он улыбнулся. — Костерила меня на чём свет стоит, что в форме не приехал и соседи не видят, какой я есть из себя красный командир!.. А мы ей дом купили, все внуки. Ну, какой дом, обычный пятистенок с огородом и палисадником. Она родом из деревни, но всю жизнь в квартире прожила, представляешь, на пятом этаже! Две комнаты, шесть человек, нормально, да?

— Нормально, — согласилась Джахан.

— Так многие живут, — словно возразил Хабаров. — Не мы одни.

— И что было дальше, когда ты в отпуск без формы приехал?

Он засмеялся, и лицо у него стало радостным, на щеке появилась дивная хомячья ямочка.

— Как что! Поработал я дня два в огороде, она меня ругала ругательски, что всё я плохо делаю, неумёха, лентяй косорукий!.. Потом, смотрю, братья-сёстры съезжаться стали. Бабка всех обзвонила!.. Достал я из чемодана форму, брюки нагладил, бабка из нафталина платок вынула с кистями, остальные все тоже принарядились, и двинули мы такой делегацией в кафе «Ветерок»!..

Джахан засмеялась, и Хабаров вместе с ней.

— Представляешь? Возле каждого двора останавливались, бабка кричала: «Нюра, Нюра, выдь!» Нюра выходила, и бабка ей говорила: «Дармоеды приехали меня навещать. Поздоровайтесь с тётей Нюрой, невежи!» Мы здоровались. Бабка сообщала, что дармоеды ведут её в ресторан, и мы шли дальше.

— Нет, а ты съел куриную ногу? — спросила Джахан очень серьёзно. — Ты один целую ногу! Съел?

— Съел, Джо. Мимо этой кафешки мы все ходили, ну, дети, и все, оказывается, останавливались и смотрели. Это мы друг другу первый раз тогда рассказали! И всем хотелось жареного мяса с картошкой! А девчонкам ещё мороженого с вареньем... Мы там полдня просидели, и всё ели, а бабка нас поносила, что мы деньги не бережём, проедаем!.. Так что рыбу я долго не любил.

— Вот эту, — и Джахан показала, какую именно, — не любить невозможно! Это что-то потрясающее.

— Я хотел тебя угостить, — признался Хабаров. — С той поры, как первый раз ее попробовал.

Она вытерла руки и налила себе чаю.

Пёс, дремавший на куче сосновых иголок, вздохнул, не открывая глаз, и блаженно повалился на бок.

— Тебе бы тоже поспать, — сказал Хабаров.

— Поговорим? — предложила Джахан.

Он вытянул ноги, прищурился на солнце и кивнул.

Поговорим, означает — о деле, а ему не хотелось. Ему хотелось кормить её, рассказывать о детстве, гладить собаку, ждать приятных и радостных перемен — ведь должны же такие когда-нибудь наступить!..

— Ты посмотрел мои бумаги, да?

— Я почти ничего не понял, Джо.

— Вещество новое, я с ним не знакома. Вызывает паралич сердца. Механизм отложенного действия для меня пока неясен, но если я хоть что-то понимаю в химии, яд вступает в контакт с тельцами крови, активизируется, и смерть наступает через два-три часа.

— Уже что-то, — пробормотал Хабаров. — Не через десять! То есть яд Цветаеву ввели утром. Он пришёл на работу и помер.

— Не ввели, — поправила Джахан. — Подложили в ботинок.

— Ну да. Происхождение вещества вообще никак нельзя установить?

Она вздохнула.

— Очень приблизительно, Алексей!.. Для уточнения мне нужно в лабораторию, в «поле» таких исследований не проведёшь.

— Ну приблизительно.

— В Швейцарии есть фармацевтический институт «Нортэкс». Разумеется, официально они занимаются разработкой препаратов для лечения аритмий и других сложных заболеваний сердечно-сосудистой системы. Но основной вид деятельности — синтез отравляющих веществ. Нелегально, разумеется!

— Я, по-моему, даже слышал про них, — задумчиво сказал Хабаров.

— Они нейтралы, поэтому продают всё и всем. То есть заказчиком может быть кто угодно, спецслужбы, террористы, бандиты. Так вот, вещество, которое я выделила, по химическому составу напоминает те, что были разработаны «Нортэксом» раньше. Я когда-то сталкивалась с похожими.

— Это ничего нам не даёт, — сказал Хабаров. — Если они продают всё и всем, концов мы не найдём.

— Мы с тобой сегодня уже почти нашли, — проворчала Джахан. — Если бы не проворонили агента, сейчас уже всё знали бы!..

— Да ладно.

— Не ладно.

— У Цветаева были романтические отношения с библиотекаршей Настей Хмелёвой, — сказал Хабаров, щурясь на солнце. — Мне рассказала об этом Галя из читального зала. Она видела их в электричке, они ворковали, как голубки. Или как школьники, что ли. Она не стала к ним подходить из деликатности. Галя утверждает, что об этих отношениях никто не знал, и в городе они никогда не встречались.

— Встречались. Ты же нашёл билеты в кино!

— Может, один раз и сходили. Но в основном всё время прятались.

Джахан подумала немного:

— А может быть, что в электричке он ездил с одной особой, а в кино пошёл с другой?

Хабаров посмотрел на неё:

— Вряд ли. Если бы я с тобой катался в электричке, в кино бы тоже пошёл с тобой.

— Почему мы никогда не ходили в кино? — вдруг спросила она. — И на электричке не ездили?

— Мы всё время были на работе.

— Или в лазарете, — подхватила она язвительно. — Одно из двух. Или на задании, или в лазарете.

— Неправда, — возразил он. — Меня ранили всего дважды.

Она хотела что-то сказать, даже рот открыла, — и не стала ничего говорить. Хабаров прямо-таки собственными глазами видел, как захлопываются чугунные ворота, скрипит ворот подъёмного моста, идут вверх цепи, сейчас упадут засовы, замкнутся решётки, к башням встанет стража, и никто и никогда не возьмёт эту крепость штурмом!..

Но она же хотела что-то сказать!..

Джо никогда не жила душа нараспашку, но всё же Хабаров многое о ней знал, когда она допускала его до себя.

...Но сейчас она же захотела что-то ему сказать!..

— Джо, — начал он и взял её за руку. — При чём тут лазареты? Таскаться по госпиталям — часть нашей работы, ничего романтического. На бетонном заводе приходится носить респираторы. На шахте каску. У нас время от времени лежать в госпитале. И что?

Она выдернула руку.

Глаза — чёрные, страшные, прекрасные восточные глаза — сузились, раздулись тонкие ноздри. На скулах выступили алые пятна. Она стала похожа на ведьму.

...Кто не спрятался, я не виноват.

Хабаров против воли немного подался от неё назад.

— Ничего особенного, — выговорила она. — Каска, шахта, всё прекрасно!.. Только ты никогда не считаешься ни с чем, Алёша! Тебя не интересуют затраты! Из тебя вышел бы плохой полководец, ты погубил бы всю армию! Ты видишь цель, и остальное тебя не интересует! Дашка спросила, может ли она вмешаться в дела преступного авторитета, и ты немедленно разрешил, потому что тебе нужны были сведения! А если бы её убили в этой перестрелке?!

— Джо, она не маленькая девочка. Она профессионал...

— Нет, она девочка! И её нужно останавливать! А не поощрять! Но ты не хочешь! Ты всю жизнь такой! Ты лезешь в пекло головой вперёд, и тебе наплевать на остальных!

— Что значит — наплевать?! — Хабаров тяжело задышал, кровь бросилась в лицо. — Я что, когда-то оставлял группу в опасности? Ради каких-то своих целей?!

— Да не группу! — закричала Джахан. Он никогда раньше не слышал, чтобы она кричала. — При чём тут группа! За группу ты жизнь отдашь, это нам известно! А я?!

Хабаров, не отрываясь, смотрел ей в лицо.

— Хоть когда-нибудь, хоть раз в жизни ты вспоминал обо мне, когда лез в это самое пекло?! Спрашивал себя, что будет со мной, если ты... если тебя... если тебя убьют, чёрт возьми!.. Тебе не интересно, что происходило со мной, когда тебя в очередной раз забирал санитарный вертолёт? Или самолёт!.. Тебе не приходило в голову, что это худший вид эгоизма, считать, будто твоя жизнь принадлежит только тебе одному и ты волен как угодно ею распоряжаться?! Ну, убьют — значит, убьют! У меня такая работа! — передразнила Джахан. — Давай ещё про каски и респираторы!

— Джо, подожди, остановись...

— Нет уж, послушаешь, ничего с тобой не будет!.. Почему-то в то время, когда тебе не приходило в голову умирать, мы были вместе и делили жизнь пополам. И отвечали друг за друга, и прикрывали, и спасали! Потом ты принимал решение, попадал в передрягу и отправлялся на тот свет. И я оставалась одна! Совсем одна!

— Но я же не специально умирал-то, — пробормотал Хабаров растерянно, — просто так получалось.

— Ты ни разу не сделал ничего, чтобы получилось как-то иначе, — отчеканила она. — В этот момент тебе становилось наплевать, что нас двое и второй останется один как-то... тянуть лямку. Только из-за того, что ты принял какое-то там решение!

Она вдруг вскочила и топнула ногой:

— Принимай какие угодно решения, — закричала она, собравшись с силами, — только тогда будь один! Не разговаривай со мной, не подходи ко мне! Не смотри на меня! — И она опять топнула. — И не смей приводить мне собак и кормить меня с ложки!.. Тебе очень скоро приспичит, и ты помчишься умирать! И на здоровье, только без меня!

Хабаров, который никогда не смотрел на свою жизнь с такой диковинной стороны, молчал.

— То и дело ты подводил меня, — договорила Джахан из последних сил. — И самое ужасное, что даже не думал об этом!

— Не думал, — выдавил из себя Хабаров.

Вдруг начался дождь. Он пошёл как-то сразу — зашумело в берёзах, которые росли по ту сторону забора, застучало по крыше, и дождь надвинулся на них. Пёс ринулся в дом, за ним Джахан. Алексей Ильич тоже пошёл, но медленно.

...Он никогда не смотрел на свою жизнь с... такой стороны! Джо всегда находилась рядом, и это была некая данность — так есть, и это правильно. Он не задумывался, что с ней происходит, когда она остаётся одна — сидеть возле его койки или ждать за дверью операционной. Он отходил после наркоза или возвращался с того света — не очень-то и охотно, все, кто там побывал, возвращаются без большого желания, — а она всё время была здесь и не знала, вернётся он или нет.

— Получается какое-то свинство, — себе под нос сказал Алексей Ильич, стоя на крыльце и глядя в дождь.

В азарте работы он на самом деле забывал о себе и об опасности и даже немного гордился этим, считал, что это дополнительный штрих, нотка авантюризма, глоток молодецкой удали, и ничему не мешает! Ведь он и в самом деле принадлежит только себе и волен распоряжаться собой как угодно.

А если их двое? Что должен делать второй, покуда первый распоряжается собой на собственное усмотрение? Признать, что вдвоём они только на поверхности, а в глубине каждый сам по себе? Тогда права Джахан — нет и не может быт никаких двоих.

...Не подходи ко мне, не смотри на меня, не приводи ко мне собак и не корми меня с ложки! Ибо всё вышеперечисленное подразумевает несвободу, зависимость одного от другого во всех вопросах, не только в вопросах сиюминутных и простых. Если в мелочах всё пополам и вы всегда рядом, а в самом важном каждый сам по себе, получается, что один просто употребляет другого — в своих целях, чтобы не скучно, не одиноко, чтоб было с кем развлечься и кому поплакаться. Потом наступает момент, когда требуется ответить на серьёзный и важный вопрос — рисковать или нет, умирать или нет, выживать или нет, — и тогда один моментально забывает о втором и отвечает на своё усмотрение.

Что это, если не употребление?..

Тебе удобно и приятно — ты с ней. Тебе нужно всерьёз на что-то решиться — и её нет. Ты исходишь только из собственных соображений.

Хабаров подставил руку. С крыши текла ледяная весенняя вода, пальцы моментально занемели. Он согнул ладонь ковшиком и немного попил. Вода пахла снегом и железом.

...Что теперь делать? Я должен пообещать ей... что? Что буду осторожен? Что не полезу на рожон? Что вспомню о ней в самый ответственный момент и не дам себе пропасть?

Хабаров вдруг сильно заволновался.

Джахан кричала на него и даже топала ногой, и всё это означало, что она любит его, ничего не кончилось, и нужно просто сделать усилие и оказаться, как они и были всегда, по одну линию фронта! Он должен сказать ей, что всё понял. Сейчас, немедленно.

У него загорелись уши. Он плеснул себе дождевой воды в лицо, распахнул дверь в дом и крикнул:

— Джо! Я всё понял! Я же не знал! Джо, я тебя...

— Что ты орёшь? — негромко спросили у него из-за плеча.

Хабаров чуть не застонал.

— Я без зонта, — продолжал Макс Шейнерман, — а дождь сразу хлынул, я ноги промочил, и пальто тоже насквозь. Лёш, дай я пройду. Ты чего застыл?

Хабаров посторонился, пропуская его.

Шейнерман зашёл и стал стаскивать кеды. С кончиков волос капала вода. Он стащил один и замер.

— Почему дезинфекцией пахнет? У нас что, опять раненые?

— У Джо ножевое ранение.

— Макс, со мной всё в порядке, — сказала Джахан, появляясь на пороге. — Небольшая кровопотеря.

Шейнерман посмотрел на неё, потом на Хабарова.

— Вы снова подрались с гопотой? Кого на этот раз спасали?..

Джахан рассказала все, как обычно, коротко и сухо. В её изложении всё выглядело так: они упустили противника, тот оказался проворнее. Тут Хабаров её поправил — противник погиб, а не сбежал. Потерь никаких, рана не в счёт. Результатов тоже никаких — с места происшествия они ушли, ни обыскать, ни осмотреть тело возможности не было.

— Так кого вы упустили?

— Певца из ресторана «Тамбов-Палас». Нужно отработать его связи и окружение, всё как обычно.

Макс прошёл на кухню. Джахан подала ему полотенце, и он стал вытирать голову.

Хабаров присел на корточки перед пузатой чугунной печкой. В простенке были сложены берёзовые дрова, в корзине берёста. Он открыл заслонку, заглянул внутрь, аккуратно пристроил поленья одно на другое, подпёр третьим, чтобы получился «шалашик», и подсунул горящую берёсту.

— Я был у Елизаветы Хвостовой, — начал Макс, выныривая из полотенца. — Её документы я посмотрел, когда она отвернулась, всё чисто. Паспорт выдан недавно. Оказалось, в конце зимы она была в Москве, и там у неё паспорт то ли украли, то ли она его потеряла.

— О чём нам это говорит? — спросил Хабаров.

Шейнерман пожал плечами:

— Ни о чём. Со мной в Светлогорске могла встречаться или её полная тёзка, или авантюристка. Кстати, тогда мне показалось, что именно авантюристка!.. Какая-то ерунда с двумя одинаковыми Бакстами!

— С Цветаевым она была знакома?

— В библиотеку записана, регулярно ходила, брала книги по искусству. С директором знакома. Работает редактором на местном телевидении и подрабатывает переводами. Также подрабатывает в художественной галерее.

— И что? — спросил Хабаров.

— Я пока не разобрался. Но галерея тут неспроста.

Он закинул полотенце на верёвку, протянутую под потолком, понюхал кофейную турку с утренней гущей, съел из тарелки оставшийся кусок рыбы и сказал:

— Пошли, я покажу.

В его комнате весь стол был равномерно устелен исписанными листами бумаги.

Хабаров подошёл и взял один.

«Стул», «пенька», «икона», «писатель», «самолёт», «Венера», «телефон», «гаубица», «сретение», «материализм», «Урал», «мастиф», «липа», «решето», «засов», «вомбат».

— Я рассматривал прежде всего слова, написанные карандашом, — сказал Макс.

— Почему? — не удержался Хабаров, хотя знал, что Шейнерман терпеть не может, когда его перебивают.

— Потому что фамилия Хабаров в кроссворде, который я нашёл на холодильнике в доме Цветаева, вписана именно карандашом. «Добытчик и прибыльщик», уроженец Сольвычегодска, покоритель Даурских земель». Помните? Впрочем, я проанализировал все слова, не только карандашные, — добавил он, подумав.

Он взял листок бумаги и стал быстро писать, размещая слова друг под другом: «гром», «засов», «телефон», «выселок», «логарифм», «обобщение», «сноповязалка».

— На первый взгляд закономерности никакой нет. И системы тоже нет. Но если поставить их вот так... — Он снова стал писать, как-то странно смещая слова, — чтобы вторая буква второго слова была под первой буквой первого, а третья буква третьего слова под второй второго и первой первого, и так далее...

Хабаров смотрел на него с весёлым изумлением. Изыскания Макса Шейнермана всегда приводили его в хорошее настроение.

— Получается очень просто и красиво: «г», «а», «л», «е», «р», «е», «я». Правда, осталось ещё одно слово, и я пока не знаю, куда его деть.

— Какое?

— «Сретение». А на закуску — «вомбат»! Прекрасное слово, правда?

Джахан, гревшая руки о чугунный бок печки, выходившей и в Максову комнату тоже, засмеялась.

— Вомбат — дивное слово, — согласился Хабаров. — А почему?

— Потому что две последние буквы, если читать с конца, нужно совместить с третьей, а четвёртую с двумя первыми. — Макс нарисовал полукруглые дуги, чтоб было понятней, — мы получим Тамбов и галерею. Всё яснее ясного.

— То, что мы ищем, находится там? — спросила Джахан.

— В библиотеке ничего нет, — сказал Хабаров.

— В доме Цветаева я тоже ничего не нашёл, — подхватил Макс. — Скорее всего, да, в галерее. Я сегодня там побывал. Пил чай и знакомился с директором. Меня туда привела как раз Елизавета Хвостова. Она там свой человек.

— Почему их оказалось две? — задумчиво спросил Хабаров. — И там, в Прибалтике, и здесь! Случайность?

— Я не верю в случайности такого рода, Лёша. Я ещё повстречаюсь с ней и попробую выяснить...

Макс повстречался бы с ней, даже если бы ему не нужно было ничего выяснять!.. Но он не стал говорить об этом Джахан и Хабарову.

— Дашка выяснила, кому принадлежат мотоциклы, которые я видел тогда у церкви. Ну, когда со стариком разговаривал! Один из них стоит у нас за домом. На нём ездил певец из «Тамбов-Паласа», — сообщил Алексей.

Шейнерман удивился:

— Зачем ты приволок его сюда?

— Мы на нём приехали, Макс, — вмешалась Джахан. — Мне... трудно было идти. А второй мотоцикл, Алексей?

— Второй записан на Павла Лемешева.

Джахан и Макс переглянулись.

— Если он ещё жив, можно спросить, кто ездит на его мотоцикле.

— Или он сам и ездит, — отчеканила Джахан. — И тогда получается, что второго мы тоже упустили.

Тамбовские байкеры собирались на берегу реки возле заброшенного кинотеатра, на бетонном фасаде которого ещё угадывался профиль Ленина и силуэт киноаппарата. И профиль, и силуэт были выполнены когда-то из гнутого железа, исключительно художественно, и помещались напротив друг друга, так что Ленин смотрел прямо в киноаппарат. Огромные стеклянные окна, похожие на витрины, частично были выбиты, и проёмы заколочены, а там, где стёкла сохранились, их сплошь заклеили никому тут не нужными рекламными объявлениями «Куплю автомобиль б/у», «Продам участок 6 соток», «Молодожёны снимут квартиру». Объявлений было так много, что окна казались составленными из растрёпанных бумажек. Перед кинотеатром простиралась обширная площадка, когда-то выложенная плиткой, в центре её квадратный бетонный бассейн с фонтаном. Кое-где плитка сохранилась, но в основном была разбита, и из квадратных прогалин лезли бурьян и полынь. В бассейн байкеры валили пивные банки и водочные бутылки, пакеты из-под чипсов, сухарей и «кальмара сушёного», тряпки, которыми начищали свои машины, канистры из-под масла и тормозной жидкости. Таким образом, в центре площадки образовалась внушительная помойка, и байкеры сидели на ступеньках и на плитке вокруг неё.

...Естественный ход вещей, подумала Даша, заезжая на своём самокате на площадку. В центре села обычно бывает церковь. В центре города — замок или монумент, смотря какой город. В центре байкерской площадки — помойка.

Неужели им нравится?

Отталкиваясь ногой, Даша неторопливо объехала бывший фонтан, повиляла между рытвинами с бурьяном, зорко наблюдая, как замирает привычная байкерская жизнь, и все головы — в банданах, платках, лисьих хвостах, косах, касках, шлемах, шапках, — поворачиваются за ней, как антенны дальней связи за баллистической ракетой!.. Под самой стеной бывшего кинотеатра в железной бочке что-то горело, чёрный дым стлался к речке по спуску, усеянному мусором так густо, что не видно было земли.

Даша, давая байкерам возможность разглядеть себя как следует, подкатилась к бочке, сделала круг и вернулась. Главнокомандующих она определила сразу — вон те возрастные мужики с бородами на тяжёлых «Голдвиндах», несколько в стороне от остальных, но в то же время как будто в центре. Возле них крутились пацанята-шестёрки, по команде доставали из ящика, стоявшего на бортике бывшего фонтана, пивные банки, резво подносили их и отбегали к своим мотоциклеткам.

Когда Даша въехала на площадку, началось центростремительное движение — весь сброд со всех сторон неторопливо двинулся в её сторону с присвистами и покрикиваниями.

Что именно они кричали, Даша решила не слушать. Она умела не слышать, если не хотела. Хабаров называл это «приступ глухоты».

У Дашки как раз наступил приступ глухоты.

Она остановилась возле бородатых, спрыгнула с самоката и потащила его за собой за резиновые ручки-уши.

— Здоров, мужики, — начала она на ходу. — Как жизнь молодая?

Бородатые удивились. Тяжеловесное изумление заставило бороды шевелиться, а лбы морщиться.

— Кто такая? — спросил, видимо, главный начальник. — Чего надо?

— Я приезжая из Москвы, — объявила Даша. — А надо мне человечка по имени Алик-Борода. Говорят, тут у вас есть такой.

Бородатые переглянулись. Толпа стягивалась всё теснее, но Даша не обращала на неё никакого внимания.

— Ты чегой-то попутала, милая, — сказала главная борода почти ласково. — Мы тебе тут не сайт знакомств! Ступай с Богом, покуда ребятки вежливость проявляют. Не отсвечивай.

— Алик мне нужен, — повторила Даша, — а не сайт знакомств. Ты, дядя, покажи мне его, и все дела. Базарить дольше будем!

— Ух ты, мать честная! — восхитилась борода. — И не боишься?

— Я? — удивилась Даша. — Кого мне бояться? Тебя, что ль, дядя? Ты, видать, человек смирный, спокойный. Понимающий.

— Да откуда ты взялась-то такая?!

— Ты с Пашей-Суетой за меня перетри. Он тебе всё и растолкует.

Главная борода немного дрогнула. Мгновенный взгляд на остальных, чуть заметное движение. «Голдвинд» шевельнулся, на нём звякнули какие-то цацки.

— Так тебя Паша послал?

— Меня, дядя, никто не посылает. Я сама прихожу.

Главный секунду колебался, и Даша отчётливо ощущала это колебание. В эту секунду самое главное — его пересилить, не проявить ни беспокойства, ни неуверенности.

Она расслабила плечи, прислонила самокат к «Голдвинду» и заправила волосы за уши.

И выиграла.

— Пацаны, — негромко позвал главный, и сразу же перед ним нарисовались шестёрки, как двое из ларца, — Алика позовите. Вроде он здесь.

— Я видал, — сказала вторая борода. — Был тут.

— Паша мне ни полслова про тебя не шепнул, — задумчиво продолжал главный, но Даша не дала ему возможности задуматься надолго.

— Так его подстрелили надысь, — сообщила она. — Ты чё, не слыхал, дядя? Грохоту было на весь город.

— Эт точно, — изрекла вторая борода, и третья согласно кивнула.

— Чё надо, Стригун? — Из толпы к ним протолкался ещё один заросший почти до глаз, в камуфляже и бандане на сальных волосах. — Зачем звал?

— А вот погляди, кто тут с тобой базарить хочет.

— Ух ты, — восхитился заросший. — Какие к нам конфетки с неба падают! Чего надо, лапуля?

— Разговор у меня к тебе, — заявила Даша. — Паша-Суета посоветовал тебя разыскать и поспрошать.

— Па-аша?.. Ну, дык давай базарить, раз пришла базарить.

— Отойдём? — предложила Даша.

Она подхватила самокат, стала на подножку, оттолкнулась и поехала прямо в толпу. Все неотрывно смотрели на неё.

...Они должны расступиться. Я всё рассчитала правильно. Расходитесь, ну!..

Ей оставался метр или полтора, когда стоящие на её пути стали медленно подаваться в стороны. Даша въехала в образовавшийся коридор, оглянулась и сказала:

— Чего ждём-то?!

Тот, кого, по всей видимости, звали Алик-Борода, пожал плечами и двинулся за ней.

— Бывайте, мужики. Земля круглая, может, увидимся ещё! — Даша помахала рукой главнокомандующему со свитой и снова оттолкнулась.

Алик-Борода догнал её.

— Твою мать, ты кто? Чё те надо? Чё я за тобой бегу, как собачонка, на глазах у всего честного народа?!

...Ты за мной бежишь, подумала Даша, потому что я главная. По крайней мере, главнее тебя. Я заставляю тебя бежать за мной, чтобы ты это понял и уложил в свою чугунную башку. В нашей с тобой компании начальник я.

— Где твой байк?

— А тебе-то чё? — поразился Алик. — Вон там. Ты чё, покататься хочешь?

— Сядем, — сказала Даша — и поговорим, как люди. В ногах правды нет.

— Пошли на берег!..

— В помойку-то? Сам там сиди, а я не желаю. Отъедем до лесочка?

— Ты даёшь, твою мать!..

Тем не менее все её команды он выполнял. Они дошли до его мотоцикла, Алик завёл мотор, сразу оглушительно зарычавший, Даша взгромоздилась на сиденье и взяла самокат.

— Жми! — крикнула она Алику в ухо.

Тотчас же ветер ударил в лицо, её сильно качнуло, видимо, Алик-Борода завалил мотоцикл на повороте, проверяя, свалится незваная пассажирка или нет. Даша только уселась поглубже. Держаться было неудобно, тяжёлый самокат мешал, её кренило в сторону.

Двигатель взревел, наддал, они вылетели на шоссе и понеслись по осевой. Ветер бил в лицо так, что она захлёбывалась, чтобы вздохнуть, нужно было отворачивать голову от потока. И самокат, чёрт возьми!.. И раненый локоть, который в любую минуту мог подвести!..

— Долго еще?! — проорал сквозь вой мотора Алик-Борода.

— Чего?!

— Кататься долго ещё будем?!

— Мне нравится!..

Он должен делать всё, что она ему скажет!.. Пока что всё шло хорошо, и он был послушен.

Мелькнула стоянка с фурами, потом кафе с мангалом, над мангалом дым. Потом какой-то поворот.

— Давай сюда!..

Алик-Борода резко затормозил, Даша ткнулась носом в кожаную куртку с бахромой. От куртки крепко несло махоркой, машинным маслом и потом. Мотоцикл развернулся и съехал с дороги.

На обочине под голыми берёзками был врыт стол, по бокам две лавки. Вокруг, разумеется, помойка, но всё же не такая, как на берегу.

— А я бы, — заявила Даша, перенося ногу через сиденье и пристраивая к лавке свой драгоценный самокат, — всех, кто мусор под ноги швыряет, сажала бы в выгребную яму. Окурок швырнул, час сидишь, пакет — два сидишь, бутылку — три. Сортиров бы кругом наставила, чтоб было в чём сидеть-то. Сам дерьмо производишь, и потом сам же в нём отдыхаешь!

— Больно круто берёшь.

— Не люблю, когда гадят, — отрезала Даша. — А почему тебя звать Борода? У всех борода! Есть кто без бороды?

— Пацаны так называют. А чё тебе-то?

— Да мне ничё. Фантазии у вас нету.

— Всё ей не так, — удивился Алик. — В говно всех посадить, фантазии нету!.. Какое твоё дело?!

— А моё дело такое, — сказала Даша, — ты, говорят, знаешь, кто возле библиотеки ошивался, когда там директора мочканули.

— Чё-о-о?!

— Чё слышал.

Алик-Борода пришёл в такое изумление, что с размаху сел на лавку. Лавка скрипнула под ним и немного поехала в сторону.

Из-за буйной растительности на лице Даша никак не могла определить, сколько ему лет. То ли тридцать, то ли пятьдесят. Глаза голубые, водянистые, руки загрубевшие, все в шрамах и ссадинах. То ли он всё время дерётся, то ли работает с механизмами, и не слишком внимательно работает.

— Тебя Паша послал про директора библиотеки узнать?!

— Ага. Подвинься.

И Даша уселась рядом с ним. Лавка ещё немного наклонилась.

— Да ладно, не гони!

— Слышь, Борода, — произнесла Даша душевно. — Мне Паша сказал, что видел ты возле библиотеки кого-то. Давай говори, кого, и разойдёмся с Богом.

— Да на что Паше директор?!

— Он не Паше, а мне нужен. И ты не вникай, целей будешь. Ты на вопросы отвечай.

Алик вздохнул, почесал голову под банданой и сбоку посмотрел на неё.

...Ну, такая краля, прям жуть берёт и живот начинает болеть. На самокате детском рассекает!.. На тусу привалила, как будто в клуб на танцы, это ж надо!.. Про библиотекаря базарит, Паша, говорит, к тебе послал!.. А сама — прям жар-птица! Так бы и... эх!.. В животе сделалась судорога, и ниже тоже всё пришло в волнение. Что за девка такая, откуда взялась? Не разбери-поймёшь!..

— Ну чего? Вспомнил про библиотеку-то?

— Да не видал я там никого.

— Врёт, выходит, Паша-Суета?

— Да ладно, погоди. А чего ты говоришь про директора, будто мочканули его! Кому он нужен? Сам перекинулся.

— Ты тут не рассуждай, — посоветовала Даша. — Домой приедешь, там рассудишь. А сейчас рассказывай, долго ждать-то?

— Ну, крутился там мужик из ресторана. Живую музыку поёт, знаешь?

— Слыхала.

— У него тоже байк, только не такой, как мой.

— А у него какой?

— Ну, скоростной, полегче. И с нами он сроду не тусил. Так, сам по себе катался. Мы его не трогали, Паша велел не трогать.

— Только мужик из ресторана, больше ты никого не видел?

Алик-Борода опять посмотрел на неё.

— Чё ты пялишься? — спросила Даша. — Нравлюсь?

— А если нравишься, то чё?

— Я многим нравлюсь.

— Пошли со мной на свидание!.. Я щедрый, особенно когда разгуляюсь!

— Кто ещё крутился возле библиотеки?

— Сам Паша крутился. На своём байке. Я потому и толкую за то, что ты туфту гонишь, сладкая!.. Чё тебя сам Паша прислал, когда он сам же там и катался?

Даша помолчала, ковыряя каблуком ботинка сухой мох на перекладине лавочки.

...Паша, Паша... Выходит, я в тебе ошиблась?

Не спеши. Не суетись, сказала она себе. Сейчас спешить и суетиться никак нельзя.

— А когда ты возле библиотеки Пашу видел?

— Да как раз когда директор дуба дал. Я мимо библиотеки этой на работу еду, я в мастерских работаю. Он мне навстречу попался. Он редко катается, в три года раз, а тут чё-то понесло его. — Алик задумчиво почесал бороду. — А ещё я обратно попилил, замзав меня послал, я ему лебёдку обещал, ему и приспичило, видать, на рыбалку собрался, а сейчас топко, без лебёдки не вылезешь, особенно где пониже. Ну, я и погнал за лебёдкой, а Паша возле забора библиотечного на байк залазил!

— То есть ты его второй раз встретил?

Алик кивнул.

— Да про что я тебе и толкую! А если ты такая ему подруга, чё он тебе сам-то не сказал?

— Иди ты, — огрызнулась Даша. — Он сказал, что ты кого-то там видел, возле библиотеки. Ты и видел — певца из ресторана!

— Точно! — обрадовался Алик. — Певца я точно видел! И Пашу видел. Я ещё подумал, что странно, катается, да ещё поутряни, хотя все знают, что он до полдня дрыхнет! И садился он как-то не с той стороны.

— Задом наперёд, что ли? — мрачно спросила Даша, и Алик захохотал.

Даша ещё немного подумала, потом поднялась с лавочки:

— Довезёшь меня до города и можешь быть свободен.

— Я тебя хоть куда довезу, только с этой твоей бандуриной кататься неудобно, ёлки!..

— Ничего, как-нибудь.

Он завёл мотоцикл, уселся, Даша пристроилась сзади и самокат пристроила так, чтобы одним колесом он опирался на подножку.

— А может, на свидание? — Алик оглянулся на неё, глаза у него были весёлые. — Гляди, проморгаешь своё счастье!

— Это ты — моё счастье? — прокричала Даша. — Давай, жми, братюнь!

Он нажал на газ, байк вылетел на шоссе и помчался.

Даша пряталась от ветра за его плечом и глубоко и длинно дышала. Самокат очень ей мешал.

...Она почувствовала опасность за секунду до того, как всё случилось. Всё же она была очень хорошо подготовлена и умела предвидеть события.

Она почувствовала неведомую опасность, закричала в ухо Алику: «Стой!!!» — и стала подтягивать к себе самокат.

Вместо того чтоб давить на тормоз, Алик стал оглядываться на неё. Байк вильнул и выправился.

— Газ убери!!! Убери газ!!!

И ничего она не успела.

С просёлка из-за кустов наперерез выскочила грязная машина с заляпанными номерами. Она вылетела из-под горки и «кенгурятником» ударила мотоцикл в бок. Тот повалился, отлетел, закрутился по асфальту, и Дашина голова попала под заднее колесо. Алик отлетел далеко, почти на противоположную обочину, и так и остался лежать.

Из машины проворно выскочили двое, огляделись — никого не было на дороге, только издалека приближалась фура. Они подбежали к Даше — под щекой у неё собиралась лужица крови. На асфальте кровь сворачивалась в чёрные пыльные капли. Не обращая внимания на Алика, двое подхватили Дашу и поволокли. Голова у неё моталась и ударялась об асфальт. Они зашвырнули её внутрь, хлопнули двери, машина развернулась и нырнула в просёлок, как и не было её.

Колесо мотоцикла продолжало крутиться.

На входе Макс помедлил — не сразу придумал, какое из удостоверений показать, и показал книжечку члена Общественной палаты. По опыту он знал, что палата действует на всех вахтёров и сторожей безотказно — на этом удостоверении в изобилии присутствовали гербы, орлы и красно-бело-синие полосы.

Он показал удостоверение и спросил, где ему найти Елизавету Хвостову.

— Это кто ж такая будет? — спросил вахтёр, изо всех сил тараща на него глаза — из уважения к орлам и гербам.

Макс не смог ему объяснить, он понятия не имел, кто такая Елизавета.

— Вам Лизочку? — спросила с лестницы тётка в кудрях и синем костюме с белыми полосами на лацканах — морской стиль. На ногах у тётки были белые туфли на квадратных каблуках. В пальцах с облупившимся маникюром — растрёпанная папка.

Всё это — и туфли, и пальцы, и папку — Макс охватил одним взглядом.

— Это к нам, к нам! — Тётка сбежала с лестницы. — Давайте я вас провожу!..

Государственная телерадиокомпания «Тамбов» помещалась в сером советском здании с антеннами и усилителями на крыше. К подъезду было пристроено сооружение из реек и стекол, по виду похожее на теплицу — как бы сени. Должно быть, дань современной моде и заодно освоение бюджета на ремонт.

— Вы из галереи, да? — благожелательно говорила тётка, пока они шли по длинному, залитому солнцем коридору. — Лизочка там подрабатывает. Сейчас все подрабатывают! Зарплата, как говорится, у нас хорошая, но маленькая...

В коридоре с одной стороны были окна, а с другой высокие, тяжёлые, обшарпанные двери, обшитые уголком, словно паркетной доской. Над дверьми располагались неоновые лампы-цилиндры с надписью красными буквами «Тихо! Съёмка!». Стены за много лет не один раз красили, и лампы-цилиндры были все в потёках засохшей краски.

— Здесь раньше сплошь студии располагались, — объяснила тётка, заметив, что Макс разглядывает надписи. — Сейчас, конечно, не работает ничего. Да столько и не нужно, мы программ-то выпускаем раз-два и обчёлся. А всё равно жалко, пропадает всё!

Между дверьми висели плакаты и лозунги, пыльные и тоже кое-где заляпанные краской.

«Решения XXVII съезда КПСС в жизнь!»

«За социалистический труд!»

«Даёшь молодёжь!»

На плакатах были изображены рабочие и работницы, а также люди интеллектуального труда — в белых халатах и с логарифмическими линейками и циркулями в руках.

— А вы из Москвы?

Макс согласился. Пусть будет из Москвы.

— И как там Москва? — продолжала тётка.

— Кругом ремонт, — проинформировал Макс.

— Ремонт — это хорошо, — сказала тётка бодро. — Вот наше здание уже лет тридцать ремонта дожидается!.. И всё никак. А раз ремонт, значит, жизнь идёт.

Макс согласился, что идёт.

— По весне ещё ничего, а по осени это ужас что такое! На третьем этаже во всех комнатах с потолков течёт. И перед крыльцом лужа, хоть на лодке переплывай.

— Нужно жаловаться в инстанции, — посоветовал Макс, чувствуя себя членом Общественной палаты. — Требовать.

— Да мы и жаловались, и требовали, и в Думу писали! Ни-че-го. У вас в Москве с этим просто, надо денег — выделили, ещё надо — ещё выделили, а у нас!..

Она махнула рукой.

— Сюда проходите, только осторожно. Тут кабели кругом и темно.

Следом за тёткой Макс свернул в боковой коридор, тотчас же споткнулся о какие-то провода, нырнул в темноту и вынырнул на свет.

— Лизочка, это к тебе!..

В небольшой, плотно уставленной шкафами и столами комнате теснились люди, и казалось, что их очень много, гораздо больше, чем комната может вместить. Некоторые сидели за письменными столами и остервенело лупили по клавиатурам, другие разговаривали по телефонам, все разом. На диване пили чай, за дверью шкафа кто-то переодевался.

— Лизочка? Где Хвостова?

— В студию побежала, Тамара Павловна. Запись через десять минут!

— Сейчас прибежит, — сказала Максу тётка. — Вы проходите, не стесняйтесь! Вон на подоконнике стаканчики и кипяток, сделайте себе кофе, чего всухую-то сидеть!..

— Спасибо.

Тётка посмотрела на него и засмеялась.

— Да вы не обращайте внимания! На телевидении всегда так, всё вверх дном.

— Я понял.

Из-за шкафа выскочила девица. Кроме юбки и лифчика, на ней ничего не было, волосы стояли дыбом — в прямом смысле слова, они были зачёсаны вверх.

Макс опешил.

— Лена! — закричала девица. — Где Лена?

Какой-то парень поднял голову от компьютера:

— Она ещё не приходила.

— Как не приходила! Она мою блузку забрала гладить!

— Тогда чего ты спрашиваешь? — обиженно пробормотал парень. — Значит, гладит, раз забрала.

На девицу в неглиже никто не обращал внимания, и она ни на кого не обращала. Она подбежала к столу, распахнула сумку и стала остервенело в ней копаться.

— Кто взял мою помаду?! Сто раз просила, перед съёмкой у меня ничего не таскать! Ну?! Кто взял?!

И она вывернула содержимое сумки в кресло.

— Наташенька, вот она. Я утром без ничего выскочила, думаю, хоть губы накрасить! А у тебя «Диор»!

Тут полуголая Наташенька заметила Макса, который так и стоял посередине шурум-бурума, взвизгнула и умчалась за шкаф. Ремень сумки потянулся за ней, за сумкой поехало кресло, застряло и с шумом опрокинулось. С него посыпались расчёски, прокладки, тюбики, флаконы, деньги, бумажки, пудреницы, тёмные очки и ручки.

Макс кинулся собирать.

— У нас посторонний! — из-за шкафа закричала девица. — Я же голая!

— Да кто тебя голой не видел?!

— Кто пустил посторонних в гримёрку перед съёмкой?! Выйдите, выйдите!

Макс поднял кресло и положил на него пустотелую сумку.

— Я не знал, что нельзя, — пробормотал он. — Извините.

Самым удивительным ему показалось, что девица нисколько не стеснялась находящихся в комнате людей, должно быть, от того, что они были «свои». А «чужого» Макса застеснялась.

Он стал пробираться к выходу, и в дверях столкнулся с Елизаветой Хвостовой. Она его не узнала.

— Тамара Павловна, — заговорила она, обходя Макса, как неодушевлённое препятствие, затормозившее её стремительное движение, — гость готов, ему сейчас звук вешают, он чаю попросил и коньяку. Я не знаю, налить?

— Налей, конечно, Лизочка! Гость есть гость.

— Да в тот раз рокер, помните, как накидался? Потом в кадре икал!

— Лизочка, к тебе молодой человек пришёл.

Елизавета Хвостова оторвалась от бумаг, которые она зачем-то всё время быстро и бестолково листала, и посмотрела по сторонам. Ничего интересного не увидела и опять уткнулась в бумаги.

— Это я к вам пришёл, — сообщил Макс. — Мы с вами встречались.

Тут она подняла на него глаза и несказанно удивилась.

— Здравствуйте, — сказал вежливый Макс.

— Здравствуйте, — отозвалась вежливая Елизавета. — А... вы на съёмку?

— Я к вам.

Елизавета огляделась по сторонам, словно ища помощи и поддержки.

— А у меня съёмка.

— Я подожду.

— Где Лена с блузкой?! — закричала из-за шкафа девица. — Я что, в эфир в лифчике сяду?!

— А что? — тут же отозвались с дивана. — Будет новое слово. Выйдешь к народу с открытыми чакрами!..

— Лену найдите!

— Я найду, — отозвалась Елизавета. — Тамара Павловна, сколько до записи?

— Минут десять.

— Точно?

— Лизочка, откуда я знаю?

Елизавета потянула Макса за рукав.

Он пошёл за ней, ему было весело.

— Всегда так, — заговорила Елизавета в коридоре. — Вот каждый раз так! Иногда мне кажется, что на телевидении работают самые низкоорганизованные люди! Ну, ни разу не было, чтобы мы без опозданий начали. И гость вовремя приехал, и операторы все на месте, так теперь Лена пропала!..

— Хотите, я ее найду?

— Кого? Лену? Да мы сейчас зайдём в костюмерную, и все дела.

Елизавета шла очень быстро, и он не сразу приноровился, отставал от неё на шаг.

— А правда, зачем вы пришли?

— Повидаться, — сказал Макс. — Давно не виделись.

Она посмотрела на него и засмеялась.

— Я вас утром даже не стала на нашу программу приглашать, вы же всё равно не согласитесь! А программа у нас неплохая, правда! Называется «Разговоры запросто».

— Многообещающе звучит.

— Мы всех гостей города стараемся приглашать, ну, всех! И артистов, и политиков, спортсменов тоже. И в первую очередь своих, городских, конечно, только своих у нас мало, они все уже кончились давно. Подержите!

Елизавета сунула ему папку и двумя руками потянула тяжёлую дверь:

— Лена! Лена, вы здесь?

— Да, да, — отвечали из глубины помещения, звук был глухой, как из погреба. — Сейчас иду!

— Мы опаздываем уже, а Наталья голая!

Следом за Елизаветой Макс протиснулся в тесное помещение, завешанное одеждой. Пожалуй, он никогда не видел такого количества тряпок, предназначенных прикрывать человеческую наготу!.. Одежда висела на рейлерах, громоздилась в ячейках шкафов, низвергалась с потолка на крючьях, вылезала из гардеробов — на дверях гардеробов тоже висела одежда. Здесь были костюмы, платья, блузки, жилеты, сорочки — отдельно и всех размеров. В ряд стояла обувь, явно ношенная, сначала мужская, потом женская, и ряд терялся в глубине комнаты. Обувь явно эволюционировала, от старомодных ботинок на «манной каше» к современным кроссовкам и кедам. Макс подумал, что там, в начале, должно быть, стоят сапоги и валенки, как же иначе, а ещё дальше лапти и опорки!

Худенькая темноволосая женщина выбралась из-за тряпичных курганов. На вытянутых руках, как на подносе, она несла нечто летящее, воздушное, свешивающееся на две стороны.

— Там пятно было, — озабоченно говорила женщина, — на самом видном месте. Я в прошлый раз не заметила. Когда Наташа его посадила! Пришлось быстренько застирать. Но уже всё, всё, бегу!..

— Зачем такая прорва одежды? — спросил Макс. — Для кого?!

Худенькая женщина улыбнулась. Улыбка у неё была дивная.

— Для ведущих, конечно. Да вы не удивляйтесь, тут, считай, склад. С шестидесятых годов одежда хранится. Мне говорят, чтоб выбросила, а как я могу?.. Жалко. Там у меня костюмы, в них детки встречали Гагарина, когда он в Тамбов приезжал. Телевидение снимало, специально для съёмки костюмы пошили, они все целы. Как же выбросить?

Елизавета придержала дверь, чтобы Лена с летящим и воздушным в руках смогла выйти, и сказала Максу:

— Теперь в студию! Или вам к директору нужно? Вы же, наверное, к нему пришли? Это на втором этаже, только я вас проводить не могу, у меня там гость наедине с коньяком. Гиблое дело!

— Я пришел пригласить вас на свидание, — сказал Макс. — Сегодня вечером, после вашей съёмки. Мы даже сможем выпить коньяку.

Елизавета страшно удивилась.

ЗЕМНОЕ ПРИТЯЖЕНИЕ

— Меня? — переспросила она недоверчиво. — На свидание?

Макс вдруг рассердился.

— Вы мне понравились, и я приглашаю вас на свидание. Что тут особенного? Или у вас дети и внуки?

— Нет, нет, ничего особенного, — торопливо произнесла Елизавета, словно оправдываясь. — Я с удовольствием, конечно. Я всегда пью коньяк по вечерам после съёмок с... малознакомыми мужчинами!..

...Если окажется, что она мой враг, подумал Макс Шейнерман отчётливо, я застрелюсь.

— Тогда давайте за мной, я вас там где-нибудь посажу, ладно? У нас гостевого редактора нет, я совмещаю, чтоб денег было больше, мне придётся к гостю уйти.

— Ничего, я подожду.

Тут она решила его предупредить:

— Это всё может затянуться.

— У меня полно времени.

...Всё ему нравилось, всё приводило в хорошее настроение, обычно ему не свойственное. В тебе, мальчик, некогда говорили тёти Фуфа и Марочка, сосредоточена вся скорбь еврейского народа! Мальчик всегда был серьёзен и жизнь воспринимал всерьёз — как трагедию. Веселился он редко и словно с оглядкой — на прошлые и будущие беды.

На Тамбовском телевидении он веселился от души, и Елизавета Хвостова полностью соответствовала его веселью. Утром она была одета как-то по-другому, а теперь на ней были плотная белая маечка с длинными рукавами и широченные шёлковые штаны на помочах. Видимо, и помочи, и штаны были придуманы неспроста, потому что всё это казалось чертовски сексуальным, особенно когда лямки падали с узких плеч и она поправляла их рассеянным движением, а они то и дело падали!.. И шёлк, полоскавшийся вокруг длинных ног и откры-

227

вавший узкие щиколотки, всё время хотелось потрогать, Макс был уверен, что он тёплый на ощупь — от её тела.

Всю съёмку он простоял за спиной у человека, переключавшего монитор с одной камеры на другую. Должно быть, это для чего-то требовалось. Ненадёжный гость, о котором беспокоилась Елизавета, оказался на редкость скучным дядькой в жёлтом негнущемся костюме и при бороде. Макс даже толком не понял, кто он, то ли депутат, то ли какой-то чиновник.

— В аспекте майских указов президента, — говорил мужик с тоской, — нам ничего не остаётся, как соответствовать и отвечать на современные вызовы в плане градостроительства, а также строительства дорог и домов. К третьему ква́рталу текущего года мы планируем закончить начатое в первом, а также во втором ква́ртале, а именно, ликвидацию аварийного прорывного колодца на улице Тургенева и заделку промоин весеннего паводка на улицах Луначарского и Циолковского совокупно.

Ведущая билась до последнего — надо отдать ей должное!.. И Макс отдавал. Когда она выскочила из-за шкафа с волосами торчком и в одном белье, он решил было, что она убогая дурочка и совсем ни на что не способна, но оказалось, способна! Она спрашивала бородача о дешёвых ипотечных кредитах, о земельных участках — из-за них, насколько понял Макс, в Тамбове разгорелась какая-то баталия, — о тротуарах с пандусами для пенсионеров и молодых мамаш, но ничего не вышло. Гость не сдавался. С монотонным упорством он продолжал гнуть своё — про ликвидацию, систему мер и непонятно к чему пришедшиеся майские указы.

— Съёмка окончена, всем спасибо, до субботы.

— Больше никогда, — в сердцах сказала Максу давешняя Тамара Павловна, — вот клянусь, никогда больше его не позовём! Это жуть, что такое!

— Да ладно вам, Тамарочка, — потягиваясь, проговорил человек у монитора. — В следующем месяце опять позовёте! Кого ещё звать-то? Город у нас маленький, откуда гостей брать?

— Нет, нет, Богом клянусь, в последний раз!

Народ медленно расходился из студии, а Елизаветы Хвостовой всё не было.

Наконец она прибежала, запыхавшаяся и красная.

— Проводила, — выдохнула она. — Он мне до самой машины продолжал рассказывать!

И захохотала. Тамара Павловна захохотала вместе с ней, и Макс заулыбался.

— Главное, спрашивает: я хорошо выглядел? А сняли красиво? — И опять захохотала. — У меня, говорит, левый профиль рабочий, а правый нерабочий! У него! Профиль!.. Можно я пойду, Тамара Павловна? А то меня вот... Максим... ждёт.

— А вы знаете, откуда это пошло — рабочая сторона, нерабочая сторона? — спросил Макс, когда они выбрались на весеннюю улицу. — Этот ваш гость сказал — профиль.

— Нет, откуда?

— Когда кинематограф только начинался, очень сложным делом было поставить свет в студии так, чтобы не было теней. Никто не умел этого делать!.. И лампы были несовершенные, и плёнка, и киноаппараты. Человек в кадре мог стоять только определённым образом, ну, я не знаю, так, чтобы тень от его носа не падала на лицо партнёра! Вот это и называлось — рабочая сторона. Снимают только с этой стороны!

Елизавета слушала с большим интересом.

— По-моему, первых артистов так и гримировали, только пол-лица, которые предполагалось снимать. Но тут я не уверен. Куда мы пойдём?

— А куда мы пойдём?

— Туда, где красиво. Где у вас красиво? В городском саду? На центральной площади?

Елизавета Хвостова немного подумала.

— Пойдёмте к театру. Там есть чудный сквер, можно посидеть на лавочке. И сам театр мне нравится! Вообще мне кажется, у нас везде замечательно. Вы не смейтесь — мне так кажется, и всё тут!.. Я в Москве училась, в университете, мне там тоже нравилось, но домой хотелось страшно! У нас и зимой хорошо, и летом. А когда сады цветут!.. У родителей яблоневый сад, самый настоящий.

Теперь Макс слушал с большим интересом.

Он слушал и раздумывал, взять её за руку или не брать. И волновался от своих раздумий.

— Не просто пять деревьев, а именно сад. Тут в Тамбове всегда было принято иметь сады. Потому что всё растёт, что ни посади!..

— Антоновка? — спросил Макс, вспомнив, что он на службе. — Я знаю, покойный директор библиотеки занимался прививками, хотел возродить антоновку.

— Да, да, — подхватила Елизавета. — Он мне рассказывал и показывал даже!

— Вы были у него дома?

— Ну-у, нет, конечно. Но я в библиотеку часто хожу, и с Петром Сергеевичем мы дружили. То есть он со мной дружил, конечно! У него книг полно было именно про сорта яблок, и так интересно написано. И веточку он мне показывал, как прививать. Это непростое дело.

— Сейчас не модно ходить в библиотеки, — сказал Макс. — Сейчас модно ходить в антикафе. А в Тамбове библиотека популярное место, удивительное дело!..

— У нас книжные магазины не очень, — пояснила Елизавета. — И в последнее время так дорого книжки покупать!.. А читать хочется. Я без книги жить не могу, нет, не в том смысле, что сразу умираю, просто мне неинтересно. Книга... как человек, понимаете? Бывает друг, бывает враг. Бывает пустомеля.

— Пустомеля, — повторил Макс и взял Елизавету за руку.

Рука была тонкая и крепкая, в замшевой перчатке.

— В библиотеку много народу ходит! Мы с Никитой то и дело встречаемся, он в нашей школе учился, а сейчас работает в гостинице «Тамбов-Палас». Такое шикарное место!

— Я знаю.

— Вы там остановились?

Макс покачал головой.

— Я всегда звонила, на месте Пётр Сергеевич или нет, чтоб его застать. С ним было интересно!.. Он мне вашу книжку не дал! — Тут Елизавета улыбнулась. — Очень важно, когда есть человек, который посоветует, что почитать. И что читать не нужно!

— Я раздумываю, не обидеться ли мне.

— Да не-ет! — Она слегка покраснела и принялась всерьёз объяснять: — Когда в нужный момент читаешь нужную книгу, жизнь меняется к лучшему. А бывает всё наоборот: книга тебе не подходит, и ты книге не подходишь, ну, ничего у вас не совпадает! Получается ерунда, кажется, что книга плохая или слишком скучная, а ты просто до неё не дорос.

— Или перерос, — подсказал Макс.

— Конечно! — согласилась Елизавета. — В нашей библиотеке есть тётеньки, которые одни любовные романы читают, и Пётр Сергеевич над ними никогда не смеялся!.. Он всегда говорил: пусть что угодно читают, лишь бы читали! Так постепенно и привыкнут читать. А это очень важно — привычка к чтению.

Некоторе время они шли молча. Макс держал её за руку.

— Я несколько раз встречала в библиотеке одну такую расфуфыренную, — и Елизавета показала, какую именно. — Очень смешная, всё время в леопарде.

— Как?!

— Ну, наряды у неё такие, как леопард, пятнистые, это когда-то считалось модным. Она Петру Сергеевичу прямо с порога говорила: я за новой порцией! И ей выносили пять любовных романов. Там на обложке всегда корсар обнимает полуголую пастушку.

— Пастушку? — переспросил Макс.

— И девица в леопарде рассматривала обложки и говорила, что нарисовано прям с неё, и написано тоже о ней! — Елизавета засмеялась. — Пётр Сергеевич всегда с ней так уважительно разговаривал и всё о любовных романах! Он даже жалел её, говорил, что она ни в чём не виновата, а виноваты девяностые годы, переводная макулатура и школьная программа по литературе, Пётр Сергеевич считал, что она чудовищна! А потом оказалось, что леопардовая — подружка какого-то бандита, и я подумала: может, Пётр Сергеевич из-за бандита так вежливо с ней разговаривал? И вы знаете, — Елизавета посмотрела на Макса, — теперь мне стыдно.

— Ваш Пётр Сергеевич был большой оригинал, — пробормотал Макс. — И, должно быть, просветитель! Никогда не слышал, чтоб подружки бандитов ходили в библиотеку, хоть бы и за любовными романами!

— А вы многих знаете? Подружек?

Макс улыбнулся:

— Как вам сказать...

— Ну, эта, видимо, какая-то особенная. На мотоцикле катается. Однажды мимо меня пролетела, напугала до смерти! Они так ездят страшно, эти мотоциклисты!

Макс посмотрел на безмятежную Елизавету.

...Нужно быть аккуратным и хладнокровным. Ты ничего о ней не знаешь, и ты на службе! С каких пор тебе нужно об этом напоминать? С сегодняшнего утра?!

Джахан сказала: будь осторожен, ты сказал ей, что всегда осторожен, а она стареет. Может, и ты стареешь тоже? Тебе понравилась девушка, и ты раскис?..

Мы считали, что профессионал действует в рамках понятной логики и законов нашей службы, и не учитывали, что возможен сбой. А он возможен — в любую секунду.

Вот так зайдёшь ни с того ни с сего в старый дом с продуваемым насквозь подъездом, поднимаешься по ветхой лесенке, позвонишь, и девушка откроет дверь. И всё.

— И любовные романы, и мотоцикл, — сказал Макс Шейнерман шутливо. — Как в кино. А почему она вас напугала? Она ехала по тротуару? Нарушала правила уличного движения?

— Вот вы смеётесь! Нет, я дорогу переходила как раз напротив библиотеки, а этот мотоцикл нёсся! Как она меня объехала, уму непостижимо, правда, словно в кино. Мне показалось, что она в библиотеку ехала, но увидела меня и решила напугать.

— Даже так?

Елизавета кивнула.

— Откуда вы знаете, что это леопардовая девица? Она без шлема была, что ли?

— В шлеме, — сказала Елизавета.

— Тогда как вы её разглядели?

Тут она страшно удивилась:

— Слушайте, мне это и в голову не пришло! Я почему-то сразу поняла, что это она, но вот... почему?

Она вытащила у Макса руку и энергично потёрла нос.

— Кожаная куртка, сапоги, всё как положено... И шлем, точно шлем был! Сидела она по-женски, мужчины совсем не так сидят...

— А как сидят мужчины?

— Вы не обращали внимания? Женщина всегда сидит, вцепившись в руль, а мужчина свободно! И в машине, и на мотоцикле. Мужчина едет просто потому, что едет, а женщина делает важное дело — едет! Понимаете?

Макс сказал, что понимает.

— Но это точно была она! А, ну, конечно!.. У неё из-под шлема торчал хвост, а на хвосте заколка. Как раз леопардовая, со стразами! На солнце сверкала.

Тут Елизавета широко улыбнулась, потому что важное дело было сделано — она вспомнила! — и можно было заняться не менее важным делом, прогулкой с кавалером.

— Вы наблюдательная.

— Не всегда. Вообще-то я рассеянная. Особенно если попадается интересная книжка. В детстве я сто раз зачитывалась и опаздывала в музыкальную школу.

— Я тоже, — сказал Макс. — Зачитывался и опаздывал.

— Вы ходили в музыкальную школу?

— Конечно. Как любой ребёнок из хорошей семьи.

— Сольфеджио — это ужас, — вздохнула Елизавета.

— Ужас, — согласился Макс. — Почему вы не остались в Москве после университета?

Она пожала плечами, и он снова взял её за руку.

— Мне как-то никогда не хотелось навсегда уехать из Тамбова. И я была уверена, что найду здесь работу. Ладно, пусть три работы, но с голоду точно не пропаду. Здесь все, вся семья, а я одна не могу, не умею. И потом в Москве таких, как я, пруд пруди, а здесь я штучный товар!

...Если окажется, что Елизавета Хвостова, штучный товар, мой враг, я застрелюсь.

— Мне город очень нравится, — продолжала она. — И всегда нравился. Зимой сугробы, летом теплынь. Весной сады цветут, осенью листья шуршат. Из театра домой я всегда пешком хожу, здесь всё близко. И работы у меня хорошие, все три! На телевидении интересно и весело, там все полоумные, вы обратили внимание?

— Обратил.

— В галерее тоже интересно, но совсем по-другому. Наш Бруно Олегович всякие выставки устраивает, семинары, народу много приезжает, есть с кем поговорить. Молодых художников выставляет, хотя это дело неблагодарное. Они, как правило, никому не нужны, а как только становятся нужны, сразу уезжают.

— В Москву?

— И в Нью-Йорк, — сказала Елизавета. — Любой молодой художник стремится в Нью-Йорк, чтобы его там заметили. Если его там замечают, он моментально становится миллионером и живёт припеваючи. В этом суть современного искусства и главная задача — стать миллионером и больше ничего не делать.

Макс покатился со смеху, а Елизавета пришла в ужас:

— Я забыла, что вы искусствовед с мировым именем!

— Я знаю, вы рассеянная.

— Извините меня! Нет, правда! Вы бы меня остановили! Зачем вы слушали?!

— Затем, что это интересно. И, честно говоря, я совсем не разбираюсь в современном искусстве. Мне не хватает образования. Чтобы разбираться в том, что делается сейчас, нужно всё пройти — античность, раннее Средневековье, Возрождение, новейшие времена. Живопись церковную и светскую. Много всего.

— Ну, это устаревший взгляд, — заявила Елизавета. — В современном искусстве может разобраться любой недоумок. Собственно, и искусства никакого нету!.. Есть мода — на то, на это. Если художник модный, его покупают, он становится миллионером, потому что покупают задорого, и всё, дело сделано!.. Все пишут, чтобы заработать, а не потому, что пепел Клааса стучит в сердце.

— Интересно, — сказал Макс. — Впрочем, это сейчас как раз модная тема: искусство умерло, осталась одна коммерция! Так что ваши рассуждения вполне... в струе.

Кажется, она немного рассердилась.

— Например, картина в кабинете вашего Бруно просто превосходная, — продолжал Макс. — И её автор непременно прославится, вот увидите. Даже если навсегда останется в Тамбове! То есть в Нью-Йорке будут покупать его картины и говорить, что они написаны самородком из Тамбова.

— Хотите, я вас с ним познакомлю? С художником? И вы немного поможете ему прославиться! Хотите?

Тут Макс заподозрил, что художник этот, должно быть, интересует её не только как будущая знаменитость. Наверняка Елизавета Хвостова не проводила жизнь в одиночестве, дожидаясь, покуда в Тамбов явится Макс Шейнерман! И из Москвы она уехала вряд ли только из-за садов и сугробов. Ей хорошо здесь живётся, и рядом есть кто-то, с кем живётся особенно хорошо!

Впрочем, в её квартирке с печкой, книжным шкафом и столом, поделённым пополам, никакого мужского присутствия он не заметил!..

— Познакомьте меня с художником, — предложил Макс. — И я ему помогу. Он ваш возлюбленный?

— Не-ет. Почему вы спрашиваете?

— А кто ваш возлюбленный?

Елизавета Хвостова посмотрела на него с тревогой.

— Вы мне нравитесь, — признался Макс. — Я хочу знать, какие у меня перспективы.

— Господи боже мой.

Он взглянул на её руку и потрогал косточки, обтянутые перчаткой — одну за другой.

— Я не хочу попасть в глупое положение, — объяснил он и опять потрогал косточки, как гамму сыграл. — Я хочу прогуливаться с вами по галерее. И по улицам Луначарского и Циолковского совокупно. В свете майских указов.

Сизые сумерки как будто немного вздрогнули — под голыми липами зажглись фонари. Небо потемнело и отдалилось, и сразу обозначившаяся луна повисла между ветвями. Было холодно и пахло снегом, талой водой и немного городом — бензином и подсохшим асфальтом, бодро и очень по-весеннему. Макс любил запах городской весны.

— Я не знаю, — пробормотала Елизавета. — Что сейчас нужно сделать-то? Отчитаться о своих романах?..

...Если она мой враг, подумал Макс в третий раз, точно застрелюсь!

— Отчитайтесь.

— Тогда пойдёмте на лавочку. Вон на той стороне сквер, там лавочки.

— Нет, лучше в кафе. Я устал и замёрз, — признался он. — И нервничаю.

— Вы?! — удивилась Елизавета. — Вы снисходительны и слегка насмешливы, как и полагается искусствоведу с мировым именем на прогулке с провинциальной простушкой.

— На самом деле в моей душе пожар.

— В кафе, — произнесла Елизавета раздумчивым тоном. — Что у нас тут поблизости?.. Вон там за углом театральная забегаловка, там всегда можно встретить кого-то из артистов. Хотите?.. А если направо повернуть, русская кухня. Самовары, рушники, кринки и фарфоровые петухи. Я там всего один раз была, на дне рождения Бруно Олеговича. В подвале концептуальный бар, там подают салат «Конец света». Не знаю, почему так называется, салат как салат! И курят кальян.

— Не хочу кальян, — сказал Макс. — Давайте лучше кринки и петухов.

— Там разные водки, — словно предостерегла Елизавета. — На смородиновых почках, на бруснике. На клюкве. Бруно Олегович в тот раз прилично набрался. Не одолел. А вы пьёте?

— Куда катится этот мир, — пробормотал Макс, — евреи пьют.

— Что вы говорите?!

— Ничего. Идёмте скорей.

И они почти побежали к ресторану. Внутри было тепло и хорошо пахло — сдобой, травами и слегка щами. Стуча зубами, Макс стянул дафлкот и сунул гардеробщику. Тот почему-то величественно сказал:

— Данке шон.

— Вы похожи на иностранца, — шепнула ему Елизавета Хвостова. Её курточка была совсем лёгкой, но она не выглядела замёрзшей. Должно быть, от того, что она не волновалась.

А Макс волновался.

Они уселись за столик у окна — скатерть вышита крестиком, на подоконнике герань — и уставились в меню.

— Что здесь вкусно?

Елизавета посмотрела на него.

— Я пока не знаю, что именно вам вкусно, Макс.

Он тоже посмотрел на неё. Так они некоторое время сидели и смотрели, позабыв про меню.

— В детстве я больше всего любил жареное мясо и торт «наполеон», — сказал Макс, рассматривая Елизавету. — «Наполеон» обязательно должен быть в тридцать слоёв и очень холодным! Его пекла тётя Фуфа. Иногда всю ночь. Потом его выносили на балкон, и он ждал, когда мы приедем.

— Как в тридцать слоёв?!

— А однажды Чарлик, тёти Фуфин эрдельтерьер, как-то пробрался на балкон и съел примерно половину. Он бы и весь съел, но не одолел, как ваш директор водку. Утром Чарлика застукали спящим при входе на балкон. Вся морда у него была в креме.

— И что?!

— Все перепугались, что он объелся и умер. Поэтому его разбудили и стали поить каким-то желудочными порошками. Чарлик лакал порошки, потому что чувствовал себя виноватым. Потом тётя Фуфа обрезала у «наполеона» края, и мы его доели.

— Что это за имя — Фуфа?

— Фаина.

— А сейчас что вы любите? Вы сказали, что «наполеон» и мясо любили в детстве.

— Сейчас я люблю устриц.

Елизавета Хвостова вздохнула:

— Их здесь не подают.

— И не надо, — ответил Макс серьёзно.

Они заказали дородной официантке большую кастрюльку ухи с расстегаями, судака в горшочке и тройной очистки водку на смородиновых почках.

— Вам не обязательно пить водку, — сказал Макс, наслаждаясь Елизаветой и заказом. — Давайте шампанского закажем?

— Что такое тройная очистка? — спросила Елизавета. — Никогда не понимала!

— Вы химию в школе проходили?

Елизавета помотала головой. Она ела хлеб из корзинки, макая его в соль.

— Химичка, — объяснила она, прожевав, — поссорилась с нашей классной. И отказалась у нас химию вести. С нами два года на уроках лаборантка сидела, чтоб мы не шумели, а мы своими делами занимались. Потом всем в аттестат поставили четвёрки, чтоб не было скандала. Вкусно. И есть правда очень хочется! Хотите хлеба?

Когда принесли водку в запотевшем графинчике, а за ней уху в медной кастрюльке, и сняли крышку, и дородная официантка стала махать рукой в их сторону, чтобы дошёл аромат, у Макса в рюкзаке запищал телефон.

Он не поверил своим ушам.

Мобильный не мог и не должен был пищать.

Извинившись, Макс достал аппарат и посмотрел.

— Что-то случилось? — спросила Елизавета, оторвавшись от ароматов ухи. И вдруг встревожилась — у искусствоведа с мировым именем, который почему-то объявил, что станет за ней ухаживать и даже уже начал, было странное лицо.

— Я должен уйти прямо сейчас, — сказал Макс и поднялся, застёгивая рюкзак. — Простите меня. Если сможете.

Возле буфетной стойки он заплатил по счёту и ушёл, не оглядываясь.

Даша очнулась. Она всегда так приходила в себя — моментально и окончательно, как будто в мозгу зажёгся свет. Ей ничего не нужно было вспоминать, вызывать в сознании картины того, что произошло — она всё помнила и знала, что случилось.

Она не вздрогнула, не зашевелилась, не открыла глаз. Она продолжала лежать точно так же, как лежала до этого, но уже — ожившая.

Ожившей Даше нужно было время, чтобы понять, где она и кто вокруг.

Она отчётливо слышала шаги и голоса, но слов не различала. Говорили очень тихо, и голоса были незнакомыми.

Рядом с ней никого не было, это она знала точно, она всегда чувствовала присутствие человека.

Сильно болела голова, в виске словно надувался шар, выпячивался, наливался, потом прорывался, и — раз-два-три, — несколько секунд без боли, а потом всё сначала. Даша посчитала, на какой секунде ей хуже всего, получалось, что на тринадцатой, и когда подошла тринадцатая секунда, ногтями впилась себе в ногу.

Боль в ноге слегка заглушила взрыв в голове, от которого Дашу тошнило, и казалось, что вот-вот вырвет. Стало легче.

Она прикинула, кто мог на неё напасть, да ещё так внезапно.

Получается, противник обошёл её, обошёл их всех!.. Оказался проворнее, ловчее и умнее.

Даша едва сдержалась, чтобы не застонать от разочарования. Она терпеть не могла проигрывать, не умела!.. Хабаров всегда ругал её за это, и Джо тоже.

Каждую тринадцатую секунду она впивалась ногтями себе в ногу, как по секундомеру, и думала, думала.

...Мотоцикл, который видел Алик-Борода возле библиотеки в день смерти Цветаева, принадлежит Паше-Суете. Что из этого следует? Цветаева убили Паша и его подручные?

Зачем тогда он навёл меня на байкерскую тусовку и Алика? Он сказал — возле библиотеки крутились мотоциклисты. Если бы он не сказал, я бы знать не знала ни о каких мотоциклистах!

Даша думала и одновременно прислушивалась к звукам, которые её окружали. Их было немного: бубнили незнакомые голоса, потом затихли, и долгое время совсем ничего не было слышно. Проскрипели половицы, стукнула дверь. За стеной, на улице приглушённо застучал автомобильный мотор.

Кто-то уезжает. Кто-то был здесь и теперь уезжает.

На её закрытые глаза упала полоска света — Даша не пошевелилась, веки не задрожали.

Человек подошёл и уставился на неё. Она не двигалась и редко дышала.

Человек наклонился над ней. Даша чувствовала, как он сопит и смотрит, и чувствовала его запах. От него пахло опасностью и немного медикаментами.

— Алё, гараж, — сказал человек, и Даша узнала голос. — Давай очухивайся! Ты ж супермен, вумен!.. Открывай глаза, ну!..

Даша открыла глаза и некоторое время смотрела прямо в наклонившееся к ней покрасневшее лицо.

— Пусти, я встану, — сказала она, когда лицо дрогнуло и подалось вверх.

Она села — довольно осторожно, потому что не очень понимала, что у неё с головой, — и спустила ноги с дивана. В голове сразу набух болезненный шар, в глазах потемнело, и стало больно локоть, на который она упала.

...Придётся теперь мыкаться с этим локтем! Эскулапы поволокут на всякие прогревания, электрофорезы и массажи. В карте запишут — повторная травма, и на медкомиссиях будут цепляться. Даша всего этого терпеть не могла!..

241

— Ты резких движений не делай, снайпер, — сквозь боль в голове и шум в ушах до неё донёсся голос. — Ты теперь на моей территории, сиди спокойно.

— Я спокойна, — сказала Даша и потрогала собственную голову со всех сторон.

На первый взгляд ничего особенного. На виске, кажется, просто ссадина, царапина на щеке, довольно глубокая. В зеркало бы посмотреть, как бы шрам не остался! Даша терпеть не могла, когда наносили ущерб её красоте!.

— Говорю сразу, тут кругом мои бойцы, дом оцеплен, и по периметру люди расставлены. Дёрнешься, пристрелю, как собаку!

— Боже, какие выражения, — пробормотала Даша. — А сортир где? Или там тоже бойцы и оцепление?

Паша-Суета крепко взял её за волосы, оттянул голову назад — Даша охнула и сморщилась — и выговорил ей в лицо:

— Веди себя потише, поняла? В сортир провожу, а потом в наручниках будешь сидеть.

И вывел её в коридор. Дом Даша узнала — именно сюда она привезла раненого авторитета не далее, как двадцать четыре часа назад. Привезла, затащила на крыльцо и сдала с рук на руки подельникам!

— Зря я тебе жизнь спасла, — пожалела Даша. — Лежал бы сейчас в морге тихо-мирно, никаких забот.

Паша ткнул её в спину, довольно ощутимо. Он двигался и дышал нормально, свободно, и не похоже было, что в него стреляли. Как видно, Джахан не зря старалась.

— Как ты себя чувствуешь, Паш? — заботливым тоном спросила Даша у самой двери в туалет. — Ничего не беспокоит? Повязку менял?

Толкнуть себя ещё раз она не дала. Голова была тяжёлой и мутной, локоть, зараза, болел так, что глаза лезли на лоб, но рефлексы, выработанные за годы, никуда не делись.

Паша только замахнулся, чтобы пнуть её как следует, и тут же осознал себя въехавшим лбом в дверной косяк.

Вокруг него плавали какие-то огненные круги и затухающие искры.

Паша помахал руками, разгоняя искры, схватился за ручку двери и с силой потянул.

— Чего ты ломишься? — изнутри спросила Даша. — Крючок оторвёшь! Тут очередь, ты за мной занимал!..

— Выходи, — приказал Паша.

— Щас!

— Выходи, кому сказал! — В боку у него запульсировало от усилий и ненависти, и ещё от удара о косяк.

— Потерпи, Паша! Я быстренько, раз-раз!..

В туалете, крохотном, загаженном, с голой лампочкой под потолком, Даша быстро проверила карманы. Ничего — ни телефона, ни денег. Деньги у неё вечно были рассованы по всем карманам, Джо ругала её, утверждая, что это «мужицкая привычка»!

Хлипкая дверца задёргалась и заходила ходуном — Паша снаружи колотил и рвался.

Даша сделала свои дела, откинула крючок, поддержала Пашу, который чуть не свалился на этот раз головой в унитаз, вышла и потянула на себя соседнюю дверцу.

— Куда?!

— Умыться, — объяснила Даша.

В ванной было светлее, здесь горели две лампочки — под потолком и над мутным пыльным зеркалом. Она пустила воду и посмотрела на себя.

Да. Щека разодрана... неприятно. Хорошо бы зашить, но кто здесь станет её зашивать. Даша осторожно поплескала на щёку холодной водой. На виске синяк, ничего страшного, но тоже красоты никакой.

Заскорузлым полотенцем на крючке Даша побрезговала, вытерла лицо подолом собственной майки.

— Полюбовалась, будет, — сказал Паша, наблюдавший за ней из дверного проёма. — Пошли! Красота твоя тебе больше не понадобится.

Даша пожала плечами.

— В комнату иди!..

В коридорчике с ободранными обоями никого не было, только стоял у стенки одинокий Дашин самокат. За дверью — видимо на кухне — маячили смутные тени, но было тихо. Даша посчитала тени, зашла в комнату, села на стул и по одной с наслаждением вытянула ноги. Ей казалось, что они затекли от долгого лежания на неудобном диване и всё ещё не отошли.

— Руки! — скомандовал Паша-Суета. Даша усмехнулась.

— Руки, сказал!

Даша протянула ему руки, и он защёлкнул наручники на тоненьких куриных запястьях.

— Тебе так спокойней, что ли? Когда я в наручниках?

— Да, блин, спокойней!..

Он подтащил стул, утвердил напротив неё, сел и сказал тихо:

— Я повторять не стану. Слушай меня внимательно. Мы сейчас тут на двоих базарим, в доме и вокруг пацанов полно. И стволов полно. До пушки твоей самокатной тебе не добраться, и не мечтай.

Даша смотрела на него и слушала очень внимательно, как и было велено.

— Я свистну, и пацаны тебя в мелкий винегрет покрошат, а кишки вон на забор намотают. Так что не рыпайся.

Она молчала.

— Сколько вас сюда свалилось?

Даша прикидывала, что бы такого ему сказать.

Он усмехнулся.

— Ну, чё, пытать тебя, что ли?.. Хочешь? Это мы можем устроить! У меня такие специалисты работают! Оно тебе надо? Скажешь, и никаких пыток, пристрелю тебя собственноручно и не больно. Раз, и дело в шляпе.

— Паш, что тебе нужно? Я тебя из-под стрельбы вывезла, ментам не сдала. Вон бочину тебе заштопали, так что ты козликом прыгаешь. Чего надо?

— Мне надо, чтоб ты сказала, сколько вас тут орудует и за каким хреном вы на мою землю пожаловали.

— Мы как пожаловали, так и свалим, Паша. Ты только нам не мешай.

Он широко улыбнулся:

— О чём и базар, снайпер!.. Я вам, может, и не мешаю, только вы мне сильно мешаете, мать вашу так!.. Я сроду тут никого не терпел и вас терпеть не стану. Ну, отвечай! Сколько вас всего и стволов сколько?!.

Даша ещё немного подумала.

— Мы не организованная преступная группировка, — сказала она осторожно. — На твоё место не претендуем.

Паша взял её за подбородок.

— Чё-то надоело мне с тобой лясы точить, тарабары тарабарить! Ты пойми, красивая, я ведь и сам кого хочешь найду, из-под земли достану, особенно чужаков! Я под землёй вижу, и на земле от меня ничего не укроется.

— Оно заметно, — ухмыльнулась Даша, чувствуя подбородком его вцепившиеся пальцы. — Тебя в собственном дворе чуть не завалили!..

Тут он её ударил в лицо. Она, конечно, слегка уклонилась, так что удар пришёлся вскользь, но Паша держал её, и маневрировать она не могла.

В носу сразу стало липко и горячо, алые капли закапали на белую футболку и на Пашины пальцы. Он вытер руку о её грудь.

— Ну? — сказал ласково. — Без винтовки да без подмоги грош тебе цена, снайпер!.. Говорить будешь или пацанов звать? Они готовы, душа горит, только свистнуть! Ну?..

— Чего надо? — повторила Даша и пощупала языком зубы. Они были целы.

— Ты не поняла ещё?! Я ж предупредил, повторять не буду, но так и быть. Сколько вас тут? Сколько стволов? Какая связь у вас предусмотрена?

— Не нужна нам связь, — проверяя свои догадки, выговорила Даша. — Мы так беседуем, без связи. По вечерам.

Тут он снова её ударил, и она повалилась со стулом набок, на тот самый локоть. Упала она неудачно, грохнулась, как куль. Железная боль проткнула насквозь локоть и бок, вылезла с другой стороны и отдалась в ушах и зубах.

— Связи нету? — говорил Паша над ней. — Чтоб у шпионов связи не было?! Ты не то кино смотрела, красивая! Я тебе другое кино покажу!

И он ударил её в рёбра.

— У... ка... каких шпионов? — прокашляла Даша. — Ты сбрендил, что ли?!

— А откуда мне знать, откуда вы взялись, сволота проклятая! Из Германии, что ли?! Или, может, из ЦРУ?! Только я вас с миром не выпущу, хоть спасла ты меня! И ментам не сдам! Вы им документики нарисованные покажете, они вас отпустят да ещё проводят с почётным караулом! Я вас всех своими руками передушу, сволочей!

— Ты, Паш, патриот, что ли?

И он опять ей врезал. Она завыла и стала кататься по полу.

...Он организовал похищение и аварию, чтобы заполучить её, потому что уверен — она иностранная шпионка. Она шпионка, а он честный бандит. Всяким шпионам из ЦРУ не место на Пашиной земле. Он, Паша, эту землю охраняет.

Занятно.

Впрочем, она поняла, что он не тот, кто ей нужен, когда уклонилась от удара и он въехал носом в дверь. Тут всё стало ясно. Свой свояка видит издалека. Профессионал всегда узнает профессионала, а Паша ничего не умел, даже ударить как следует.

...Тогда, выходит, кто ей нужен?..

У неё было одно соображение, но для того, чтобы подтвердить или опровергнуть его, необходимо задать Паше несколько вопросов, а сейчас он не станет с ней разговаривать, слишком уж решительно настроен.

И нужно зубы поберечь.

— Чего ты хочешь? — спросила Даша и скованными руками вытерла под носом кровь. — Говори, я сделаю.

— Хочу, чтоб ты остальных сдала! Сколько вас?

— Четверо.

— Стволов сколько?

Даша подумала секунду, глядя с пола в его покрасневшее лицо. Он наклонился над ней, в руке у него была сломанная ножка от стула, приготовленная, чтобы бить ее.

...Сколько у них может быть стволов? Ну, пусть будет пять.

— Пять, — сказала она. — У меня ещё пистолет. Винтовка и пистолет.

— Хаза где? Ну, явка ваша? Где меня штопали?

Она кивнула.

— Связь какая? Или опять скажешь — нет связи?

— Телефон. Там на первой кнопке заведён специальный номер.

Паша швырнул в угол ножку от стула и рывком поднял её с пола.

— Вот и хорошо, — сказал он. — Вот и правильно. Значит, ещё поживёшь. На меня пока поработаешь!..

Её выпотрошенный рюкзак валялся на столе, всё содержимое вытряхнуто и разбросано. Телефон лежал отдельно.

Паша взял его, осмотрел со всех сторон и включил.

Даша завела глаза к потолку.

...Паша, Паша. Вот зачем ты, Паша, телефон включил? Дал бы ты его мне, я бы сама включила! Плохо ты, Паша, в школе учился, мало книжек читал, и кино не то смотрел, вот это уж точно, это ты верно сказал.

— На первой кнопке, говоришь?.. Ну, красивая, жми на первую! Значит, говоришь своим, что тебя в заложники взяли, денег хотят. Разговаривать будем со всеми сразу на старом стадионе «Динамо» завтра в десять вечера. Если кто не придёт, я тебе на стадионе этом в рот гранату засуну, а чеку выдерну. Так и скажешь! Поняла?

— Поняла, — согласилась Даша со вздохом.

...Попадёт мне от Джо, эх, попадёт!.. Она меня и так выругала, когда я его на базу приволокла! Ещё разорялась — мы за тобой подчищаем, ты нам проблемы создаёшь! Вот и вышло, что она права, одни проблемы с этим Пашей! И возразить нечего, и оправдываться бесполезно.

Телефон гудел возле её уха, Паша держал его так, чтобы всё слышать.

— Лёха, — начала Даша плачущим голосом, когда ответил Хабаров. — Меня взяли в заложники и требуют выкуп. Я не знаю, сколько!

Паша слушал, вытянувшись в струнку, даже не дышал, кажется.

— Условия такие: завтра в десять вечера на заброшенном стадионе «Динамо».

— Главное, чтоб все! — сипло свистнул Паша.

— Главное условие, чтобы наши все были, — повторила Даша в трубку.

— Я понял, — сказал Хабаров равнодушно. — До завтра.

Паша нажал «отбой».

— Им чего, положить на тебя, что ли? — спросил он с подозрением.

— Слушай, — сказала Даша, — дай я сяду, а?.. Чего-то нехорошо мне. С мотоцикла я упала, по полу ты меня валял! Ещё стул сломал зачем-то...

— Не, а говорила, что мы, бандитьё, мол, все козлы! Твои шпионы лучше, что ли?! До завтра, и все дела!

— А чего ему про здоровье моё спрашивать? — Даша опустилась на продавленный диван. — Я попалась, теперь у всех проблемы на пустом месте.

— Да я тебя, может, прям щас и завалю, а остальных поодиночке на стадионе додавлю, и всем на это положить?

— Тяжёлая у нас с тобой жизнь, Паша, — вздохнула Даша и прикрыла глаза. — Всем на нас положить.

— Я тебя на ночь к батарее пристегну, — пригрозил Паша. — Больно борзая!..

— До ночи, Паша, ещё нужно дожить.

Она потрогала разбитый нос и посмотрела на свою руку.

— А с чего ты взял, что мы шпионы, да ещё иностранные?

— А то у меня глаз нету! — возмутился Паша. — И винтовка у тебя в самокат заделана, и стреляешь ты, как в тире, и эти двое, которые меня штопали, тоже не простые!

— Ну? Из чего следует, что мы шпионы-то?

Паша посмотрел на неё. Она сидела на диване, закрыв глаза. И — вот дерьмо какое! — с синяком на роже, с разбитым носом, с кровоподтёком на виске она была такой трогательной, и слабой, и нежной, и милой, что Паша моментально засопел носом и стал думать про неё всякие гадости, чтобы взъярить себя.

— На всякий пожарный ещё раз говорю тебе: в доме братва, на участке братва и за забором тоже. Если рыпаться вздумаешь, так держи в голове, что они без предупреждения стреляют.

— Поняла, — вздохнула Даша. — Буду в голове держать. Можно я подремлю немного, Паш? Устала сегодня. День такой длинный.

Он опять посмотрел на неё — того гляди, и впрямь заснёт!.. Что это за девка такая? Совсем безбашенная, не боится? Он же ясно сказал — в живых её не оставит. Не верит? Считает, что сумеет его уболтать? От него жалости не дождёшься, это всякий знает. Тогда почему она спокойна, вон почти спит!.. Или притворяется? Или шпионам специальные препараты дают от страха, и они на самом деле ничего не боятся?..

Паша походил по комнате и сел за стол, под лампу. Он решил, что охранять девку будет только сам, остальные проморгают как пить дать. Правда, вон к батарее пристегнёт, а сам на диване переспит.

Бок у него сильно болел, лежать нужно, а он делами занимался! Некогда ему лежать.

Он задрал полу рубахи и посмотрел. Повязка, которую наложила шпионка-докторица, немного подмокла, но держалась хорошо. Паша не хотел её менять. Он знал, что будет больно, а боли он боялся и знал, что так хорошо, как шпионка, ему больше никто не залепит.

Момент, когда неслышно распахнулось окно и в комнате материализовался незнакомый человек, он пропустил, рассматривая свой бок. Когда он поднял глаза, человек, двигавшийся стремительно и абсолютно бесшумно, был уже рядом.

Паша замер.

Всё произошло быстрее, чем за секунду. Человек аккуратно, даже как-то изящно, нежно брызнул ему в лицо из баллона. Выражение Пашиного лица стало бессмысленным, и голова повисла.

Следующим движением человек открыл Дашины наручники. Она тут же выскользнула в коридор, вернулась уже с самокатом и подбородком показала на Пашу.

Человек как будто удивился, сделал гримасу. Вдвоём они подняли Пашу, перевалили через подоконник, — Даша морщилась от боли, старалась оберегать свой локоть, и тащить приходилось в основном напарнику. Паша бесшумно канул за окно, следом выскочила Даша, а потом её освободитель. Он ещё на мгновение задержался и тихо прикрыл за собой раму.

Никого не стало в комнате, только слегка покачивалась штора, которую Даша задела, когда прыгала в окно.

Администратор «Тамбов-Паласа» Никита Новиков, принимавший командированных, оглянулся на шум и вытаращил глаза. В раззолоченный малахитовый холл ввалилась компания, никак не соответствовавшая ни золоту, ни часам, показывающим время в Токио, ни пальмам в кадках!..

Компания вообще ничему не соответствовала!..

Московская красавица, приглашавшая Никиту на свидание, почти висела на локте у дюжего мужика в кожаной куртке нараспашку. Под курткой виднелась футболка с надписью «Лагерфельд». Красавица еле шла, лицо у неё было занавешено спутанными нечёсаными волосами. На второй руке у него висела ещё одна дамочка, ноги её в лакированных остроносых штиблетах так явно заплетались, что мужику то и дело приходилось её встряхивать и подталкивать.

— Господи ты боже мой! — брезгливо пробормотала Алина.

Следом за троицей жгучий брюнет в перекосившемся пальто волок Пашу-Суету, который то вырывался, то шёл смирно, то вдруг начинал мычать.

Было ясно, что вся компания вусмерть пьяна.

— А я тебе говорила, — прошипела рядом Алина, — что с ней будут проблемы, с этой твоей! Вызывай наряд!

— А у вас тут не шумно ли? — с подозрением спросил один из командированных, упитанный дядька, похожий на бобра. — Когда мы заказывали номера, нам сказали, что место приличное!

— Нет, нет, у нас всегда спокойно, — уверила его Алина фальшиво. — Просто гости... отдыхают. Звони, Никит!..

— Чего звонить, — сквозь зубы пробормотал Никита, провожая компанию взглядом. — С ними вон кто!.. Не узнаёшь?

Алина уставилась, разглядела Пашу и ахнула.

— Вот именно. Ждать надо, а не звонить.

В лифте Даша и Джахан моментально отцепились от Хабарова, и тот подхватил невменяемого Пашу. Даша принялась рассматривать себя в зеркале. Джахан молчала.

— Я знаю, знаю, — сказала Даша её зеркальному отражению. Джахан даже не взглянула. — Я виновата. Ты мне всё скажешь потом.

— Я не стану ничего говорить, — отчеканила Джахан. — Это не имеет никакого смысла.

Макс Шейнерман, за всю спасательную операцию не сказавший ни слова, о чём-то напряжённо думал.

— Максик, — проскулила Даша. — Ты тоже на меня сердишься, да?

Лифт дрогнул, причаливая. Хабаров встряхнул Пашу, побуждая его к ходьбе. Макс вышел первым и огляделся. В коридоре никого не было, а камеры на третьем этаже все разом сломались, как только в президентский люкс въехала Даша, прямо в тот самый вечер и сломались — странная история.

В люксе было пусто и чисто, на малахитовом столе букет цветов — должно быть, маленький зайчик Никита велел поставить.

Хабаров сгрузил Пашу на диван — тамбовский авторитет в последне время только и делал, что отдыхал на диванах на оперативных квартирах. Даша сразу кинулась в ванную, заперлась, и там с шумом полилась вода.

Джахан включила чайник и достала из зеркального шкафа чашки — её любимые пиалы остались в доме.

— Ты как? — спросил Хабаров.

Он спрашивал о её ране, она поняла, конечно, но ответила совсем про другое:

— Мы никуда не продвинулись.

Хабаров наклонился вперёд и сильно потёр заросшие щёки.

— Подытожим. Яд, которым отравили Цветаева, швейцарского производства, штука дорогая и редкая, оружие спецслужб. Наши противники — профессиональные агенты. Один из злодеев, ресторанный певец, погиб. Остальных мы пока не знаем, но пытаемся установить. Цветаев в последнее время встречался с библиотекаршей Настей Хмелёвой. Их видела в электричке другая библиотекарша, Галя. Цветаев оставил нам след — два билета в кино в картотечном ящике, явный намёк, что рядом с ним кто-то находился. Возможно, Хмелёва, а может быть, и нет. То, что мы ищем, вероятнее всего, спрятано в галерее — Макс расшифровал подсказку Цветаева.

— Не до конца, — подал голос Шейнерман.

— Пусть не до конца, — согласился Хабаров. — Я думаю, что Цветаев почувствовал угрозу, может быть, неопределённую, потому что об угрозе он не сообщил, но перенёс тайник в галерею. Где он там может быть, нам тоже предстоит установить.

— То есть почти ничего, — заключила Джахан. — И никто, кроме тебя, не знает, что мы ищем! Если бы ты нам сказал, было бы проще.

— Я скажу, — пообещал Алексей Ильич. — Когда придёт время.

Паша на диване пошевелился и застонал, они на него оглянулись. Он закашлялся, резко сел и вытаращил глаза.

— Ни состава группы, ни численности, — продолжала Джахан, — мы так и не установили.

— Ё-моё... — простонал Паша и обоими кулаками изо всей силы стукнул себя по лбу. — Да что ж такое-то?!

— Стандартная группа — четыре человека.

— Я знаю, Алексей.

— Твою мать, — продолжал биться Паша. — А-а-а!.. М-м-м!..

— Вероника, — сообщила из коридора Даша. — В библиотеке в день смерти Цветаева шуровала Вероника. Кто подложил ему яд, я не знаю, а кто разгромил библиотеку, знаю.

Она вышла из ванной, розовенькая, посвежевшая, и от этой девчачьей розовой свежести синяки и раны на лице казались совсем ужасными, кощунственными.

Даша энергично вытирала мокрые волосы.

— Я поговорила с байкером по прозвищу Алик-Борода. По сведениям Алика, возле библиотеки крутился певец из ресторана, а в день, когда директора нашли мёртвым, он видел у забора Пашин байк.

— Врёшь! — провыл Паша. — Сука! Всё врё-о-ошь, проклятая! Не был я возле библиотеки! Я вообще на него не сажусь, на байк этот!

— Вот именно, — подхватила Даша, словно светскую беседу вела. — Паша на него не садится, байкеры мне так и сказали. Но возле библиотеки Алик-Борода видел именно его! Два раза! Один раз проехал, Паша попался ему навстречу. Другой раз проехал, Паша садился на байк. Только, сказал Алик, садился как-то странно, не с той стороны.

— Гады! Какие же вы гады! М-м-м! Всех порешу! Найду и раздавлю по одному! Жизнь положу, а раздавлю!

— Из чего следует, что на байк садилась Вероника? — морщась от Пашиных завываний, спросила Джахан.

— Я провела с ней в салоне красоты довольно много времени. Мне показалось, что она сильно переигрывает, изображая подругу местного авторитета. Как-то всё в одну кучу: любовные романы, новая грудь, бриллиантовые кольца, завтрак в постель! Это скорее... — Даша поискала определение, — оперетта, а не человек.

— Какая, на фиг, оперетта!.. Она-то человек, а ты гнида шпионская!

Если бы его, Пашу, как следует слушались руки и ноги, он бы давно бросился на них, всех бы зубами перегрыз, но руки и ноги не слушались, не шевелились, и броситься он не мог, от бессилия и унижения слёзы текли по его щекам.

На него никто не обращал внимания.

— У Вероники зазвонил телефон, и администраторша вынула его из сумки. Я, разумеется, разглядела фотографию. На фотографии Вероника верхом на мотоцикле. Очень красиво.

Даша швырнула полотенце в ванную, прошла и села в кресло.

— Ещё одно соображение. В первый же день я нашумела в ресторане. Если свидетелем шума был агент, он, разумеется, сразу понял, кто я такая и что я по его душу. Гражданские просто наблюдали представление. Да, Паша? Ты же ничего не понял?

— Чего я не понял? — спросил Паша.

— Вероника знала, кто я, и должна была меня нейтрализовать, пока я не догадалась, кто она. А теперь у меня к тебе вопрос, Паша. Один-единственный.

— Ничего не скажу! Хоть на куски режьте!

Даша подошла к нему и села рядом на диван.

— Мы тебя на себе пёрли, — произнесла она. — Чтоб ты нам ответил. И вопрос простой. Тебе Вероника позвонила и сказала, где меня искать? Что я к байкерам поехала? Чтоб ты на дорогу пацанов послал? Откуда твои люди знали, где я?

Паша молчал и кусал губы — всерьёз, до крови.

— Брось дурака валять, — велела Даша с досадой. — Сообрази уже! Мы свои, Паша! А баба твоя с сиськами распрекрасными и губами пришитыми как раз чужая! И обвела она тебя вокруг пальца, как дурилку малолетнего! Сколько лет ты с ней знаком? Отвечай быстро, не думая! Сколько лет?

— Года... два, — пробормотал Паша.

— До этого её видел?

— Не, не видел.

— Откуда она взялась?

— Так это... из Курска. Салон красоты приехала открывать, меня с ней братва и... познакомила!

— Откуда у неё деньги на салон красоты? Ну, Паша?!

— Почём я знаю!

— Байк она купила?

Тут он вдруг забеспокоился. Руки зашевелились, негнущиеся пальцы задвигались.

— Паша, байк кто купил?

— Вероника, — протянул он растерянно. — Она мне того... сказала, что всю жизнь мечтала. Прокатиться, в смысле. Чтоб я её покатал, в смысле...

— На какие шиши она его купила? На твои?

Пашу словно в лицо ударили. Он откинулся на спинку дивана и раскрыл рот.

— Не, на свои...

— Вот именно. На свои деньги, но на твоё имя. Ты её пару раз покатал, и дальше она на нём рассекала самостоятельно, без тебя. Всё верно?

— Дополнение, — подал голос Макс Шейнерман. — Вероника была записана в библиотеку.

— Американские любовные романы читала пачками, — подтвердила Даша.

— Елизавета Хвостова также видела её на мотоцикле возле библиотеки. Они встречались там несколько раз, Елизавета узнала её по заколке, хотя на мотоцикле Вероника была в шлеме. Заколку Елизавета запомнила.

— И стрелки, — напомнил Хабаров. — В первый день в меня стреляли мотоциклисты. Логично предположить, что стрелков было двое — певец и Вероника, мобильная группа.

Джахан поставила на столик чашки и принялась наливать чай, высоко поднимая и опуская носик чайника, и ни одна капля не пролилась, ничего не брызнуло на стол. Хабаров смотрел на её руки.

— Кто тебе сказал, где меня искать, Паша? — повторила Даша.

— Она. Вероника.

— Ты взял меня в плен, всех нас отвлёк от дела. Молодец Вероника!.. Выиграла время.

— Да кто вы такие-то, вашу мать?

— Контрразведка ГРУ, — произнес Хабаров буднично, словно признавался, что они все сотрудники бухгалтерии автотранспортного предприятия. — Специальная группа.

— Да ладно! И бабы — группа?!

— Ты бы лучше молчал, Паш, — посоветовала Даша. — А то прям как рот откроешь, так глупость и ляпнешь!..

— Значит, так. — Хабаров поставил чашку. — Сейчас нам нужно разойтись до утра. Даша, этого ты вывозишь.

— Опять?! Не хочу я его вывозить!

— Тащить его сюда — твоя идея, — вставила Джахан.

— Как бы мы узнали, кто на меня бандитов натравил?! А он нам всё сказал!..

— Быть не может, чтобы ГРУ, — пробормотал Паша жалобно. — Го́ните вы!.. А?.. Мужики?..

Джахан поднялась:

— Я поменяю ему повязку, у него рана течёт. И забирай его, Даша!..

— Джо, завтра поможешь мне в библиотеке. И ты, Даша. У меня есть одно соображение, но я пока не готов о нём рассказать. Мне нужно сходить в театр, а потом пристроить собаку, — сообщил Хабаров.

— Какую собаку? — удивилась Даша. — Ты завёл собаку?! Ах, да-а-а... А в театре что? Премьера? Макс, почему ты всё время молчишь? Ты меня нервируешь!

— Я не молчу, — сказал Шейнерман. — Я думаю. Я не умею разговаривать об одном и думать о другом.

Джахан разложила на кресле железный чемоданчик, вытащила стерильные салфетки и пластырь и приказала Паше:

— Ложись и не дёргайся.

Он покорно выполнил команду. Даша усмехнулась.

— Где сейчас может быть твоя красотка? — спросил Хабаров. — Вероника?

— Где ей быть... Небось дома телик смотрит. Или в кафе зависает, где кальян... В японском, «Такаси» называется. Там суши вкусные, она их до смерти любит, и борщ тоже ничего, съедобный. А чего? Вы её в ментуру, что ль, отволочёте?

— Волочь — не наша задача, — отрезала Даша. — Без нас есть кому волочь, Паша, бестолочь ты последняя! Охотник за привидениями!

— Может быть, успеют, — сказала Джахан, поливая присохшую Пашину повязку перекисью, — и она ещё здесь. Вряд ли за час она смогла что-то предпринять.

— Ну, будем надеяться, — сухо заметил Хабаров.

— Слышьте, вы, крутышки, — вдруг встрепенулся Паша. — А мне теперь чего делать? Я вас всех в лицо знаю, а вы сами сказали, что вы... того... разведка. Завалят меня всё же, да?

— Начинается, — пробормотала Даша.

— Наши лица никого не интересуют, — сказал Хабаров. — У нас они всё время одни и те же. Мы с ними живём и работаем.

— А если я кому... того... сболтну, что вы разведка?

Даша подошла и наклонилась над ним, опершись руками о спинку дивана, на котором он лежал.

— Ты мне мешаешь, — сказала Джахан недовольно.

— Да кто тебе поверит, Паша! — Даша состроила рожу. — Это тебе во сне со страху привиделось!.. А нас ты точно больше никогда не увидишь.

— Я закончила. — Джахан распрямилась. — Забирай его.

На библиотечном крыльце Хабаров на миг задержался, потом всё же споткнулся о старинный чугунный утюг, сбросил его с крыльца и, сокрушаясь, полез в кусты.

— Да что ж всё не слава богу, — пробормотала выглянувшая на шум Светлана Ивановна. — То герань, то утюг!.. Что вы под ноги не глядите совсем, товарищ проверяющий!..

— А что, Светланочка Ивановна, — сказал Хабаров и повёл рукой вокруг. — Сегодня совсем весна, вот ведь что делается!..

И вдохнул полной грудью, как бы в подтверждение того, что — весна.

— Да, — согласилась Светлана Ивановна. — Погода и впрямь балует.

— Так в Москву неохота!

— А что? — Она сдёрнула с носа очки. — Уже собираетесь?

— Куда ж деваться, дорогая вы моя Светланочка Ивановна! Куда нам деваться, мы люди подневольные. Вот чайку попьём, — и он потряс перед библиотекаршей сумкой, болтавшейся на плече, намекая, что в сумке угощение к чаю, — в последний раз списки сверим, и на поезд.

— Соскучились небось? — добрым голосом сказала Светлана Ивановна. — Кто там у вас, в Москве-то? Детишки?

— Детишки, — подтвердил Хабаров. — Марфа и Тёмочка. Да я вам фотографии покажу!

Библиотекарша немного скисла. Хабаров знал совершенно точно, что нет тяжелее испытания разглядывать фотографии чужих отпрысков и чужих отпусков!..

— И в отделе заждались, у нас там сокращения прошли, работать некому. А всё-таки меня к вам прислали, вырвали из контекста жизни управления, видите, какое внимание.

— Да уж, — пробормотала библиотекарша. — Внимание.

— А когда я в первый день пришёл, вы меня ещё за ревизора приняли, — вдруг вспомнил московский проверяльщик, — вы обо мне кому-нибудь сообщили?

Она смотрела на него, не понимая.

Хабаров наддал:

— Приехал, мол, человек из Москвы, проверять нас будет. Наверняка ведь позвонили, а, Светлана Ивановна?

— Да кому я позвонила! — Она даже слегка покраснела. — Настя сама звонила, так я ей сказала, что человек из Москвы прибыл, сейчас осваивается. А что такое? Нельзя было?

— Это я к тому спрашиваю, — понизил голос Хабаров, — что нам нужно удостоверения на другой манер переделать. А то ведь пугаются люди, рядовые работники! Вот хорошо вы Насте сказали, а если б в министерство стали звонить, что, мол, за проверка! А проверки никакой и нет, мы просто помощь оказываем. Это же другое дело!

— Другое-то другое, — согласилась библиотекарша, несколько уязвлённая «рядовым работником». Какой она «рядовой работник»! Она обязанности заместителя директора исполняет!.. — Ну, пойдёмте, чай там у нас накрыт...

Следом за Светланой Ивановной Хабаров вошёл в «абонемент», привычно заглянул за шкаф, где привычно попивали чаёк Настя и писатель Мурашов-Белкин. Галя вскочила ему навстречу, чуть не опрокинув кружку с хвостиком чайного пакета, намотанного на ручку.

— Доброго всем утречка, — бодро сказал Хабаров. — А у меня тортик вафельный, свежий, сейчас на площади купил.

— Я так вафельные люблю! — преданно воскликнула Галя, а Настя засмеялась.

— Что-то вы с тортиками зачастили, — едко сказал писатель. — У нас девушки-то обычно на диете! Вот Галя. Ты на какой диете сейчас?

— На рисовой, — зарделась Галя. — Но я ж не могу, когда торт! Я лучше вечером не поем, чем без торта останусь. А, Светлана Ивановна?

— Да я вообще не пойму, зачем они вам, молодым, сдались, диеты эти! От них вреда больше. Я вот как не поем, так прямо не могу, на людей с голоду бросаюсь. А чай пустой? Сидишь, хлебаешь, от него ещё больше на еду позывает.

— А я на диете Малышевой худела, — поделилась Настя. — Так помогло! За один курс шесть килограммов скинула, и, главное, есть совсем не хочется. Когда голодно, трудно, конечно.

— А ваша жена? — спросила Галя у Хабарова. — Она какие диеты соблюдает?

Он махнул рукой:

— Да все подряд! Как новую прочтёт в журнале, так и давай соблюдать, хоть из дому беги! Нормального борща не допросишься, всё какие-то вегетарианские!

— Э, не скажите, — вступил писатель. — Не скажите!.. Моя мамаша такой борщ варила без всякого мяса, а вкуснотища! И густой, ложкой не зачерпнёшь! А уж если сметанки в него добавить, так вообще пальчики оближешь!..

Хабаров порезал на квадратики хрустевший под ножом вафельный торт, пальцем подобрал со стола крошки и отправил в рот.

— Давайте блюдца, давайте!..

Когда по первому куску съели, разобрали по второму и заново поставили чайник, зазвонил телефон.

Галя кинулась, побежала и позвала Светлану Ивановну. Голос у неё был перепуганный.

— Говорят, из администрации, — шепнула она, когда библиотекарша подошла. — Не знаю кто! Вроде как из приёмной.

Звонили действительно из мэрии, вызывали Светлану Ивановну на ковёр, сию секунду и безотлагательно. Она повесила трубку и стала торопливо и неуклюже обуваться.

— Вот оно и пришло, — бормотала она, засовывая ноги в дубовые, как голландские деревянные башмаки, весенние туфли. — Вот и началось. Видно, новое начальство над нами ставят. Ах, беда, беда. Без Пети пропадём теперь. Всего-то несколько денёчков и дали нам передохнуть, и вот...

— Да не отчаивайтесь вы так, — сказал Хабаров. — Может, ещё ничего! Может, грамоту вам дадут.

— Да какую там грамоту, что вы говорите, — вступил писатель. — Закроют библиотеку, точно вам говорю! Покуда Пётр Сергеевич хлопотал, всё держалось, а без него — кому оно нужно?.. Я вам говорю, целенаправленно гробят культуру, изничтожают! Чтобы из всех нас безмозглых рабов сделать! Безмозглыми управлять проще.

— Что вы пугаете? — чуть не плача спросила Светлана Ивановна и полезла в сумку за таблеткой. — Что вы каркаете? Ну, схожу, послушаю, вдруг ничего, не уволят меня окончательно-то!..

— Может, вас проводить? — переглянувшись с писателем, участливо предложила Настя. — А то ещё давление подскочит!

— Галя проводит, — сказал Хабаров как-то так, что стало ясно — проводит именно Галя.

Писатель с Настей остались за столом, а Хабаров довёл Светлану Ивановну и Галю, которая то и дело оборачивалась и порывалась что-то ему сказать, до двери, закрыл её и вернулся.

Минуту все молчали и смотрели друг на друга.

— Додумался всё-таки, — усмехнулся Мурашов-Белкин, вытянул ноги и закинул руки за голову.

— Я не один, — предупредил Хабаров.

— Так и я не один, — заявил писатель и показал на Настю.

— Устроим погоню? — осведомился Алексей Ильич. — Перестрелку? В сводки попадём?

— Где мы просчитались? — деловито спросила Настя. — Можете сказать?

Хабаров стоял, перекрывая выход из закутка. Он знал, что где-то рядом Джахан и Даша с её винтовкой, но не видел их.

На своих девчонок он надеялся больше, чем на группу быстрого реагирования, которая тоже была где-то рядом.

— Писатель просчитался прежде всего с Моршанском, — сказал Хабаров. — В Моршанске вы никогда не жили. Последний Мурашов-Белкин, который на самом деле оттуда родом, умер в девяносто третьем году.

Писатель молча смотрел на него.

— В тамбовском ТЮЗе никогда не ставили «Кота в сапогах». Хотя это так логично — детский театр и «Кот в сапогах»! Но... в Тамбове его не ставили. Я навёл справки. И вы странно себя вели. Все эти разговоры о гибели культуры и закрытии библиотек — слишком похоже на фарс, пародию. Так мог бы рассуждать персонаж из кино, а вовсе не тамбовский старожил. Уверяю вас, тамбовчане и не такое переживали! Внезапная смерть директора библиотеки и гибель культуры никак... — Хабаров поискал слово, — не коррелируют.

— А я? — спросила Настя.

— На вас навёл Цветаев. Он не до конца вам доверял, хотя, разумеется, вы сделали всё, чтобы усыпить его бдительность. Но он был очень опытным агентом, слишком опытным!.. Как нормальный мужчина, он принимал ваши ухаживания, но всё же немного сомневался.

— Старый хрен, — сказала Настя, пожалуй, с уважением. — Я не смогла запудрить ему мозги?..

— Смогли, — успокоил её Хабаров. — Вы же сумели подложить ему ампулу в ботинок, да так, что он ничего не заметил! Это подвиг, обвести вокруг пальца такого опытного человека! Но не до конца. Всё же он сомневался и оставил нам некоторые наводки. И потом. Зачем вы отправили своих бойцов — Веронику и этого певца — ликвидировать меня в первый же день?

— Я говорил, что из этого ничего не выйдет! — воскликнул бывший писатель, подтянулся, сел прямо и уставился на сообщницу. — Я говорил, а ты меня не послушалась!

— Из покушения я сделал вывод, что возможны два варианта: или меня вели из Москвы, но я не заметил слежку. А я не мог не заметить. Или, обнаружив, что я здесь, приняли спонтанное решение ликвидировать. Я склонялся ко второму варианту, потому что нападение явно не подготовили. Стреляли почти вслепую, через кусты, шансов попасть было очень мало.

— Шанс был, — сказала Настя.

— Был, — согласился Хабаров. — Никто здесь, на месте, ничего не знал о нас. Значит, вам сообщили. Кто мог сообщить? Только библиотекари. Вам о московском проверяющем сказала Светлана Ивановна.

— Мокрые курицы, — выговорила Настя. — Как они мне надоели. Как вы все мне надоели!..

Бывший писатель сделал движение, и Хабаров перехватил его:

— Это не имеет смысла, — сказал он — Вы же понимаете. Один из ваших погиб, женщина-мотоциклист у нас. Почему вы не ушли после смерти Цветаева?

Писатель посмотрел на Хабарова.

— А вы бы ушли? Он заморочил нам голову, старый пёс! Задание было не выполнено. Мы избавились от него, но не получили то, что нам нужно. Операция затевалась ради его тайника.

— И вы не нашли тайник, — уточнил Хабаров.

— Не нашли, — признался бывший писатель.

Во сне Макс Шейнерман видел серенькие сугробы, какие-то купола, заборы, раскисшую дорогу, а за ней поле в тёмных проталинах, как будто в пролежнях.

Ещё видел Елизавету Хвостову, но как-то отдельно от весенней тоски. Она шла по улице, у неё были румяные щёки, весёлые глаза, и говорила она так, что ему всё время хотелось её слушать.

Хотя во сне он не мог вспомнить, что именно она ему говорила.

Ещё он спорил с отцом, который уверял его, что холодные математические схемы ничто по сравнению с полнокровной правдой жизни.

Ты знаешь, что такое «осим хаим», вопрошал отец. Это значит — наслаждение жизнью, а ты не умеешь наслаждаться ничем! Ты даже от науки не получаешь удовольствия! Ты одолеваешь её, как будто она твой враг! Ты что, хочешь прожить всю жизнь, одолевая врагов?..

Макс проснулся и некоторое время лежал, не открывая глаз.

Что-то случилось во сне, но он не мог разобраться, что именно. Нечто такое, что требовало его внимательного и честного осмысления.

Он встал и взялся было за кофе, но тут вдруг всё сложилось в голове.

Так чётко, что он даже зажмурился.

Первым делом он посмотрел в словаре определение слова «сретение» — встреча, соединение. В религиозном отношении праздник Сретение Господне — это в том числе и приход весны, момент, где встречаются весна и зима. Макс точно знал, где он видел эту встречу. Зима отступала, а весна потихоньку брала своё.

Он быстро оделся, натянул дафлот и кеды и бегом кинулся по улице.

До галереи он добежал в два счёта. Охранник поднялся было ему навстречу, но Макс сунул ему под нос удостоверение, даже не посмотрев какое именно. Видимо, это было какое-то всесильное, замечательное удостоверение, потому что охранник немедленно выпучил глаза и взял под козырёк.

Макс взлетел на второй этаж и распахнул дверь в кабинет Бруно Олеговича.

Тот, хмурый по утреннему времени, пил растворимый кофе из большой кружки — рядом на столе стояли банка и электрический чайник — и, морщась, подписывал бумаги.

— Здрасти, — сказал Макс Шейнерман и прошёл в кабинет.

Директор так удивился, что немного пролил из кружки на бумаги и стал торопливо смахивать, оставляя длинные коричневые следы.

— Как неожиданно-то, — забормотал директор, — доброе утречко, здравствуйте, господин Шейнерман! А чему, так сказать, обязаны в такую, так сказать, рань?

— Как называется эта картина?

Макс сбросил пальто на директорский стол, подошёл и снял картину со стены. Бруно Олегович уставился на него в испуге.

— Там написано должно быть. Как-то... я забыл... А, «Сретение», кажется!.. Видите, с одной стороны зима, снег лежит, а с другой — уже весна. Весна, как говорится, идет, весне дорогу!..

На обороте деревянной рамы, похожей на ящик, было написано «Сретение».

Макс глубоко вдохнул и сильно выдохнул.

— Я посмотрю? — полуутвердительно заявил он, полез в рюкзак и извлёк оттуда тонкий и острый инструмент.

Бруно Олегович опустился в кресле. Рука его потянулась к телефону.

— Не нужно никуда звонить, — не оборачиваясь, приказал искусствовед. — Сидите спокойно.

Лезвием непонятного инструмента Шейнерман подцепил раму, развалил её на две части, и на диван выпала старая книга в малиновом переплёте. Искусствовед с мировым именем подобрал книгу и прочитал название:

— «Империализм и эмпириокритицизм», Владимир Ильич Ленин.

Бруно Олегович ещё немного помолчал, потом осведомился осторожно:

— И... что? Интересная книга?

— Весьма, — ответил Макс Шейнерман, защёлкнул раму, как сундучок, и аккуратно пристроил обратно на стену. — Эту картину я потом у вас куплю.

— Да мы вам так подарим! Договоримся с художником и подарим!

— Нет, нет, я куплю. До свидания.

— Всего хорошего, — привстал Бруно Олегович.

Макс Шейнерман натянул пальто, сунул под мышку томик Ленина и удалился из кабинета.

— Всей группе выражается отдельная благодарность Главнокомандующего, — закончил чтение генерал и захлопнул папку. — Всем спасибо, товарищи офицеры. Вопросы?

— Разрешите?

Хабаров чуть скосил глаза к носу — ну, конечно, Дашка, а как же!

— Пожалуйста.

— Что мы искали, товарищ генерал?

— И нашли! — воскликнул генерал с улыбкой. — Вот это самое главное. Искали — и нашли.

— Мы нашли книгу Владимира Ильича Ленина, — не по уставу перебила его Даша. Она стояла, как положено, по струнке, руки вытянуты. Злосчастный локоть, на который она так неудачно упала, нещадно ныл. Врач в госпитале сказал — вы доиграетесь. Он сказал — берегите себя. Он сказал — никто не молодеет, и вы тоже! Даше в тот момент стало смешно. — Именно за ней охотилась иностранная разведка? Именно её столько лет в Тамбове охранял Пётр Сергеевич Цветаев?! Именно о ней знал полковник Хабаров и не знал никто из нас?

— Вы... садитесь, товарищи офицеры, — предложил генерал. — В девяностых, когда всё развалилось, в спецслужбах тоже был... раздрай. Не такой, как везде, но всё же, всё же... Никто не понимал, что будет дальше. Я вам не шутя, серьёзно говорю: был министр, который считал, что всю оперативную информацию по нашим нелегалам, которые по всему миру работают, мы должны передать в ЦРУ. Они, мол, теперь наши лучшие друзья, железный занавес рухнул, нынче весь мир — одна большая семья. Очень, очень активный был министр, к президенту тогдашнему вхож, убедителен сверх всякой меры!

— Да это невозможно, — выпалила Даша и оглянулась на группу, — своих сливать!

— Невозможно, — согласился генерал. — Но тогда всякое могло произойти. Министр этот на место главы нашего ведомства своего человека продвигал, а к нему прислушивались, я же говорю!.. Может, он кому-то что-то пообещал, на Западе, я имею в виду, точно не знаю, врать не буду. Только наш тогдашний шеф решил от греха подальше всю информацию по действующим на тот момент нелегалам-разведчикам собрать и спрятать, а личные дела, дискеты, все упоминания уничтожить. Были сделаны микрофильмы и помещены в корешок этого самого «Империализма и эмпириокритицизма». Охранять его назначили Цветаева, опытнейшего и надежного человека, и место определили — Тамбов. От столицы не далеко и не близко, добраться легко, догадаться трудно. Пётр Сергеевич, повторюсь, опытный был сотрудник, тёртый. Он, когда неладное почуял, книгу с микрофильмами в другое место перепрятал — в галерею!.. На то он и профессионал, что мог нестандартные решения принимать. И даже дама сердца его ни в чём не убедила. Убить убила, только всё равно он ей не верил. Вот вам и сретение, товарищи офицеры.

Генерал помолчал немного.

— А информацию долго искали, годами, — продолжил он задумчиво. — И с той стороны, и с нашей. Да так и не нашли. И знали о том, что она вся спрятана, только мой шеф да я. Ну, и, видимо, тот самый министр догадывался, который собирался её рассекретить. Он долго бился! Такие интриги тут крутил, и не рассказать. Ну, а потом время прошло, его в отставку отправили, и всё заглохло.

— Почему они активизировались именно сейчас? — это Джахан спросила.

— Так он после отставки в Штаты уехал. И совсем недавно там помер. Архивы остались, по всей видимости. Вот они и зашевелились. Такой лакомый кусок!.. Там в списках половина агентов действующих, многие, конечно, уже не работают, но и осталось много!.. Можете себе представить потери, которые могли быть, попади списки в ЦРУ? Да, впрочем, чего там представлять-то, все всё понимают.

Генерал махнул рукой и по очереди оглядел каждого.

— Ну? До вечера, ребятки. Вечером по традиции банкет, веселье, возлияния всякие, излишества. Ещё есть вопросы? Тогда все свободны. Погордитесь собой, погордитесь! Есть повод. Все поняли?

— Есть погордиться собой, — отчеканил Хабаров.

Остальные промолчали.

Перед знакомой дверью Макс помедлил.

Это было чистейшим малодушием, и вообще напоминало сцену из кино — герой тянет секунды перед тем, как нажать на звонок, — Макс морщился, но ничего не мог с собой поделать.

Он не был здесь много лет, жизнь с тех пор прошла. Несколько жизней, если быть точным!..

Ему было странно, что ничего не изменилось — те же высокие пыльные окна в подъезде, тот же отдалённый шум города за старинными стенами, та же лестница, поднимавшаяся пологими маршами. Даже кот, встретившийся ему на площадке третьего этажа, показался Максу старым знакомым.

Кот сидел под дверью на коврике и смотрел подозрительно.

Макс остановился и тоже посмотрел на кота подозрительно.

— Ты чей? — спросил Макс. — Ты здесь живёшь или ты приблудный?

Кот дёрнул хвостом и повёл ушами.

— Я же тебя не знаю!

Макс наклонился и погладил его. Тот брезгливо отстранился.

Когда-то у соседей было принято звонить в квартиру, если кот возвращался с прогулки и сидел под дверью, но кто сейчас выпускает котов гулять на московские дворы?!

Понимая, что делает что-то не то, Макс позвонил в солидный золочёный звонок. Внутри приглушённо зазвенели колокольчики, и дверь распахнулась.

— Не ваш? — спросил Макс, кивая на кота.

— Как не наш?! Конечно, наш! — вскричала девица в рваных джинсах и маечке с бретелькой через плечо. В одной руке у неё было яблоко, а в другой толстая книга, на носу — очки.

Кот, не удостаивая Макса взглядом, неторопливо потянулся в квартиру.

— Спасибо, что позвонили, — продолжала девица. — Он приходит и сидит, как дурак. Никак не научится пользоваться ключами! Или хотя бы телефоном!..

Макс улыбнулся и кивнул на толстую книгу.

— Экзамены?

— Ага, — безмятежно кивнула девица. — Гомер и ветер в паруса!..

Макс подумал секунду:

— Странно, как смертные люди за всё нас, богов, обвиняют! Зло от нас, утверждают они; но не сами ли часто гибель, судьбе вопреки, на себя навлекают безумством?..

Девица тоже секунду подумала, а потом заключила:

— «Одиссея».

— Точно. Ни пуха ни пера.

— К чёрту.

Дверь с шумом захлопнулась, и Макс пошёл дальше.

Когда-то именно в этом доме он тоже зубрил науки и таскал за собой толстую книгу — учебник физики. Он ничего в ней не понимал, в физике!.. Ему нравилась математика — стройные, красивые, холодные схемы, — и отец ругал его за это.

Впрочем, когда Макс учился в этом доме, его уже никто и ни за что не ругал.

Когда остался один пролёт, Макс остановился и принюхался.

Вот это был удар. В самое больное место.

Здесь пахло так, как всегда пахло в детстве, когда его привозили в этот дом, и он знал, что впереди праздник, пир!.. Пахло тестом, ванилью, мясом, свежим огурцом и ещё чем-то прекрасным, принадлежавшим будущему веселью. Пахло радостью жизни, родителями, свободой, всеми праздниками на свете, символом которых был «наполеон» в тридцать слоёв!

Вот тут он чуть было не повернул назад.

...Я зря всё это затеял. Никому не нужна экскурсия в прошлое, ничего не вернёшь, да я и не хочу возвращаться!.. Я не хочу, я придумал всё это в сентиментальном порыве, а сейчас не хочу.

Сбежать вниз, сесть в такси, приехать в Шереметьево, и через два часа я уже буду дома. Балтика, ветер, одиночество, много свободного времени. Мне больше ничего не нужно.

«Когда так много позади всего, в особенности — горя, поддержки чьей-нибудь не жди, сядь в поезд, высадись у моря».

Макс пересилил себя и дошёл до двери, и ещё тянул секунды, собираясь с силами.

Он всё ещё стоял и ругал себя, когда дверь открылась.

— Мальчик мой!

Тётя Фуфа простёрла руки, сгребла его в охапку, прижала к груди и немедленно зарыдала.

— Маленький! Ты приехал! Ты наконец-то приехал к тёте!..

Слёзы капали Максу на пальто, и пахло от Фуфы так, как всегда, он вспомнил и этот запах — кухни, сдобы, сладких духов, валериановых капель и лаванды. Они все — и мать, и её подруги — подкладывали эту лаванду в гардероб, чтоб из одежды выветрился запах «учреждения». Они все где-то служили, и им не нравились запахи «службы»!

— Почему тебя так долго не было?! Где тебя носило?! Тётя могла умереть, не дождавшись!..

Макс прижимался к ней, как маленький, и сердце у него дрожало.

Тут что-то случилось. Произошло какое-то движение, быстрый промельк, и перед его глазами возникла Марочка.

Она стояла в проёме, прижав к груди полотенце, и губы у неё тряслись, лицо ходило ходуном.

— Марочка, — проговорил Макс с трудом. Его подбородок лежал на плече у тёти Фуфы, и она гладила его по спине и по голове.

— Он приехал, — прошептала Марочка. — Это в самом деле он, и он приехал!.. Фуфа, к нам приехал наш мальчик!..

— Я вижу, — прорыдала Фуфа. — Я сейчас обнимаю его своими собственными руками и не верю своим собственным глазам.

— Фуфа, я тоже хочу его обнять!

— Подожди, Мара!

Макс раскинул руки за спиной у Фуфы, и Марочка бросилась и прижалась к Фуфиной спине.

Извернувшись, Макс дотянулся и поцеловал её в сморщенную щёку. И эта щека пахла дивно и знакомо — тальком, розовым маслом и немного канифолью. Марочка всю жизнь играла на скрипке.

— Мы должны как-то попасть в дом, — проговорила Фуфа, осыпая поцелуями его шею и подбородок. — Иначе мы все упадём замертво прямо здесь!.. Марочка, обними его! Что ты стоишь там, как чужая женщина?!

И немного подвинулась.

Марочка теперь прижалась к нему, и Макс подхватил её на руки, поднял высоко. Марочка завизжала от счастья и обняла его за голову.

— Как ты вырос, как невозможно ты вырос! Мара, посмотри, он совсем взрослый мужчина!.. Как будто настоящий!

— Тётя Фуфа, я и есть мужчина.

— Бог мой, что он говорит! Какой мужчина?! Ты ребёнок! Ре-бё-нок! — с наслаждением повторила она и закрыла глаза. — К нам приехал наш ребёнок!

— Мальчик, — выговорила Марочка, которую он всё ещё держал на руках. — Почему ты не приезжал так долго?..

— Я скотина.

— Это правильная самокритика, — подхватила несколько пришедшая в себя тётя Фуфа. — Но мы не станем тебя ругать, ты же таки приехал! Мара, слезь с него и помешай мясо! Оно подгорает, я чувствую сердцем.

— Если ты чувствуешь что-то сердцем, прими нитроглицерин, — отозвалась Марочка. — Натан подъедет к вечеру, а Володя и дядя Миша уже скоро! И вообще все, все приедут! Мы тебя так ждали, мальчик! Так ждали!..

Макс осторожно опустил Марочку на пол и поцеловал ей руки по очереди. Она тихонько, словно тайно, словно этого уж точно никто не должен видеть, погладила его по щеке.

— Мальчик, скорее в дом, в дом!.. Что ты хочешь сразу покушать? У нас только что сварился куриный суп, и Мара наделала домашней лапши! Ты же любишь домашнюю лапшу! Мара, подай ему тапочки!

— Фуфа, успокойся. Дай ему отдышаться.

Отдышаться было необходимо.

Макс зашёл в квартиру, дверь бабахнула, закрываясь. В громадной полутёмной прихожей всё было по-прежнему — полосатые обои, дубовая вешалка с перекладиной, громоздкий комод, на котором стояли сухие цветы и лежала пара летних шёлковых перчаток, должно быть, Марочкиных, медное ведёрко для угля, которое приспособили, чтобы ставить зонты, креслице, чтоб удобно натягивать башмаки.

Макс огляделся. В глазах щипало и трудно было собраться с мыслями.

Тётки, маленькая и большая, с двух сторон рассматривали его со смесью умиления, восторга и тревоги.

Макс сунул ноги в подставленные клетчатые тапочки и пошёл по коридору, заглядывая в знакомые двери.

В гостиной был накрыт стол в тёти Фуфином духе — казалось, что ожидается по меньшей мере сто пятьдесят гостей, и все они по крайней мере неделю не ели!.. Больше того, к главному столу был подставлен ещё один, маленький, ибо большой не вместил всех яств и напитков.

— Булочки, — жалобно сказала Фуфа. — Скушай сразу булочку! Ты же с дороги.

— Фуфа, пусть он хотя бы руки помоет.

Макс взял с гигантского блюда «булочку», откусил и застонал.

— Я же говорю, он голодный! Неизвестно, чем он питался все эти годы!

— Из него вырос такой красавец, что питался он, должно быть, хорошо!

— Мара, как он мог хорошо питаться, если за ним не смотрел никто из взрослых?

Пока тётки препирались у двери, Макс медленно обошёл гостиную по периметру за спинками богатых стульев. Всё было на месте — горка с хрусталём и другая, с фарфором, комод тёмного дерева, картины на стенах.

На одной изображены гондолы, мосты и дворцы, должно быть, Венеция, на другой девушка с кувшином, а на третьей гавань и античные развалины.

Маленький Макс очень любил именно гавань — там можно было подолгу рассматривать лодки, парусники, людей, и ему казалось, что он слышит скрип мачт, плеск воды, хлопанье парусов, иноземную речь и крик чаек. Став постарше, он полюбил девушку — под тонкой туникой, пронизанной итальянским солнцем, угадывались очертания тела, и это было так соблазнительно, так волновало...

Он дожевал булку и взял со стола ещё что-то, зная, что Фуфа не отстанет, так и будет наседать, чтобы он немедленно «покушал»!..

— Мальчик, помой руки, и мы садимся за стол! Дядю Мишу и Володю ждать не будем.

— Как это за стол, — перебила Марочка и сделала Фуфе страшные глаза, — нам ещё нельзя за стол!..

— Мара, что ты городишь, только послушай себя!

— Фуфа!

— Ах, я забыла, и вправду нельзя.

Макс оглянулся от окна, тётки стояли в дверях и любовались на него. Он раскинул руки, в два прыжка допрыгнул до них, обнял, закружил. Тётки взвизгивали и хохотали.

Макс чуть не плакал.

В кабинете — следующей комнатой был кабинет, откуда он когда-то смотрел на медведя, — были опущены жёлтые шторы, и в солнечном осеннем полумраке вырисовывались резные ноги гигантского письменного стола, сияли корешки книг и фотографии — вот Фуфа с Мишей, совсем молодые, их родители, тоже не старые, и Миша, один из четверых детей, упитанный бутуз в матроске, палец во рту, глаза испуганные, вот-вот заревёт. Марочка играет на каком-то концерте, тоненькая, одухотворённая, скрипка под щекой и смешное концертное платье.

Макс смутно помнил что-то связанное с этим платьем, его долго шили, а потом пришлось перешивать, потому что Марочка от волнения страшно похудела, и Фуфа переделала его за одну ночь. Николина Гора, дача, лето, заросли и какие-то дети, очень много, Макс узнал только себя, Володю, соседскую девчонку Свету и дяди Мишину таксу по кличке Вектор. У Вектора был скверный характер, это Макс тоже помнил, и вспомнил, как взрослые рассуждали, что таксы вообще довольно вредные. Вредного Вектора тем не менее все любили и старались ему угодить. Вот Макс с родителями, уже в Малаховке, у отца в руках бадминтоновские ракетки.

...Почему всё так быстро? Я не могу этого понять! Зачем это придумано — чтобы жизнь проносилась моментально? Почему нельзя было придумать по-другому? Почему нельзя как следует понять, прочувствовать, порадоваться? Почему на это не отпущено ни времени, ни осознания?

...Непонятно. Непонятно.

Потом Макс увидел собственный диплом об окончании института — в солидной деревянной раме. Оценки «отлично» проставлены во всех графах, и внизу, мелким шрифтом напечатано: «Спецкурсы — 12, из них «отлично» — 12».

Опять защипало в глазах и немного сбилось дыхание.

Копию его диплома Фуфа пристроила на стену, на самое почётное место, в дяди Мишином кабинете — где всё это время была копия его самого?..

Он отвернулся от диплома — так стыдно ему было! — отдёрнул штору и глянул вниз.

Деревья разрослись, и видно было плоховато, но он тем не менее увидел медведя! Тот был пыльный после лета, какой-то клокастый, словно не до конца перелинявший. Медведь сидел посреди вольера и лениво чесал задней лапой ухо.

— Тётя Фуфа! — завопил Макс в совершенном восторге. — Смотрите! Тут медведь! Марочка!

Тётки вбежали одновременно, у них были перепуганные лица. Они подумали, что-то случилось.

— Медведь! — повторял Макс, коленями стоя на дяди Мишином кресле и выглядывая в окно. — Он на месте!

— Какой медведь?!

— Фуфа, ты забыла, он любил смотреть на медведя! Ну?! Ты что?

— У меня чуть сердце не разорвалось!

— Если у тебя разрывается сердце, прими нитроглицерин!..

Макс смотрел на медведя, улыбался от счастья, а тётки хлопотали вокруг него, и жизнь в этот миг была простой, понятной и прекрасной.

— Слезай оттуда, мальчик, ты ещё ничего не поел! Мара, ты заварила лапшу в бульон? Бог мой! Яйцо! Оно перекипит и станет резиновым! Мара, сними ковшик с огня!

Потом Макс сидел на кухне, огромной и очень неудобной — в ней было всего одно окно, всегда темновато и холодно. Кухонный стол оказался заставлен ещё какими-то блюдами, которые, по всей видимости, не смог вместить обеденный. Блюда стояли в два этажа. Макс хлебал огненный бульон — яйцо светилось в прозрачной глубине бульона и ничуть не было резиновым, — а тётки смотрели на него. Марочка вытирала полотенцем и без того сверкающие фужеры, а Фуфа обмахивалась журналом.

— Почему ты ни разу не приехал?

— Марочка, мы договорились, что не станем его ругать!

— Не станем, Фуфа. Но почему?

Макс посмотрела на тёток.

— Я не мог, — сказал он глупую глупость.

— Марочка, он не мог.

— А мы? — горестно спросила Мара и на миг перестала вытирать фужеры. — Как же мы? Без тебя?

— Вы справились, — буркнул Макс, которому нечего было сказать и нечем оправдаться.

— Мы уже почти умерли от старости и болезней.

— Марочка, ещё не до конца.

— Расскажи нам, как ты жил. Нет, мы видели тебя по телевизору...

— И ещё мы читали о тебе в специализированных изданиях, — подхватила Фуфа. — Мы так гордились тобой! Но совершенно не знали, как ты живёшь! Ты же ничего не рассказывал, даже когда звонил.

...Что он мог сказать? Чем оправдаться?

Если бы не Джахан, он не решился бы приехать к ним и сейчас — слишком жаль ему было себя и ушедшей жизни, и он не хотел вспоминать! Но Джахан почти заставила его! Он не знал, куда деваться от стыда и любви, не знал, что придумать, чтобы как-то утешить их, и понимал: никак не утешишь — время почти вышло, Макс потерял его слишком много, извёл, упустил!..

...Может, если бы он не упустил время, хватило бы хоть на что-то — на осознание и понимание, на возможность порадоваться друг другу, пока все ещё здесь?.. Родителей не стало, и вместе с ними не стало той жизни, которой они жили, а начать новую Макс не осмелился. Быть одному проще и безопаснее, и не требуется почти никаких душевных усилий. К одиночеству очень легко привыкнуть. Выпутаться из него почти невозможно.

— Девочки, — сказал Макс, он всегда их так называл, когда они были вместе, — я жил так, как жил!.. На самом деле не очень интересно.

— Как это не интересно! Ты такая умница! Талант! Звезда! По каналу «Культура» тебя показывают то и дело, и сама Антонова тебя хвалила! Ты ездил с ней в Лувр!

— Мы так тобой гордились, — подхватила Марочка. — Я рассказывала о тебе всем соседкам, и на даче, и на Ленинском! Почему ты не женился?

— Мара, дай ему поесть!

— Я не собираюсь его ругать, Фуфа!

— И не приставай!

— Ты же не можешь быть совсем один, — продолжала Марочка. — С кем-то же нужно... беседовать!

Макс засмеялся и закашлялся.

...Какое чудесное слово — беседовать! В жизни каждому человеку обязательно нужен собеседник. Без него пропадёшь, всё верно.

Он почти нашёл своего собеседника. Не почти, а совершенно точно нашёл! И перепугался. Одному проще и безопаснее. И не нужно никаких душевных усилий.

— Мара, он должен как следует покушать!

— Я только один раз встретил девушку, с которой... разговаривал, тётя Мара. Совсем недавно.

— Ты на ней женился?

Макс отрицательно покачал головой.

— Я был на работе, она живёт в другом городе... В общем, ничего не вышло.

— Возьми на работе отпуск и поезжай в другой город. И всё выйдет.

— Я теперь буду с вами беседовать, — поклялся Макс. — На самом деле непонятно, как я без вас жил!

— Не подлизывайся, мальчик.

— Я не подлизываюсь! Я говорю правду. Я теперь всегда буду говорить вам правду.

— А та девушка? Она достойна нашей семьи?

Макс засмеялся.

— Она потеряла паспорт, — сказал он и зажмурился от воспоминаний. — Разумеется, она не помнит, где и как она его потеряла! Это как раз в духе нашей семьи! И какая-то авантюристка морочила мне голову, представившись её именем. Я точно знаю, что не бывает таких совпадений, но так совпало. Я разговаривал с ней и не догадывался, что она поддельная Елизавета Хвостова и что вот-вот я встречу настоящую...

Он замолчал. Тётки смотрели на него и моргали — кажется, от слёз.

В дверь позвонили, и начался блаженный и радостный кавардак. Приехал дядя Миша, постаревший, но бодрый, с хохолком на макушке. Сколько Макс помнил Мишу, столько помнил хохолок!.. Сначала он был смоляной, потом седой, а нынче стал совершенно белый. Дядя, не слушая ни супругу, ни Марочку, долго с наслаждением ругал Макса за бездушие и бесчувственность, сыпал упрёками, восклицал, потрясал перед Максовым носом худым стариковским пальцем. Потом он вдруг вспомнил, как качал маленького Макса на ноге. Макс садился верхом, и он, дядя Миша, его подкидывал.

Вспомнив, он обнял Макса и, кажется, прослезился. Фуфа поднесла ему капель в рюмочке.

Потом приехал Володя с незнакомой Максу женщиной. Женщина была крупная, неторопливая и красивая. Лицом она напоминала молодую Фуфу, а повадкой — нисколько. Володя сказал, что это его жена, а детей они заперли на Николиной Горе на замок, чтобы не мешали.

— Там целый обезьянник, — объяснила жена и нежно улыбнулась. — Соня привезла своих погостить. Они решили не ходить в школу, а отдыхать на даче. Школа им надоела.

— Вы надорвёте мне сердце! — закричала издалека Фуфа, услыхавшая про обезьянник. — Дети заперты одни на даче?! На замок?!

— Не волнуйтесь, мама, что вы вечно придумываете?! Дети заперты под присмотром взрослых!

Приехали ещё какие-то родственники, которых Макс совсем позабыл, и удивительно было, что всё это — ради него, для него!.. Для него Фуфа с Марочкой собрали невообразимый стол, для него охлаждается в холодильнике рыба размером с кухонный буфет, для него все эти люди бросили детей и работу, для него дядя Миша извлекает из горки особую, прадедушкину, «юбилейную» рюмку!..

Ему заглядывают в глаза, держат за руки, рассказывают своё и требуют рассказов от него.

...Так не бывает.

Нет, так бывает. Но очень давно с ним не было ничего подобного.

Почему-то Фуфа и Марочка никого не пускали за стол, что было на них совсем не похоже, но мужчины выпили понемногу у столика с закусками, и дядя Миша сказал, что он, пожалуй, и сейчас может покачать Макса на ноге, а Володя с Борей заспорили про медведей, когда у них начинается спячка. Потом они все вместе смотрели из кабинета в вольер, махали медведю и ещё немного выпили.

Когда в очередной раз позвонили в дверь, Фуфа, у которой руки были заняты подносом, отправила Макса открывать.

Он сбросил цепочку, распахнул дверь и... застыл. Немного побыл в застывшем состоянии, шевельнулся и оглянулся беспомощно.

У него за спиной в коридоре маячили взволнованные Марочка с полотенцем через плечо и Фуфа с подносом в руках.

— Приглашай, приглашай, — трагическим шёпотом просуфлировала Фуфа.

— Здравствуйте, — сказала Елизавета Хвостова. Щёки и глаза у неё горели. — Я делаю переводы. Вам не нужно ничего перевести?

— Здравствуйте, — сказал Макс.

— Проходите, пожалуйста, — не выдержала Марочка и заспешила к ним. — Мы заждались! Мальчик, что ты стоишь, как пень?! Лизочка, как вы добрались? Эти таксисты такие жулики!..

— Миша, — пробасила Фуфа в сторону столовой, — прими у меня поднос! У нас ещё гости!

Макс Шейнерман, прослуживший много лет в контрразведке, закалённый, тренированный, хладнокровный, хорошо обученный и уравновешенный, отступил в квартиру, зацепился за что-то и чуть не упал.

И спросил — в полном соответствии с плохой пьесой, которая сейчас разыгрывалась в коридоре старого дома на Зоологической:

— Откуда ты взялась?..

— Ах, она взялась из Тамбова, — захлопотала Марочка. — Мы с Фуфой взяли на себя смелость её пригласить, и Лизочка — умница! — не смогла нам отказать!..

— Она наверняка хочет кушать, — сказала Фуфа. — С дороги все ужасно хотят кушать! Мальчик, выйди из ступора, ты позоришь семью, человек первый раз в доме, что он о нас подумает?..

Елизавета вошла в прихожую и втащила за собой громадную корзину и букет.

— Здесь яблоки, — она показала на корзину. — Антоновка из нашего сада. А это георгины, самые последние.

— Бог мой! Антоновка! Миша! Скорее сюда! Она привезла антоновку! И георгины! Как ты тащила такую тяжесть, бедный ребёнок! Миша, антоновку нужно на стол! Мара, понесём корзину на кухню! Берись с той стороны!..

Тётки поволокли корзину и скрылись. Потом одна из них выглянула из-за угла, посмотрела и пропала.

— Меня просто пригласили, — объяснила Елизавета. — На обед и на несколько экскурсий. В музеи. Твоя тётя сказала, что её муж академик и дружит с директорами всех музеев.

— Откуда ты взялась?!

— Что ты так испугался?

Она прошла мимо него и стала деловито стаскивать кеды. Она была в длинной юбке и кедах — очень красиво.

Макс помотал головой отрицательно, а потом утвердительно.

— У вас здесь много народу?

Он опять помотал головой сначала так, а потом эдак.

Случившееся не помещалось у него в голове и в сердце. Он ничего не мог осознать.

— Лизочка, — проблеял он глупым голосом.

— А?

Она бросила кеды, подошла, обняла его и прижалась.

— Я по тебе так скучала, — сказала она ему в шею. — Всё время вспоминала, как мы гуляли по улицам Луначарского и Циолковского совокупно!

Макс стиснул её сильно. Она пискнула.

— Но я же не могла сама тебя искать! Писать на твою страничку в инстаграм!

— У меня нет никаких страничек.

— Тем более!.. Я решила, что ты передумал. Сначала хотел за мной ухаживать, а потом я сделала что-то не так, и ты расхотел.

— Я не расхотел, Лизочка. Просто обстоятельства...

— Заткнись.

Он кивнул.

— Потом появились твои тётки.

— Как... появились?

— Они приехали в Тамбов, — с удовольствием сообщила Елизавета.

Макс чуть не упал замертво.

— И разыскали меня в галерее! Вот это было веселье! Наш Бруно до сих пор в восторге!

— Бог мой, — пробормотал Макс, чувствуя себя тётей Фуфой. — У меня сейчас разорвётся сердце.

— Они меня пригласили погостить. Сказали, что ты тоже приедешь к ним погостить. Я ответила, что это невозможно. Они возразили, что это необходимо. Некоторое время мы спорили, и они одержали победу.

— Ещё бы...

— Так что? Это невозможно? Или необходимо?

Макс посмотрел на неё.

— Только ты можешь ответить на этот вопрос, Макс, — сказала она серьёзно. — Я себе уже ответила.

— И я себе ответил, — сказал он, тоже серьёзно.

Она некоторое время смотрела ему в лицо, а потом произнесла:

— Вот и хорошо.

Из-за угла выглянула чья-то голова, то ли Фуфы, то ли Марочки, и послышался шёпот:

— Приглашай, приглашай к столу!.. Что такое?!

За руку Макс потащил Елизавету на кухню — мимо столовой, откуда тоже выглядывали любопытные, мимо кабинета с его собственным дипломом на стене и его медведем под окнами.

Он втащил её в кухню и поставил перед Фуфой и Марочкой, которые так много для него сделали.

А он даже ни разу к ним не приехал. И сейчас не приехал бы, если б не Джахан.

— Вот на ней я собираюсь жениться, — объявил Макс. — Нам с ней есть о чём... беседовать.

— Сердце меня не обмануло! — вскрикнула Фуфа.

— Если сердце тебя обманывает, прими нитроглицерин, — взволнованно выговорила Марочка. — Свадьба будет дома? Или в ресторации? Фуфа, как ты считаешь? В квартиру все не войдут, а в ресторации нет душевности.

— Я считаю, что нам давно пора кушать, — объявила Фуфа. — Мальчик, ты представишь свою невесту гостям! Лизочка, почему ты босиком? Немедленно обуй ноги, у нас старый дом, отовсюду дует!.. Иди за мной!

Елизавета оторвалась от Макса — глаза у неё смеялись — и следом за Фуфой вышла из кухни.

Макс посмотрел Марочке в глаза — добрые, дивные, карие старушечьи глаза.

— Как вы её нашли?..

Мара махнула рукой.

— Мы ни при чём. Фуфе позвонила твоя коллега и сказала, что она должна с нами побеседовать. Фуфа немедленно вызвала меня, и когда приехала коллега...

— Какая коллега?!

— Замечательная женщина, очень красивая и с большим достоинством! У неё редкое имя — Джахан. Она приехала к нам и немного рассказала... о тебе. Мы выслушали её и подумали, что должны вмешаться.

Макс с размаху сел на стул и потёр лицо.

— Твоя замечательная коллега сказала нам, что ты встретил девушку и почти потерял. Она сказала: это его последний шанс. Ещё она упомянула о человечности и милосердии.

— О милосердии и человечности, — повторил за ней Макс.

— И мы поехали в Тамбов! — торопливо подхватила Марочка. — Миша купил нам билеты на поезд и проводил нас на вокзал! Адресом Лизочки нас снабдила твоя коллега. И вот... мы все здесь.

Марочка подошла и погладила его по плечу. Макс повернул голову и поцеловал ей руку.

— Может быть, нам не стоило вмешиваться? — спросила та дрогнувшим голосом. — Может быть, мы позволили себе лишнего? Может, ты представлял себе дальнейшую жизнь как-то иначе?.. Может быть, нечто другое для тебя «осим хаим»?

— Марочка, — взмолился Макс, поднимаясь. — У меня не было никакой жизни. Ты же знаешь!.. С тех пор как не стало родителей.

В первый раз он выговорил это вслух — не стало родителей и не стало жизни.

— У меня была работа, единственное, что имело смысл. Она у меня и осталась. А жизнь вы мне только что устроили.

— Ты говоришь правду?

— Истинную, — признался Макс. — Истинную правду, Марочка.

— Потому что это безобразие, — отчеканила Джахан. — И другого названия нету.

— Да миленькая моя! — почти завыл председатель. — Да где ж я возьму посреди тайги оборудование, да ещё работников!.. Откуда они тут нарисуются?!

— Есть государственные программы, — продолжала Джахан, не слушая, — привлечения молодых специалистов. Это всем известно!.. Если вы станете выделять жильё и платить зарплату, люди сюда поедут. Сколько гектаров земли положено каждому постоянно проживающему?

— Да при чём гектары-то, миленькая?! — Председатель всплеснул руками: — Никто ж не хочет работать! Все хотят сладко жить, долго спать и чтоб непременно интернет с этими... как их... с приставками!

Джахан уставилась на него.

В крохотном кабинетике было пыльно и... скучно. Два стола, треснувшая лампа, древний компьютер и папки, папки, тоже пыльные и скучные. На стене диаграмма с двумя ломаными линиями, синей и красной. Джахан каждый раз, бывая в этом кабинетике, изучала диаграмму и моментально забывала, что на ней изображено. То ли рост поголовья скота, то ли удоев, то ли жилищного строительства.

— На носу зима, — наступала Джахан, — это вам не интернет с приставками!.. У нас каждый год одно и то же. Весной в город не попасть — половодье. Летом не попасть — то пожары, то дожди. Зимой только на вертолёте, но у нас его нет! А люди болеют не только... по погодным условиям.

— Знаю, всё знаю, миленькая! Но ты-то у нас на что? — Голос у председателя стал льстивым. — На тебя вся надежда! Вон как к тебе народ тянется!

— Без оборудования и специалистов грош мне цена, — процедила Джахан. — Я принимаю роды, лечу зубы, врачую мелкие травмы, но всего этого мало. И я не всегда могу быть здесь.

— И это знаю, миленькая, к родственникам мотаешься, дай Бог им здоровья, чтоб реже болели!.. Но потерпи ты ещё, не рви из меня жилы! Придёт время, построим и мы больницу!

— Клуб вы построили, — не глядя на него, буркнула Джахан. — Жилы не порвали. Возле клуба каждый выходной пьянки. А на больницу средств нет.

...Всё она понимала! Понимала, что не построит председатель больницу, особенно сейчас, осенью. Понимала, что деньги нужны, а их, как всегда, нет. Понимала, что разговор этот ничем не закончится — поговорят и разойдутся.

Но её бесили всегдашняя безалаберность и ничегонеделанье!.. Никто ни за что не возьмётся, если есть возможность не браться!.. Председатель, случись что с его супругой или великовозрастной дочкой, вертолёт как пить дать добудет — в леспромхозе или у эмчеэсников! А на остальных ему наплевать. Есть Джахан — лекарка, — она что-нибудь придумает, полечит как-нибудь. Когда она в мае вернулась с задания, почтовый ящик у неё на заборе был забит бумажками с разнообразными просьбами и обращениями. Люди приходили из дальних сёл, не зная, что её нет, и оставляли записочки, надеясь, что она вернётся, прочитает и поможет!.. Всё лето она верхом объезжала больных — и здоровых тоже! И не ко всем успела — мальчишка умер от заражения крови, охотник от воспаления лёгких. А ничего не нужно было делать, только вовремя антибиотик дать!

Особенно жалко было мальчишку — Джахан хорошо его знала. И родителей его, сильных, здоровых людей, словно двужильных! Страшного ничего не случилось, распорол ногу, подумаешь, дело! Какой-то мерзавец с обрыва в реку сбросил старые тракторные цепи, ребята купались, прыгали, вот один и напоролся. В рану попала зараза, и парень умер.

Её бесила непроворотная безысходность, как будто чугун варили в бочке на костре, и сколько ни подбрасывай дров, никак его не разогреть, не заставить кипеть. Вон председатель толкует про интернет и лёгкую жизнь, о которой все мечтают, но никакой лёгкой жизни не было и в помине. Есть тяжёлая, безденежная, трудовая жизнь, и радостей в ней никаких нет, кроме пьянки возле клуба!..

Джахан старалась изо всех сил, но её стараний было недостаточно!

— Ты, Бухтеевна, на нас, на советскую власть, не серчай, — продолжал председатель, успокоенный её молчанием. — Дай срок, всё будет, и больница тебе будет, и это самое оборудование!.. Мы тоже тут не просто штаны протираем. Вон котельную новую сдаём к зиме, сама знаешь, каковы у нас тут климаты! Старая бы как пить дать встала, а мы новую котельную!.. Не серчай, Бухтеевна.

— Бахтаева, — неизвестно зачем поправила Джахан и поднялась. — И советской власти давно нет. Отстали вы от жизни, Юрий Петрович. А я в область напишу. И в Москву тоже. Так и знайте.

— Так я и сам каждый божий день пишу, — заныл председатель. — Где Москва эта!.. Кому мы там нужны, в Москве?.. Вон телевизор показывает, оне там плитку поперёк тротуаров ложат, а в прошлом годе вдоль ложили, теперь перекладывают! И ярмарки кругом ладят. То цветы, то мёд, то ещё чего. Не до нас им.

Джахан выбралась на улицу — солнце почти закатилось за дальние горы, — вдохнула полной грудью, накинула меховой капюшон и натянула рукавицы. Настоящих морозов ещё ждать и ждать, но по вечерам было уже прохладно, инеем покрывались жухлая трава, лавочки возле правления и дальние скалы.

Впрочем, это называлось никакое не правление, а «управа сельского поселения».

Председатель — глава сельского поселения то есть — из окошка второго этажа смотрел ей вслед, попыхивал трубкой и, когда она оглянулась, помахал рукой.

Джахан не стала махать ему в ответ.

Село было большое — триста дворов, — и в каждом не одна душа и не две, а человек по девять!.. Здесь, в алтайских сёлах, всё ещё жили большими семьями, с престарелыми родителями и взрослыми детьми, внуками и незамужними племянницами.

Джахан шла и размышляла: вроде и работа есть — почти все односельчане трудились в мараловых заповедниках, в пекарне, в котельной, очень хорошая работа, выгодная. И денежки платят — и пенсионерам, и учителям, и почтальонам, всем, кто на государство работает — понемногу, но платят!.. Алтайцы, коренное население, разобрав выделенные гектары, снова принялись разводить скот — местные молочные породы когда-то знамениты были не только в России. Всё есть, только жизни нету. Вот почему так получается?..

С ней кто-то поздоровался, и она поздоровалась в ответ.

Жизни нет, а есть беспросветная борьба за существование. Праздников нет, а есть одна безобразная пьянка и поножовщина. Медицины нет, а есть её, Джахан, аварийный чемоданчик — на все случаи.

Идти ей было неблизко, на самый край села. Когда-то она выбирала себе жильё, чтобы никого не видеть рядом. Чтобы можно было смотреть на горы, белеющие на горизонте, и думать. Чтобы, закрыв в тишине и холоде глаза, представлять себе все эти сотни и тысячи километров тайги, болот, степей, гор, где почти нет людей, зато много зверья, рыбы, чистой воды и ледяного воздуха.

Она представляла — и душа успокаивалась немного, переставала болеть, и в голове как будто появлялось свободное место для трезвых и спокойных мыслей, а без этого свободного места в голове Джахан не могла жить.

Центр села был когда-то заасфальтирован, кажется, ещё при Хрущёве, когда того обуяла мысль о том, что сельский житель должен жить как в городе, но на селе. Чтоб асфальт, водопровод, электричество, дома с подъездами и чтоб никакой вот этой грязи и мелкого собственничества — курей, гусей, овец, овинов и сараек!.. Чтоб каждую субботу кино привозили, чтоб в магазине всем самым лучшим торговали — французским коньяком и польскими кримпленовыми костюмами.

Ничего не получилось — как обычно. Только асфальт остался и двухэтажные дома с подъездами, типа городских.

Сельская амбулатория была закрыта на висячий замок и заложена перекладиной — фельдшер Зотов запил недели две назад, и с тех пор амбулатория не работала. За лето фельдшер Зотов запивал три раза — на Троицу, на покосы и на Петра и Павла. Осенью всё начиналось заново, но без всякого графика. Осенью фельдшер запивал, как Бог на душу положит.

Джахан поёжилась, холодно было идти вечером в одной только меховой жилетке, расшитой сутажом и бисером. Давно нужно полушубок достать, телогрейку, тёплые сапоги, но в полушубке и сапогах был окончательный приговор теплу, сдача на милость предстоящим бесконечным холодам.

Ничего хорошего и весёлого не могло быть в сельпо, но Джахан решила зайти. Мало ли. Вдруг что-нибудь привезли, а она просто не знает!.. Пропустила привоз.

В магазине ей неожиданно повезло. Продавщица Люся, раскрасневшаяся от препирательств с тремя пьянчужками, канючившими, чтоб она дала им водки «в долг», выставила на прилавок два пакета настоящей белой барнаульской муки — самой лучшей. Лучше этой муки на свете не было, но в село её привозили редко, приходилось добывать в Барнауле. Джахан добывала, когда ездила на поезде за кофе и копчёной колбасой.

Джахан купила муку и заплатила за водку, которую клянчили пьянчужки — они сразу принялись кланяться и причитать, а бутыль воровато схватили с прилавка и припрятали.

— Зря вы паразитов этих балуете, — сказала Люся. — Ох, зря! Ничего они не работают, только водку квасят!

И всё в долг! А потом отдавать нечем, пропиваются до-гола! А вы, выходит дело, их поощряете...

— Если ты им сейчас водки не дашь, они на улице у кого-нибудь кошелёк отнимут, — объяснила Джахан. — Это физиология, ничего не поделаешь. А так выпьют и заснут. Может, к утру замёрзнут до смерти.

— Тьфу на тебя! — обиделись пьянчужки. — Типун те на язык!..

Джахан взяла пакеты с мукой на оба локтя, как мла-денцев, и понесла, прижимая к груди.

Вот и план вечера готов!.. Раз есть такая дивная мука, значит, будут лепёшки. Сейчас она замесит тесто, и пока оно станет подходить, уберёт в стойле у коня.

У Джахан был превосходный конь, и звали его Орлик, как в фильме про границу. Орлика ей подобрали ал-тайцы, которые не понимали, как можно жить на свете без коня!.. Никак нельзя жить.

Она бережно внесла муку и аккуратно поставила её на кухонный стол. Двери она запирала, только когда уез-жала надолго.

Во дворе её дома, как и во всех алтайских дворах, был ещё аил, восьмигранное островерхое сооружение с оча-гом посередине. Когда-то в аилах жили, русских изб-пя-тистенок с печкой и сенями не ставили. Нынче жили, конечно, в самых обыкновенных домах, но аилы были у всех. В своём аиле Джахан вела приём больных, сушила травы, держала ружья, которыми редко пользовалась, ту-лупы и лекарства.

Об её аиле по окрестным горам ходили легенды — мол, колдует там лекарка, шаманит! — и окрестные маль-чишки то и дело пытались туда залезть, поэтому аил она запирала.

Джахан скинула жилетку, сунула ноги в мягкие ме-ховые сапожки, тщательно помыла руки и принялась за тесто.

С тестом она всегда разговаривала. Она месила его, пела ему, гладила его, и лепёшки получались такой вкусноты, что о них тоже ходили легенды.

Приладив кастрюлю с будущими лепёшками к боку печки и как следует укутав её полотенцем, она отправилась к Орлику.

Конь ждал её и ласково заржал, приветствуя, когда она открыла дверь. Из стойла тянуло теплом, немного сеном, кожей и навозом, Джахан нравился этот запах.

Она угостила Орлика — он принял угощение с благодарностью — и начала чистить пол и таскать свежую солому.

Во время работы она говорила, не останавливаясь, а конь слушал, стриг ушами.

— ...А завтра, — говорила Джахан, — нет, наверное, послезавтра, мы с тобой в Учкуй пойдём. Помнишь, в прошлом году ходили? Это на той стороне горы. Мы с тобой туда надолго пойдём, дня на три, а то и на четыре! Там Мыскал родить должна вот-вот, и если бы началось, они бы за мной прислали, а раз никого нет, значит, мы сами пойдём. И ещё там пастух, помнишь, у него сахарный диабет, повезём ему инсулин. И дедок, который позапрошлой весной оглох. У него в слуховом аппарате батарейки сели, мы ему на зиму батареек дадим. Мы любим через перевал ходить, там красиво, да? Мы посидим немного, с духами поговорим, они нас послушают, и мы их послушаем. Осенью на перевале такие краски, ни один художник не нарисует, даже наша Даша Жу.

Конь фыркнул и тревожно стукнул копытом.

Джахан насторожилась:

— Что?..

Конь переступил тонкими сухими ногами, повёл ушами и заржал. Джахан помедлила, прислушиваясь, вышла из стойла, повернула за собой деревянную крутилку, прислонила к стене лопату и накинула короткий армячок, который надевала для работы.

В её доме кто-то ходил, она увидела тень, пролетевшую по окнам. Джахан заспешила, взбежала на крыльцо, распахнула дверь.

— Ой! — в лицо ей закричала расхристанная тётка в сбившемся платке. — Ой, скорей! Ой, беда! Пропадаем!

Джахан тётку не узнала.

— Какая беда? Кто пропадает?

— Малая помирает! Глаза закатывает! Ослабела вся! Я до тебя прибежала, фельшер-то в запое! Христом Богом прошу! Помрёт моя кровиночка! Спаси ты её!

Тут Джахан её узнала.

Она работала в пекарне, звали её Милой, у неё двое детей — мальчишка и девчонка, шестнадцати и двенадцати лет. Муж охотник, ходит на промысел в тайгу. Семья, по алтайским меркам, исключительно состоятельная — муж не пьёт, промышляет зверя, хорошо зарабатывает, и жена при пекарне, а значит, при зарплате. Мила по праздникам наряжалась в городские туфли-лодочки, платье с люрексом и делала причёску, а у мужа-охотника был настоящий двубортный костюм, в котором он никогда не садился, только стоял. У сына имелись новый компьютер и скутер, на котором он гонял по селу, а у дочки планшет, рваные джинсы, очень модные, и собственный набор детской косметики, о котором долго судачили возле сельпо бабы.

— Мила, перестань кричать, — велела Джахан холодно. Она знала, *как говорить*, чтобы человек услышал. — Сейчас разберёмся. Что случилось?

— Ой, — вскрикнула Мила и зарыдала. — Мой-то в тайгу еще на позатой неделе ушёл, одних нас оставил! А тут беда такая! Пойдём скорее, помрёт малая!

Джахан сунула ей таблетку и кружку.

— Вот это проглотить, из кружки запить. Что с Аллой?

Аллой звали заболевшую девочку.

Мила шумно проглотила таблетку, хлебнула воды. Руки у неё сильно тряслись, и глаза были безумные.

— Пришла вчера со школы, что-то, говорит, мама, нехорошо мне. А я как раз в печку рыбу сажала. И моя-то всё жмётся к печке, жмётся. Я у ней спрашиваю: чего это нехорошо-то, небось контрольную Вера Ивановна объявила, так тебе и нехорошо сделалось!.. А она бледненькая такая и дрожит вроде.

Джахан собиралась и внимательно слушала. Щёлкнул, распадаясь на две части, аварийный чемоданчик. Она проверила ампулы в гнёздах, шприцы, стетоскоп. Достала из холодильника антибиотик.

— Ну, не пошла с утра в школу, я-то ещё затемно на работу побегла, ей питьё оставила, чаёк тёпленький, чтоб попила. Обед тоже оставила, а сама побегла. Вернулась, двенадцати не было, а она лежит, и питьё нетронутое, и обед! Так целый день в жару и металась, и я с ней. К скотине только вышла, а так рядом сидела.

— Температура высокая?

Мила махнула рукой:

— Да градусник этот Витька ещё по весне разбил! Ртуть добывал, хотел по химии опыт сделать, а с тех пор...

— Горячая она?

— Ой, гори-ит, вся горит! И рвёт её, я тазик подставляла.

— Чем рвёт?

— Да ничем, не ела ж ничего, не пила. Всухую. Желтое там что-то...

Джахан собралась и скомандовала:

— Пойдём.

...Спрашивать, почему не вызвали врача — глупо, нет никакого врача. Спрашивать, почему сразу не позвали её, не имеет смысла — как всегда, мать надеялась, что само пройдёт. Нужно спешить.

Джахан скатилась с крыльца, за ней тяжело топала Мила.

— Давай ящик-то твой, — проговорила она на ходу. — Я понесу.

— Я сама могу.

В доме у Милы было жарко и душно, как в бане, пахло зверобоем и баданом. Девчонка лежала в комнатухе за занавеской, веки синие, рот ввалился, губы словно в восковых плёнках. Брат Витька, тот самый, что ставил весной опыты по химии, перепуганно таращился из угла.

— Аллочка, — позвала Джахан, подтаскивая к кровати табуретку. — Посмотри на меня.

Девчонка медленно открыла бессмысленные глаза и сразу же закрыла.

Джахан посчитала пульс — судя по пульсу, температура была под сорок, — вдела в уши стетоскоп, откинула одеяло и приложила мембрану к худосочной, с цыплячьими рёбрами груди.

— Ну, чего с ней, а? — спросила Мила. — Аллочка, ты как?

— Не мешай мне, — приказала Джахан.

В лёгких было чисто, и она стала аккуратно и быстро щупать живот.

Девчонка застонала и открыла глаза.

— Так больно? Нажимаю, больно?

Девчонка с трудом кивнула.

— Давно заболело? Живот когда заболел?

— Аллочка, — заплакала Мила, — ты скажи тёте, скажи, не бойся.

Девчонка зашевелила губами, собираясь с силами. Джахан наклонилась к ней.

— Давно болит, — расслышала она. — Не сильно, чуть-чуть. С тех пор как я калины объелась.

— Когда ты объелась?

— Да это они с подружками в лес бегали, — прорыдала Мила. — Ещё тепло было, стало быть, недели две с гаком.

Джахан всё щупала живот.

— Ма, — растерянным басом промычал из угла Витька. — Это чего с ней, а?..

— Не знаю, сына, видишь, заболела малая наша! И папки нету, в тайге папка!

В наступившей тишине было слышно, как тяжело и редко дышит девочка, как тикают часы, как за стеной капает из рукомойника вода.

— Ну чего? — не выдержала Мила и тронула Джахан за плечо. — Чего с ней?

— Аппендицит, — сказала лекарка.

— Это опасно, да? Помирает? Если помрёт она, я тогда вместе с ней помру!

— Тихо! — приказала Джахан.

...Нужно открывать амбулаторию, готовить операционную. Ждать нельзя, положение критическое. Жаль, рядом нет Макса Шейнермана. Он всегда ей ассистирует, а сейчас всё предстоит сделать одной.

— Ты скажи, не таи. — И Мила снова потрясла Джахан за плечо. — Помирает?

— Нет, — отрезала Джахан. — Но нужно торопиться. Запрягайте лошадь, закутайте ребёнка и подъезжайте к амбулатории. Витя, сестру на руки возьмёшь и устроишь аккуратно, чтобы она лежала, а не сидела. Я пока там всё подготовлю.

— Не помрёт?

— Делайте, что я говорю!

В амбулатории было холодно и сыро — топить ещё не начали, а фельдшер Зотов не заглядывал сюда уже давно. Джахан первым делом зажгла везде свет — слава богу, электричество было! — включила стерилизатор и обогреватели. Достала из своего чемодана лампу на суставчатой ноге и установила над кушеткой.

...Ну, погоди, председатель, глава сельского поселения, твою мать! Дай только с девчонкой разобраться, увидишь ты у меня небо в алмазах и новый клуб с кино и танцами!.. Лёгкой жизни жаждешь, устрою я тебе лёгкую жизнь!

В ожидании, когда подъедет телега, Джахан вышла на крыльцо, достала телефон, похожий на полевую рацию, и, когда ответили, изложила проблему.

В телефоне помолчали.

— Операцию я сделаю, — продолжала Джахан, словно стараясь убедить собеседника. — Но у меня ничего нет — ни рентгена, ни УЗИ. Могут быть осложнения, и тогда потребуется помощь.

— Ясно, — сказали в телефоне. — Ждите.

Джахан спрятала аппарат в карман и прислушалась. Телега была уже близко, тряслась по разбитому асфальту.

— Аккуратно! — крикнула Джахан в темноту. — Не растрясите её!

Вдвоем с матерью они внесли девочку в амбулаторию и уложили на кушетку. Джахан стала её раздевать. Мать помогала, крупные слёзы капали на дочкино лицо и шею.

Брат растерянно мялся в дверях.

Джахан прикрыла девочку простынёй и зажгла свою лампу. Сразу в тесном помещении стало так много света, что пришлось зажмуриться.

— Я сейчас сделаю операцию, — сообщил Джахан спокойно. — Вы пойдёте в коридор и подождёте.

— Помрёт она, да? Девочка моя, цветочек мой ненаглядный!

— На всякий случай я вызвала помощь. Это понятно? При осложнении нам помогут.

— Кто нам поможет-то?! Господи, да за что мне это?! За что беда такая, Господи!

Джахан за руку вывела Милу в коридор, и, надавив на плечо, заставила сесть на коричневый клеёнчатый стул. Парень не говорил ни слова, только таращил глаза.

— Ждите, — приказала Джахан, зашла в смотровую и защёлкнула за собой замок.

Она ничего не боялась и ни о чём не думала. Она делала дело, пусть не совсем привычное, но понятное и хорошо изученное. Она никому не сочувствовала и никого не жалела. У неё была задача, и её требовалось решить.

Работать одной было непривычно и на редкость неудобно, и некоторое время она приспосабливалась — как встать, с какой стороны подойти, как проще брать инструменты.

Девчонка была совсем плоха, и следовало спешить.

Джахан закончила минут через сорок. Наложила последний шов и померила давление и пульс — во время операции она не могла отвлекаться. Ребёнок ровно дышал, и пульс, и давление были вполне приличными.

Теперь нужно ждать, когда она проснётся.

Джахан выключила свою лампу — в смотровой сразу наступили сумерки — и выглянула в коридор.

Там было полно народу. Непостижимым образом любая новость распространялась по селу в мгновение ока, куда там интернету и мировой системе оповещения! Как только повернулся ключ, Мила вскочила, прижимая руки к груди, и бабы, набившиеся в коридор, двинулись и застыли.

— Пока всё в порядке, — известила Джахан. — Ждём. Сейчас она должна проснуться.

— Не помрёт? — едва выговорила Мила. — Ты скажи, доктор, не помрёт она?

— Нет, — отрезала Джахан.

Мила стала валиться навзничь, бабы заголосили, мужики загомонили, но Джахан некогда было заниматься Милой!.. Она-то уж точно не помрёт.

Она вернулась к девочке, ещё раз посчитала пульс и померила давление.

Аллочка шевельнулась и открыла глаза.

— А мама? — спросила она очень тихо. — Где мама? Пить хочется.

— Мама в коридоре, а ты в больнице, — сообщила Джахан. — Попить я тебе попозже дам. Ты пока отдыхай. Что ты любишь? Море любишь?

— Я лес люблю.

— Вот представляй себе, что ты в лесу. Лежи тихонечко и представляй.

Телефон, похожий на полевую рацию, зазвонил, когда Джахан мыла инструменты.

— В двадцати километрах к востоку от вас находится военная база войск стратегического назначения, — сообщил телефон. — Туда направлен санитарный самолёт из Горноалтайска. Будет у вас в ближайший час. Эвакуация больного требуется?

— На мой взгляд, больной необходим стационар, — ответила Джахан. — Операцию я провела. Для послеоперационного периода здесь условий нет.

— Ясно, — сказал телефон. — Ждите.

Джахан убрала инструменты, покидала в бак шапочку и халат — стирать и кипятить. Свою стерильную хирургическую пижаму она почему-то не взяла из дома, забыла.

Под стенами амбулатории в свете фонаря толпились соседи, переходили с места на место, переговаривались и курили. Джахан время от времени посматривала на них в окно. Выходить и разговаривать с Милой ей не хотелось, но она понимала, что придётся.

Она тянула время, подходила к девчонке, смотрела, как та спит, проверяла, ровно ли дышит.

Джахан сильно устала и от усталости мёрзла, хотелось крепкого чаю и полежать под одеялом, но она понимала, что до этого ещё далеко.

Когда на дороге загудела и засигналила мощная машина, Джахан вздохнула и распахнула дверь в смотровую.

Мать сидела, привалившись к соседке, — глаза закрыты, лицо жёлтое, — и, когда Джахан вышла, Мила всполохнулась и вытянулась.

— Ну что?

— Всё нормально, — сообщила Джахан. — За ней прислали самолёт. Сейчас в больницу отправим.

— Какой... самолёт? — едва выговорила мать. — Что за самолёт, откуда?..

На улице зашумели, из коридора народ ломился к двери, и Джахан переждала, пока пройдут любопытные.

Она вышла на крыльцо и зажмурилась — мощные фары светили прямо в лицо. Навстречу ей из машины выбрались двое в синей форме. Люди расступались, пропуская их.

Было очень холодно, и крупные звёзды дрожали над дальней Белухой.

— Здравствуйте, — поздоровалась женщина в синей форме. — Что у вас?

— Девочка двенадцати лет, воспаление аппендикса. Ждать было нельзя, аппендэктомию я провела.

— Самостоятельно? — удивилась прибывшая женщина.

Джахан ничего не ответила.

— Ну, посмотрим. Проводите нас.

Джахан проводила их к больной. Смотрели они недолго.

— Забираем, — сказала женщина. — От греха подальше. В больнице надёжней.

— Согласна.

— А родственники? Мать где? Костя, давайте носилки. Вы молодчина, — женщина посмотрела на Джахан. — Вот я не знаю, решилась бы или нет... В одиночку, без сестры, с примитивными инструментами!

Джахан опять ничего не ответила.

— Вы здешний фельдшер?

Джахан вздохнула:

— Здешний фельдшер в запое. А я... просто здесь живу.

— Но вы врач?

— Да.

— Молодчина, — похвалила женщина опять. — Проводите меня к матери.

Они вышли в коридор, и первым делом Джахан нос к носу столкнулась с Хабаровым.

— Привет, Джо, — сказал Алексей. — Я рад тебя видеть.

Джахан уставилась на него.

Хабаров был в лётной куртке и синем свитере, он тащил сложенные носилки, казавшиеся совсем лёгкими, игрушечными — таким огромным был Алексей.

— Где мать-то? — поторопила женщина в синей форме. — Нам бы отправляться!

— Это ты прилетел на самолёте? — спросила Джахан.

Хабаров кивнул.

— Почему?

— Я теперь здесь работаю. Меня перевели из Анадыря в Горноалтайск.

Джахан, презиравшая всякую слабость и ненавидевшая распущенность, взялась рукой за стену и медленно опустилась на стул. Хабаров поправил под мышкой носилки.

— Что вы там застряли?! — сердито прокричали с крыльца. — Граждане, где мать ребёнка?

— Ты не подала в отставку, — сказал Хабаров.

— Нет, не подала.

— Передумала?

Джахан кивнула.

— Лёша! — Женщина в синей форме заглянула в коридор. — Несите с Костей девочку, и поехали! Что мы время тянем!..

Хабаров зачем-то погладил Джахан по голове и протиснулся мимо неё в смотровую.

Она ещё посидела немного, потом спустилась с крыльца, медленно пробралась сквозь толпу, обошла тяжёлую машину, по-прежнему молотившую двигателем и светившую фарами, и побрела по ночной поселковой улице домой.

...Они разберутся без меня. Я сделала всё, что могла. Мне бы сейчас как-нибудь домой добраться.

Она превосходно видела в темноте, но на этот раз почему-то всё время спотыкалась то ли от усталости, то ли от потрясения.

Как он сказал?.. Меня перевели из Анадыря в Горноалтайск?.. Значит, он всё для себя решил, а она, Джахан, так ничего и не решила.

Она добралась до дома, где было тепло, темно и хорошо пахло, содрала с себя и покидала в угол одежду и первым делом открыла в душе горячую воду, почти кипяток. У неё был электрический нагреватель, и насос исправно качал из скважины воду.

Она долго грелась под душем, поворачиваясь то одним боком, то другим, и всё думала, думала. Потом, натянув тёплую пижаму, сушила волосы и всё думала!.. Голова гудела, как под напряжением, и стреляло в ухе. Джахан подула феном и в ухо тоже.

Тесто для лепёшек, поставленное из лучшей барнаульской муки, выпирало из кастрюли. Джахан погладила его, попросила ещё немного потерпеть и снова накрыла полотенцем.

У неё был план: выпить кофе, очень крепкого и очень много, додумать до конца и принять решение. Она всегда старалась жить по плану.

Но как только она уселась на диван, ожидая, когда закипит чайник, все планы рухнули. Ей так мучительно и непреодолимо захотелось спать, что она дала слабину.

Одну минуточку, сказала она себе, вытягивая ноги. Я подремлю только одну минуточку. Ничего не случится, если я просто подремлю.

Когда она проснулась, в окна ломилось солнце. Его было много, весёлого, жёлтого. Иногда, очень редко, осенью на Алтае бывает именно такое!..

Джахан потянулась, повернулась на другой бок, устраиваясь под тюрханом — лёгким и тонким меховым одеялом, — и снова закрыла глаза.

...Что такое вчера было? Девочка с аппендицитом, санитарный самолёт, ночь, Хабаров в лётной куртке!.. Ей приснился такой странный сон.

Ей никогда не снятся сны, а тут вдруг приснился!..

— Вставай. Пора.

Джахан открыла глаза. Перед её носом была гобеленовая обивка дивана — кажется, Париж и бульвары под дождём. Диван она выписала из Москвы, из мебельного салона.

Шикарный такой диван, ничего не скажешь.

— Я чай заварил. Как мог, так и заварил. Хотел пироги печь, но... не решился.

Джахан подтянулась и села. И осторожно осмотрелась.

— Хочешь чаю?

Хабаров что-то делал возле стола, оглядывался на неё через плечо.

Джахан потёрла лицо обеими руками.

— Подожди, — сказала она и откинула тюрхан. — Подожди, ты здесь?

— Я здесь, — ответил Хабаров, подошёл и сел рядом. В руках у него была пиала с чаем. — А ты где?..

Тут она сообразила, конечно. Это не сон. Была заболевшая девочка, операция, ночь и он, Хабаров.

Она взяла у него пиалу и сделала глоток. Чай был крепкий, вкусный. На Хабарова она старалась не смотреть.

Некоторое время они молчали. Джахан пила чай.

— У тебя там тесто, — проинформировал Хабаров. — Я в него потыкал, но оно всё равно вылезает из кастрюли.

— Зачем ты в него тыкал?

— Чтобы оно совсем не вылезло.

— Что было ночью? Я ушла и не знаю.

— Я видел, как ты уходила, — пояснил Хабаров и погладил её по голове, как вчера. — Мы добрались до базы, потом я отвез девочку в Горноалтайск. Она в больнице, всё нормально. Врачиха эмчеэсовская всё приставала ко мне, кто ты такая. Она хочет, чтоб тебе объявили благодарность в приказе.

— В каком приказе?

— По МЧС.

— А ты теперь будешь служить здесь, — утвердительно сказала Джахан.

Он кивнул.

— Зачем?

Это был опасный вопрос и на него существовал только один ответ, и этот очевидный ответ пугал её, и всё же ей очень хотелось, чтобы он сказал: я без тебя не могу, я должен быть рядом, я всё понял и осознал!..

— Ты знаешь, — произнес Хабаров задумчиво, откинулся на спинку дивана и вытянул ноги, — со всех сторон получается какая-то глупость. Я тебя люблю, ты меня тоже любишь, но есть искусственное препятствие, как в плохом кино! Только в плохом кино препятствием обычно бывают злодеи, а у нас нет никаких злодеев, но мы не можем договориться. Я решил с тобой договориться.

Это было несколько не то, чего ожидала Джахан.

— О чём?

— Я не могу тебе обещать, что со мной никогда и ничего не случится. И с тобой тоже!.. И ни при чём тут наша работа, — с досадой произнес он, поняв, что она собралась возражать. — Нет никаких гарантий, вот что я хочу сказать. Вообще никаких. Самолёт может упасть. Поезд сойти с рельсов. Машина разбиться. Я могу угореть в бане, а ты подавиться бананом!..

Джахан слушала очень внимательно и не сводила с него глаз.

— Это какая-то неправильная теория, — продолжал Хабаров. — Мы боимся друг за друга, поэтому нам лучше вовсе не видеться!.. Я правда так больше не хочу. У меня одна жизнь. А у тебя?

— Я точно не знаю, — подумав, ответила Джахан.

— Ну, хорошо, точно мы не знаем. Но может, попробуем... пожить? Или сразу сдадимся на милость будущим бедам?..

Она молчала и смотрела на него.

— В любом случае всё кончится плохо, — продолжал Хабаров. — Мы умрём, и все умрут, и собаки сдохнут, и деревья засохнут. Ничего хорошего не будет.

— Ты так считаешь?

— Я считаю, что на всё это нужно наплевать, — сказал Хабаров решительно, — и попробовать пожить. Пока есть время. Пока никто не умер — неважно как, от работы или от несчастного случая!.. Зачем мы теряем время?.. Мы с тобой потеряли его очень много. Зачем?..

Джахан подумала, отдала ему пиалу и подтянула колени к груди.

— Ты же боец, — сказал Хабаров, подбадривая её. — Ты всегда всё доводишь до конца. И вдруг струсила.

— А работа? — спросила Джахан глупым голосом. — Как мы будем вместе работать?

— Мы и работали вместе, и спали вместе, и у нас получалось. Ну, что нам делать, если у нас такая жизнь?! Мы же не можем придумать себе другую!..

— Не можем, — согласилась она.

— Тогда давай поживём этой. Смотри, я буду служить в Горноалтайске, а ты здесь лечить людей. Это же рядом, подумаешь, семьдесят километров! Я стану уезжать на дежурство, а ты будешь меня ждать. Ты меня научишь здесь жить, я же не умею. Ты мне всё покажешь.

Он аккуратно пристроил пиалу на валик дивана, подвинулся и обнял её за плечи. Джахан задумчиво пристроилась к нему.

— Мы огород разведём. Ты разводишь огород?

Она покачала головой.

— Ну и ладно. Значит, я без тебя разведу. Теплицу построим. Я в Оксфорде видел розы, целые лужайки роз в человеческий рост высотой. Мне с тех пор хочется вырастить такие же. И огурцы. У вас тут небось огурцы не растут.

— Год на год не приходится.

— А у меня вырастут. И ты меня познакомишь со всеми своими, кто тут у тебя есть.

— У меня есть конь Орлик.

— Вот, и с Орликом познакомишь!.. Я в седле держусь так себе, плоховато.

— Придётся научиться, — сказала Джахан. — Тут в горы только верхом. А если зимой, то на лыжах. Но на лыжах далеко не уйдёшь.

Хабаров прижал её покрепче.

— Алтайцы считают, что я шаманка, — продолжала Джахан. — Я даже немного говорю по-алтайски.

— Ты и есть шаманка, — согласился Хабаров. — А я буду тебе помогать. Не мешать, а помогать! — добавил он энергично. — Вот увидишь, так будет интересней. И проще. А если тебе здесь надоест, на базе в Горноалтайске есть общежитие для семейных. Я буду брать тебя туда.

Джахан засмеялась.

— В общежитие? — уточнила она. — На военной базе?

— А что тебе не нравится?

— Ты такой чудной мужик, — протянула она. — Тебя послушать, всё так просто!

— Ну, сложно у нас уже было.

...Это точно, подумала она. Было сложно и страшно, и каких только клятв и обещаний она себе не давала — больше никогда, ни за что, ни с кем, и тем более с ним!.. Может, имеет смысл попробовать?.. Сделать так, как он предлагает? Наверняка общежитие в Горноалтайске не самое страшное место во Вселенной, особенно если они будут там вдвоём. Удивительно, но вдвоём на самом деле совсем не страшно. И некогда мучиться и страдать — потому что нужно быть вдвоём, а это требует времени и усилий.

— Что ты молчишь?

Джахан положила голову ему на плечо, раскопала под свитером и футболкой голое хабаровское тело и погладила. Он сверху перехватил её руку и прижал.

— Я сейчас буду печь лепёшки, — сказала она. — Тесто и так перестояло. И мы будем есть их с красной икрой. Помнишь, ты угощал меня магаданской рыбой? А я угощу тебя петропавловской икрой, мне недавно прислали. И ты будешь рассказывать мне, как ты без меня жил.

— Летом?

Она высвободила руку и ещё немного погладила его под свитером.

— Летом и вообще, — сказала она. — Тогда.

— А-а.

— Твои вещи в общежитии в Горноалтайске?

— Там вещей кот наплакал.

— Сколько ни наплакал, а нужно сюда привезти. А машина?

— Машина у тебя под забором.

— Загонишь во двор? Чтоб она людям глаза не мозолила. Хотя какая теперь разница!..

— Никакой, — согласился Хабаров, обнял её, подтащил к себе, посадил на колени и поцеловал как следует.

Она сразу ответила пылко, горячо и с удовольствием задвигалась, и тут что-то упало, дзинькнуло о лиственничный пол.

Они оторвались друг от друга и посмотрели.

Пиала, которую Хабаров пристроил на диванный валик, упала и разбилась.

— На счастье, — сказал Алексей Ильич серьёзно.

Чтения проводились во второй раз, и среди прочих знаменитых имён была заявлена Даша Жу, которая должна была прочесть стихотворения Бродского, иллюстрируя их собственными произведениями.

Несмотря на недолгую историю, чтения имели шумный успех. В кулуарах поговаривали, что не иначе как руку к организации приложили большие и умные дяди из администрации президента, которые таким образом собирали мнения либерально настроенной молодёжи. И не только!.. Молодёжь, получив площадку, высказывалась свободно, без оглядки на проклятую цензуру, а взрослые дяди брали на карандаш самых смелых и решительных — кто-то говорил, для перевербовки, а кто-то, шёпотом, что для тайной слежки за несогласными. Это попахивало опасностью и придавало всему особый вкус.

Во всяком случае, на чтениях царила атмосфера единства и понимания — все собравшиеся говорили на одном языке о том, что больше всего волновало: о новой книге прозаика Синицына, которая вот-вот выйдет и произведёт эффект разорвавшейся бомбы, ибо прозаик ещё раньше предсказал перемены, происходящие и в отечестве, и в мире, а нынче, по слухам, написал такую антиутопию, что Нобелевский комитет растеряется; о новой культурной доктрине, которую вскоре будут рассматривать в Думе, и, по слухам, после принятия доктрины всей культуре придёт конец, да оно и понятно, иначе зачем её принимать; о премьере балета в Большом театре, которую отменили сразу после генеральной репетиции, а премьера была по-настоящему, по-хорошему революционной! Впервые в истории танцовщики должны были выйти на прославленную сцену абсолютно голыми, и во всех партиях были заняты исключительно мужчины — и в женских, разумеется, тоже, чтобы не нарушалась стройная концепция спектакля.

Чтения проходили в корпусах бывшего завода «Серп и молот», нынче переделанного под современные нужды.

Здесь размещались фотостудии, кинозалы, уютные галереи, крохотные антикафе, чилл-ауты, студии звукозаписи, помещения для «квартирников» — не в квартирах же проводить «квартирники»! — веганские кафе, столовые по типу советских — для прикола, — зоны релакса, декорации для съёмок, корнеры, в которых продавалась одежда из натуральных материалов, лавки с био- и фермерскими продуктами и другие необходимые современному человеку штуки.

Машины, заезжавшие на подземный паркинг бывшего «Серпа и молота», свидетельствовали о том, что своевременный человек, которому всё это необходимо, живёт неплохо и даже, пожалуй, богато.

Даша Жу нарочно не стала сообщать номер своего кабриолета организаторам и на въезде устроила скандал охранникам, которые не хотели её пускать.

Она всласть с ними препиралась, за ней выстроился хвост желающих попасть в райские кущи, они нетерпеливо сигналили. Даша газовала, но не двигалась с места, охранники нервничали и куда-то звонили, вот потеха!..

— Я участвую в чтениях! — кричала Даша из окна кабриолета — крыша была поднята, на Даше лёгкая норковая шубка, косынка и тёмные очки, несмотря на вечер и осеннюю темень. — Вы что, не видите, кто я?! Я сейчас развернусь и уеду, сами объясняйтесь с организаторами!

— Да мы сейчас, сейчас, — бормотал нарвавшийся на скандал охранник. — Только проверим...

— Что ты там шепчешь! — Даша упивалась скандалом и звуками собственного голоса. — Или пускай меня, или сам иди и читай!.. Всё, я уезжаю! Этих, которые меня подпёрли, убирай, я задним ходом сдавать не умею, мне развернуться нужно!

— Проезжайте! — Шлагбаум поднялся, охранник махнул рукой. — Прямо и вниз, на паркинг!

— То-то же, — прокричала Даша. — А если людей не различаешь, очки купи!..

И она пролетела шлагбаум и будку.

— Кто это такая-то хоть? — спросил один пострадавший у второго. — Ты её знаешь?

— Да хрен их всех знает, — плюнул второй. — Вроде видел. По телику или в интернете. А там кто их разберёт, все на одно лицо.

Даша в прекрасном настроении заехала на стоянку, выскочила из кабриолета, посмотрелась в боковое зеркало — эх, хороша! — и побежала, напевая себе под нос и размахивая сумочкой.

Человек в чёрном «Гелиндвагене» проводил её тяжёлым, как гиря, взглядом. Даша пропорхала мимо, ничего не заметив.

Бродского и свои произведения она скомпилировала таким образом, чтобы одно уж точно с гарантией не соответствовало другому. И стихи выбрала самые сложные и самые холодные, мысленно попросив у автора прощения. Всё же ей было немного стыдно, что она принимает участие в таком деле!.. Ну, ничего! Бродский переживёт. Он же пережил как-то свою интернет-славу, когда экзальтированные юноши и девушки цитируют его, бедного, ни к селу ни к городу, и задом наперёд, и с боку набок, и снизу вверх, и шиворот-навыворот.

В большом зале, освещённом светильниками из гнутой жести и украшенном чугунными фигурами, как бы содрогающимися в пароксизме страсти, толпилось много народу. Вдоль стен были накрыты столы с угощением — кофе, белое вино и тарталетки с хумусом. Даша схватила тарталетку, надкусила, сморщилась и бросила на поднос проходящего официанта, так что две тётки, потянувшиеся было за шампанским, отшатнулись и остались с носом.

— Фу, какая гадость! — заорала Даша.

Официант обиделся, а тётки поджали губы и ей в спину зашептались.

Даша разыскала в толпе взмыленного организатора чудо-вечера, устроила ему разнос за то, что вчера ей никто не позвонил, парковка не заказана, и вообще она не собиралась приезжать и немедленно уезжает.

Организатор умолял её остаться.

— Даша Жу, — говорили в толпе. — Весной выставка была на Волхонке, и в ноябре будет ещё одна, в Манеже. Новый Пикассо.

— Прямо уж и Пикассо!..

— Так говорят! Шейнерман её хвалит, а он очень, очень въедливый, зря хвалить никого не станет.

Оставив организатора в растерянности и недоумении, Даша пропорхала в зал, огляделась, вскочила на пустую сцену, где рабочие ставили микрофоны, покрутилась на ней, забрала у одного, самого смирного, микрофон и пропела в него:

— Скоро осень, за окнами август, от дождя погрустнели цветы... Он что, не работает?!

— Выключен, — тараща на неё глаза, пробормотал самый смирный.

Даша кинула ему микрофон, и он, как ни странно, его поймал.

— Ну, так включите!..

Проделав всё это, Даша умчалась дальше — очаровательный, злобный эльф, сеющий вокруг себя смуту, так ей представлялось.

Когда дошло дело собственно до чтений, она устроилась в первом ряду, хотя предназначенное ей место находилось в третьем, и громко комментировала каждое выступление. Комментарии были едкими, и выступающие смущались и переглядывались.

...Будете знать, как приставать ко мне со всякими приглашениями на всякие чтения, думала Даша весело.

Сама она выступала долго. Принимала нелепые позы, закатывала глаза, шептала, кричала, иногда читала нараспев, подражая автору, и в конце концов всех замучила окончательно.

После неё выступающие торопились — уж больно она всё затянула, — и хотелось, наконец, хоть как-то покончить с чтениями!..

— Это гениально, — сказал ей в толпе бородатый потный мальчик, с виду журналист. Он когда-то присутствовал на её выставке. У Даши была превосходная зрительная память, она никого не забывала. — Вы читали... необыкновенно!

— Бросьте, — махнула рукой Даша.

— И так похоже на манеру автора, на Иосифа Алексеевича!..

Даша подумала, поправлять его или нет, — отчество автора было вовсе не Алексеевич, — и решила, что поправлять не станет. Бродский и не такое переживал!..

— И ваши картины!.. Они так соответствуют духу и настроению поэта.

...Что ты знаешь о настроениях поэтов, болван, с раздражением подумала Даша.

— Я хотел взять у вас интервью, — продолжал бородатый мальчик. — Вы согласны, что чем более интенсивной и удалённой становится коммуникация, тем больше она стимулирует людей к личному общению?

— В каком смысле?

— Ну, чем ещё объяснить интерес к панельным дискуссиям и прочим формам общения, требующим физического присутствия?

Даша посмотрела на него и предположила:

— Может, людям просто хочется поговорить?

— Как?

Даша показала, как именно.

— Поговорить словами. Друг с другом.

— Но ведь есть интернет!

— О да!

— Тогда чем вы объясните?..

Юноша Даше уже до смерти надоел.

— Позвоните мне завтра, — сказала она. — И мы всё обсудим, включая панельные дискуссии.

И дотронулась до его руки. Мальчик сглотнул. Капля поползла у него по виску и затерялась в кущах бороды.

Даше вдруг пришло в голову, что в бороде, должно быть, невыносимо жарко!.. Попробуй обмотать физиономию войлоком и так походить какое-то время, с ума сойдёшь.

— В прошлый раз я вас потерял, — пожирая её глазами, произнес мальчик. — А телефон вы мне так и не дали.

Даша назвала первое пришедшее в голову сочетание цифр, ещё раз дотронулась до плеча совсем уж распалённого собеседника, повернулась и чуть не упала.

Прямо перед ней, загораживая проход ефрейторскими плечами, стоял Паша-Суета, тамбовский авторитет и по совместительству Дашин крестник. На Паше была белоснежная концертная сорочка, стоящая колом от крахмала, и черный костюм с блеском на лацканах. В плохо гнущемся кулаке Паша держал букетик.

— Здрасти, — сказал Паша, неопределённо улыбаясь.

— Привет, — отозвалась Даша, рассматривая его. — Ты откуда?

— С Тамбова.

— Культурно отдыхаешь?

Бородатый мальчик смотрел на Пашу с явным неодобрением, подозрительно даже. Похоже, он собирался защитить Дашу от грязных приставаний!

— Идите, — посоветовала она мальчику. — Мы обо всём договоримся завтра. Идите!..

И улыбнулась.

Паша проводил мальчика взглядом, повернулся к Даше и сунул ей букетик.

— Чего тут у вас за хрень?

— Паша, зачем ты сюда припёрся?

Он вздохнул так, что всё его крахмальное облачение приподнялось и заскрипело.

— Так это... Повидать тебя решил.

— Ну, Паша, — изумилась Даша. — Ты даёшь!

— Пойдём, может, того?..

— Чего — того?

— Выйдем, может? У меня там внизу «гелик», покатаемся?..

Даша взяла его под негнущийся локоть и повела сквозь светскую толпу.

— Пашенька, — заговорила она, припадая щекой к его плечу. — Чего тебе надо? Только говори прямо! Когда ты политику наводишь, от тебя можно чего угодно ждать.

— Да я ещё тогда прощения попросил! Сколько ещё просить-то? Ну, приехал! А чего, нельзя? В Москве комендантский час или чего? Ну, соскучился и приехал!

— По мне соскучился, — утвердительно сказала Даша, и Паша кивнул.

Даша поздоровалась в толпе со знаменитым писателем Синицыным, и вежливый Паша поздоровался тоже. Писатель проводил их тревожным антиутопическим взглядом.

— Так чего делать будем?

— А что мы должны делать?

— Слушай, — сказал Паша с тоской и остановился. Их сразу же стали толкать со всех сторон. — Поедем со мной в Тамбов! — Тут он перепугался и зачастил: — Не, ты не подумай ничего такого, просто покатаемся, и все дела! Я тебе город покажу, у нас там турбаза есть, рыбалка, баня! Закачаешься!

— Какая рыбалка, Паша?!

Он замолчал. Даша смотрела на него.

— Не, ты как хочешь. — Он пожал плечами. — Я просто так. Может, думаю, прокатимся. Туда-сюда. Я, понимаешь, простить себе не могу, что тебя... того, Вероника столько времени под боком была, а я проморгал, урод.

— Так ты мне компенсацию за моральный ущерб предлагаешь?!

— Не-е, — Паша перепугался ещё больше. — Я так. Сам не знаю. Думал, вдруг согласишься. Ну, не могу я тебя из головы выкинуть, понимаешь? Хоть голову мне открути — не могу! Таких, как ты, не видал никогда. Я и решил: ты девчонка рисковая, заводная, мало ли чё, вдруг согласишься! А?..

— Ты, Паша, — заключила Даша, — у нас не только охотник за привидениями, но и последний романтик эпохи.

— Чего?

Даша немного подумала. Паша переминался с ноги на ногу, косил в сторону, двигал кулаками, сжимая и разжимая пальцы.

— А поедем! — сказала Даша весело. — Это даже интересно! Я тоже таких, как ты, не видала!

...Ох, попадёт мне от Джахан, пронеслось у неё в голове.

— Чё, правда?!

— Абсолютная! По крайней мере, развлекусь! Не всё же мне тут торчать!

— Да-а, — протянул Паша. — Тут торчать умом тронешься! Так чё, правда поедем?

— Машина, — соображала Даша, — моя машина внизу, в гараже...

— Я видел её, машину твою. В гараже-то этом...

— Да чёрт с ней, пусть остаётся! Ну, заплачу потом за парковку.

— Это сколько ж платить придётся?!

— Не трусь, Паша, я свои заплачу, твои целы останутся! — Ей уже было по-настоящему весело, как перед новым заданием. — Ну что? Двинули? Навстречу новым приключениям?

Она повернулась, взяла с подноса бокал шампанского и отсалютовала Паше. Выпила глоток, обняла закаменевшего Пашу обеими руками, прижалась всем телом, сладко зажмурилась и пропела ему на ухо:

— Мы рождены, чтоб сказку сделать былью, преодолеть пространство и простор...

Когда она открыла глаза, оказалось, что кто-то, проходя мимо, опустил в её бокал красную розу.

Даша усмехнулась, потрогала лепестки и допела:

— Нам разум дал стальные руки-крылья и вместо сердца пламенный мотор!..

Литературно-художественное издание

ТАТЬЯНА УСТИНОВА. ПЕРВАЯ СРЕДИ ЛУЧШИХ

Устинова Татьяна Витальевна

ЗЕМНОЕ ПРИТЯЖЕНИЕ

Ответственный редактор *О. Рубис*
Младший редактор *П. Рукавишникова*
Художественный редактор *С. Груздев*
Технический редактор *Г. Этманова*
Компьютерная верстка *Е. Коптевой*
Корректор *Т. Остроумова*

ООО «Издательство «Э»
123308, Москва, ул. Зорге, д. 1. Тел. 8 (495) 411-68-86.

Өндіруші: «Э» АҚБ Баспасы, 123308, Мәскеу, Ресей, Зорге көшесі, 1 үй.
Тел. 8 (495) 411-68-86.
Тауар белгісі: «Э»
Қазақстан Республикасында дистрибьютор және өнім бойынша арыз-талаптарды қабылдаушының
өкілі «РДЦ-Алматы» ЖШС, Алматы қ., Домбровский көш., 3«а», литер Б, офис 1.
Тел.: 8 (727) 251-59-89/90/91/92, факс: 8 (727) 251 58 12 вн. 107.
Өнімнің жарамдылық мерзімі шектелмеген.
Сертификация туралы ақпарат сайтта Өндіруші «Э»

Сведения о подтверждении соответствия издания согласно законодательству РФ
о техническом регулировании можно получить на сайте Издательства «Э»

Өндірген мемлекет: Ресей
Сертификация қарастырылмаған

Подписано в печать 23.08.2017. Формат 84x108 $^1/_{32}$.
Гарнитура «Newton». Печать офсетная. Усл. печ. л. 16,8.
Тираж 75 000 экз. Заказ 7895.

Отпечатано с готовых файлов заказчика
в АО «Первая Образцовая типография»,
филиал «УЛЬЯНОВСКИЙ ДОМ ПЕЧАТИ»
432980, г. Ульяновск, ул. Гончарова, 14

ISBN 978-5-699-99652-0

ТАТЬЯНА УСТИНОВА

ЖДИТЕ НЕОЖИДАННОГО

*В этом путешествии
все тайное станет явным*

2017-131

ТАТЬЯНА УСТИНОВА

РЕКОМЕНДУЕТ

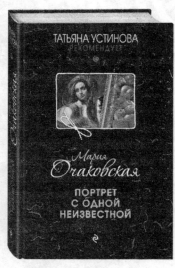

Татьяна УСТИНОВА знает, что привлечет читателей в детективах Екатерины ОСТРОВСКОЙ и Марии ОЧАКОВСКОЙ! «Антураж и атмосферность» придуманного мира, а также драйв, без которого не обходится ни одна хорошая книга. Интригующие истории любви и захватывающие детективные сюжеты – вот что нужно, чтобы провести головокружительный вечер за увлекательным чтением!